교과서

다품

넌♥
잘할거야

기하

구성과 특징

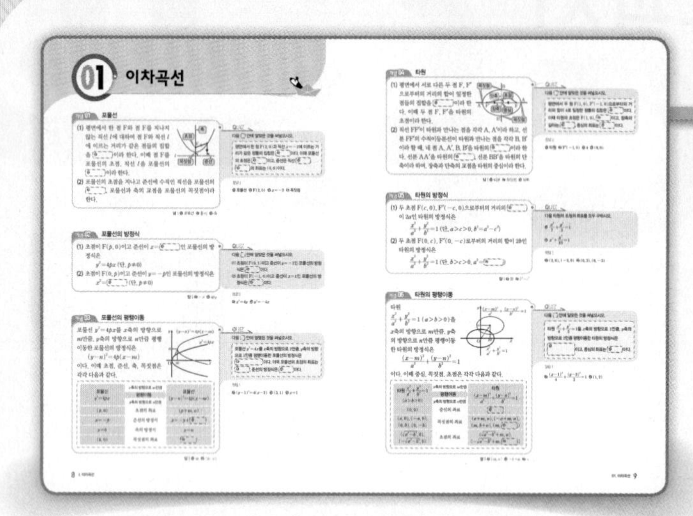

개념 정리

- 단원별로 꼭 알아야 할 개념을 정리하였습니다.
- 빈칸 채우기 등을 통해 스스로 개념을 완성하면서 숙지하도록 하였습니다.

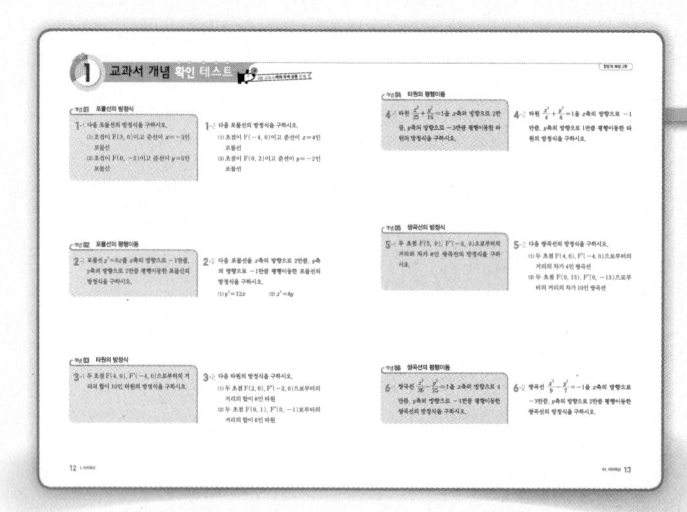

교과서 개념 확인 테스트

- 9종 교과서 예제, 유제, 공통 문제를 수록하였습니다.
- 쌍둥이 구성으로 반복연습이 가능하도록 하였습니다.

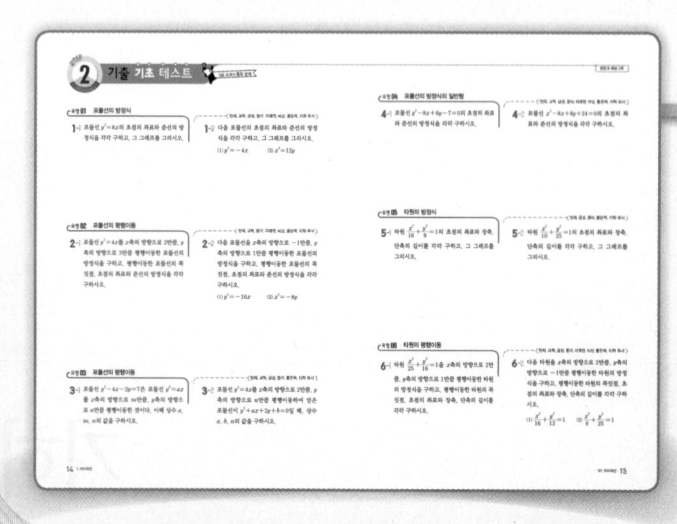

기출 기초 테스트

- 9종 교과서 중요 문제를 수록하고, 반복연습이 가능하도록 하였습니다.

STRUCTURE

“〈다:품〉은 이렇게 구성되어 있습니다.”

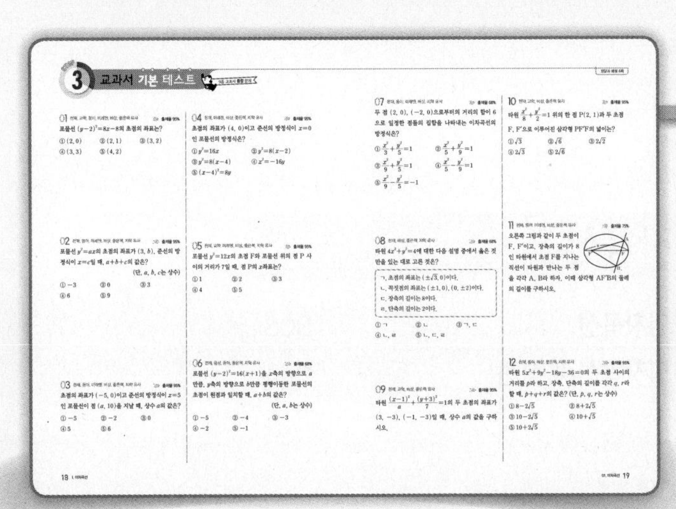

교과서 기본 테스트

- 9종 교과서 종합 문제를 수록하여, 시험 준비와 내신 대비를 할 수 있도록 하였습니다.
- 서술형 문제를 통해 내신 대비를 보다 효과적으로 할 수 있도록 하였습니다.

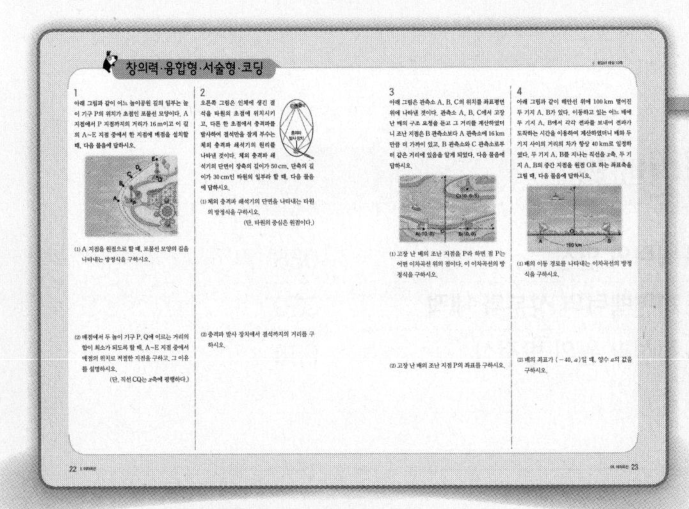

창의력 · 융합형 · 서술형 · 코딩

- 실생활 문제를 통해 수학과 친숙할 수 있도록 하였습니다.

이 책의 차례

I 이차곡선

II 평면벡터

CONTENTS

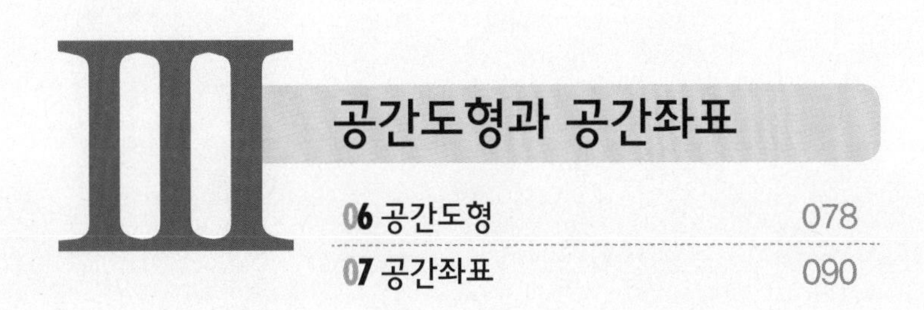

III 공간도형과 공간좌표

행복의 문

Happiness often sneaks in through a door
you didn't know you left open.
- John Barrymore

행복은 종종 당신이 열어둔 지도 몰랐던
문을 통해 살금살금 들어온다.
– 존 배리모어

이차곡선

이차곡선

개념 01 포물선

(1) 평면에서 한 점 F와 점 F를 지나지 않는 직선 l에 대하여 점 F와 직선 l에 이르는 거리가 같은 점들의 집합을 ❶ [ ]이라 한다. 이때 점 F를 포물선의 초점, 직선 l을 포물선의 ❷ [ ]이라 한다.

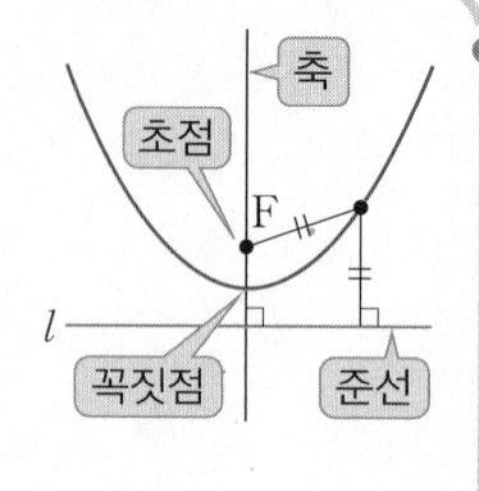

(2) 포물선의 초점을 지나고 준선에 수직인 직선을 포물선의 ❸ [ ], 포물선과 축의 교점을 포물선의 꼭짓점이라 한다.

답 | ❶ 포물선 ❷ 준선 ❸ 축

QUIZ

다음 □ 안에 알맞은 것을 써넣으시오.

평면에서 한 점 $F(2, 0)$과 직선 $x=-2$에 이르는 거리가 같은 점들의 집합은 ❶ [ ]이다. 이때 포물선의 초점은 ❷ [ ]이고, 준선은 직선 ❸ [ ], ❹ [ ]의 좌표는 $(0, 0)$이다.

정답 |

❶ 포물선 ❷ $F(2, 0)$ ❸ $x=-2$ ❹ 꼭짓점

개념 02 포물선의 방정식

(1) 초점이 $F(p, 0)$이고 준선이 $x=$ ❶ [ ]인 포물선의 방정식은

$$y^2=4px \text{ (단, } p\neq0)$$

(2) 초점이 $F(0, p)$이고 준선이 $y=-p$인 포물선의 방정식은

$$x^2=\text{❷ [ ] (단, } p\neq0)$$

답 | ❶ $-p$ ❷ $4py$

QUIZ

다음 □ 안에 알맞은 것을 써넣으시오.

(1) 초점이 $F(0, 1)$이고 준선이 $y=-1$인 포물선의 방정식은 ❶ [ ]이다.

(2) 초점이 $F(-1, 0)$이고 준선이 $x=1$인 포물선의 방정식은 ❷ [ ]이다.

정답 |

❶ $x^2=4y$ ❷ $y^2=-4x$

개념 03 포물선의 평행이동

포물선 $y^2=4px$를 x축의 방향으로 m만큼, y축의 방향으로 n만큼 평행이동한 포물선의 방정식은

$$(y-n)^2=4p(x-m)$$

이다. 이때 초점, 준선, 축, 꼭짓점은 각각 다음과 같다.

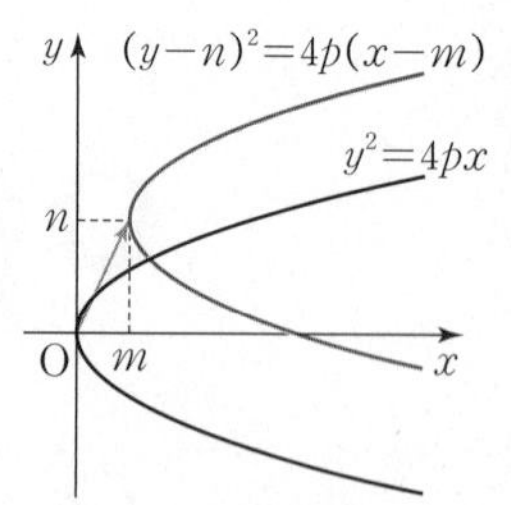

포물선 $y^2=4px$	x축의 방향으로 m만큼 평행이동 y축의 방향으로 n만큼	포물선 $(y-n)^2=4p(x-m)$
$(p, 0)$	초점의 좌표	$(p+m, n)$
$x=-p$	준선의 방정식	$x=-p+$ ❶ [ ]
$y=0$	축의 방정식	$y=n$
$(0, 0)$	꼭짓점의 좌표	❷ [ ]

답 | ❶ m ❷ (m, n)

QUIZ

다음 □ 안에 알맞은 것을 써넣으시오.

포물선 $y^2=4x$를 x축의 방향으로 2만큼, y축의 방향으로 1만큼 평행이동한 포물선의 방정식은 ❶ [ ]이다. 이때 포물선의 초점의 좌표는 ❷ [ ], 준선의 방정식은 ❸ [ ]이다.

정답 |

❶ $(y-1)^2=4(x-2)$ ❷ $(3, 1)$ ❸ $x=1$

개념 04 타원

(1) 평면에서 서로 다른 두 점 F, F′으로부터의 거리의 합이 일정한 점들의 집합을 ❶ ☐ 이라 한다. 이때 두 점 F, F′을 타원의 초점이라 한다.

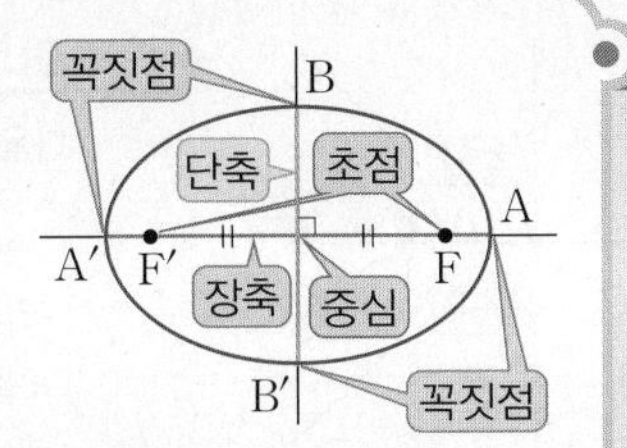

(2) 직선 FF′이 타원과 만나는 점을 각각 A, A′이라 하고, 선분 FF′의 수직이등분선이 타원과 만나는 점을 각각 B, B′이라 할 때, 네 점 A, A′, B, B′을 타원의 ❷ ☐ 이라 한다. 선분 AA′을 타원의 ❸ ☐, 선분 BB′을 타원의 단축이라 하며, 장축과 단축의 교점을 타원의 중심이라 한다.

답 | ❶ 타원 ❷ 꼭짓점 ❸ 장축

QUIZ

다음 ☐ 안에 알맞은 것을 써넣으시오.

평면에서 두 점 F(1, 0), F′(−1, 0)으로부터의 거리의 합이 4로 일정한 점들의 집합은 ❶ ☐ 이다. 이때 타원의 초점은 F(1, 0), ❷ ☐ 이고, 장축의 길이는 ❸ ☐, 중심의 좌표는 ❹ ☐ 이다.

정답 |

❶ 타원 ❷ F′(−1, 0) ❸ 4 ❹ (0, 0)

개념 05 타원의 방정식

(1) 두 초점 $F(c, 0)$, $F'(-c, 0)$으로부터의 거리의 ❶ ☐ 이 $2a$인 타원의 방정식은

$$\frac{x^2}{a^2}+\frac{y^2}{b^2}=1 \text{ (단, } a>c>0,\ b^2=a^2-c^2\text{)}$$

(2) 두 초점 $F(0, c)$, $F'(0, -c)$로부터의 거리의 합이 $2b$인 타원의 방정식은

$$\frac{x^2}{a^2}+\frac{y^2}{b^2}=1 \text{ (단, } b>c>0,\ a^2=\text{❷ ☐)}$$

답 | ❶ 합 ❷ b^2-c^2

QUIZ

다음 타원의 초점의 좌표를 모두 구하시오.

❶ $\frac{x^2}{7}+\frac{y^2}{3}=1$

❷ $x^2+\frac{y^2}{10}=1$

정답 |

❶ $(2, 0)$, $(-2, 0)$ ❷ $(0, 3)$, $(0, -3)$

개념 06 타원의 평행이동

타원 $\frac{x^2}{a^2}+\frac{y^2}{b^2}=1\ (a>b>0)$을 x축의 방향으로 m만큼, y축의 방향으로 n만큼 평행이동한 타원의 방정식은

$$\frac{(x-m)^2}{a^2}+\frac{(y-n)^2}{b^2}=1$$

이다. 이때 중심, 꼭짓점, 초점은 각각 다음과 같다.

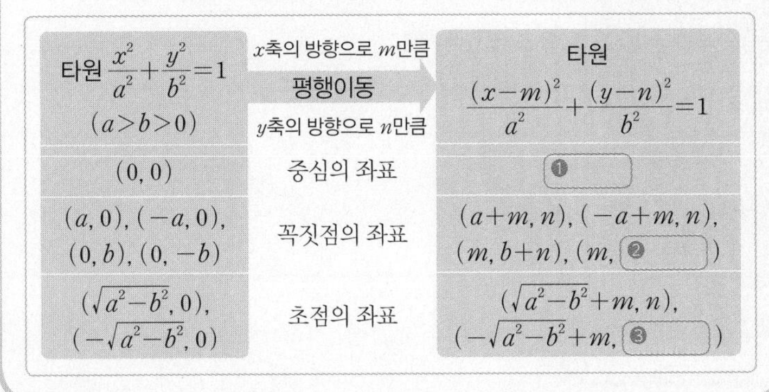

타원 $\frac{x^2}{a^2}+\frac{y^2}{b^2}=1$ $(a>b>0)$	x축의 방향으로 m만큼 평행이동 y축의 방향으로 n만큼	타원 $\frac{(x-m)^2}{a^2}+\frac{(y-n)^2}{b^2}=1$
$(0, 0)$	중심의 좌표	❶ ☐
$(a, 0)$, $(-a, 0)$, $(0, b)$, $(0, -b)$	꼭짓점의 좌표	$(a+m, n)$, $(-a+m, n)$, $(m, b+n)$, $(m,$ ❷ ☐$)$
$(\sqrt{a^2-b^2}, 0)$, $(-\sqrt{a^2-b^2}, 0)$	초점의 좌표	$(\sqrt{a^2-b^2}+m, n)$, $(-\sqrt{a^2-b^2}+m,$ ❸ ☐$)$

답 | ❶ (m, n) ❷ $-b+n$ ❸ n

QUIZ

다음 ☐ 안에 알맞은 것을 써넣으시오.

타원 $\frac{x^2}{4}+\frac{y^2}{3}=1$을 x축의 방향으로 1만큼, y축의 방향으로 2만큼 평행이동한 타원의 방정식은 ❶ ☐ 이고, 중심의 좌표는 ❷ ☐ 이다.

정답 |

❶ $\frac{(x-1)^2}{4}+\frac{(y-2)^2}{3}=1$ ❷ $(1, 2)$

개념 07 쌍곡선

(1) 평면에서 서로 다른 두 점 F, F′으로부터의 거리의 차가 일정한 점들의 집합을 ❶ ___ 이라 한다. 이때 두 점 F, F′을 쌍곡선의 초점이라 한다.

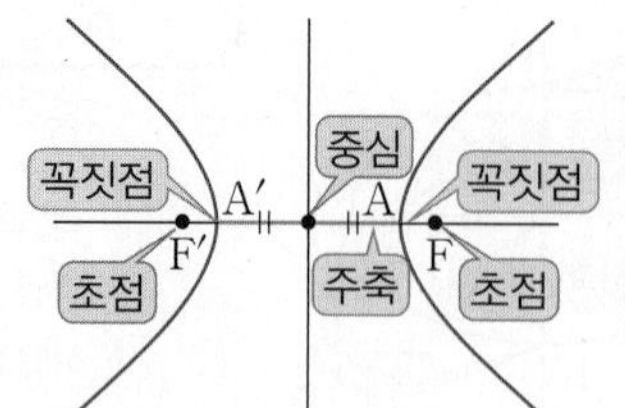

(2) 직선 FF′이 쌍곡선과 만나는 두 점 A, A′을 쌍곡선의 꼭짓점이라 하고, 선분 AA′을 쌍곡선의 ❷ ___, 선분 AA′의 중점을 쌍곡선의 중심이라 한다.

답 | ❶ 쌍곡선 ❷ 주축

QUIZ

다음 □ 안에 알맞은 것을 써넣으시오.

평면에서 두 점 F(2, 0), F′(−2, 0)으로부터의 거리의 차가 2로 일정한 점들의 집합은 ❶ ___ 이다. 이때 쌍곡선의 초점은 F(2, 0), ❷ ___ 이고, 주축의 길이는 ❸ ___, 중심의 좌표는 ❹ ___ 이다.

정답 | ❶ 쌍곡선 ❷ F′(−2, 0) ❸ 2 ❹ (0, 0)

개념 08 쌍곡선의 방정식

(1) 두 초점 F$(c, 0)$, F′$(-c, 0)$으로부터의 거리의 ❶ ___ 가 $2a$인 쌍곡선의 방정식은

$$\frac{x^2}{a^2}-\frac{y^2}{b^2}=1 \text{ (단, } c>a>0,\ b^2=c^2-a^2)$$

(2) 두 초점 F$(0, c)$, F′$(0, -c)$로부터의 거리의 차가 $2b$인 쌍곡선의 방정식은

$$\frac{x^2}{a^2}-\frac{y^2}{b^2}=-1 \text{ (단, } c>b>0,\ a^2=\text{❷ ___})$$

(3) 쌍곡선 $\frac{x^2}{a^2}-\frac{y^2}{b^2}=1$과 $\frac{x^2}{a^2}-\frac{y^2}{b^2}=-1$의 점근선의 방정식은 $y=\pm\frac{b}{a}x$

답 | ❶ 차 ❷ c^2-b^2

QUIZ

다음 쌍곡선의 초점의 좌표를 모두 구하시오.

❶ $\frac{x^2}{3}-\frac{y^2}{13}=1$

❷ $\frac{x^2}{25}-\frac{y^2}{11}=-1$

정답 | ❶ $(4, 0)$, $(-4, 0)$ ❷ $(0, 6)$, $(0, -6)$

개념 09 쌍곡선의 평행이동

쌍곡선 $\frac{x^2}{a^2}-\frac{y^2}{b^2}=1$을 x축의 방향으로 m만큼, y축의 방향으로 n만큼 평행이동한 쌍곡선의 방정식은

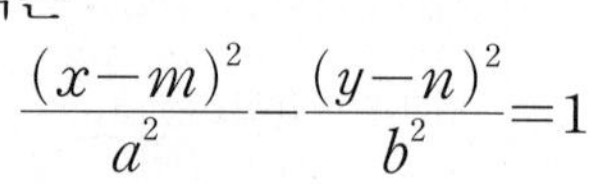

$$\frac{(x-m)^2}{a^2}-\frac{(y-n)^2}{b^2}=1$$

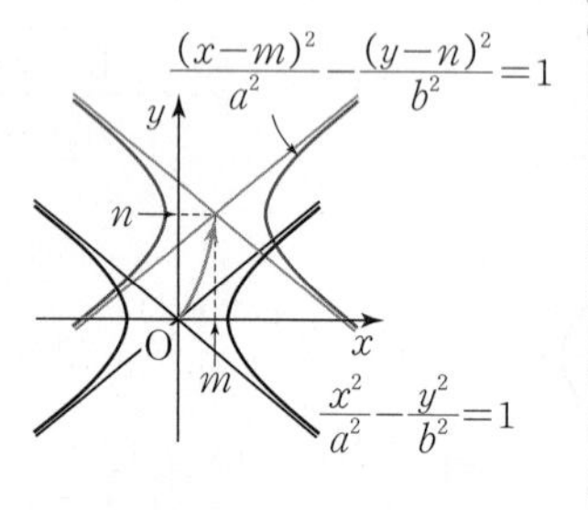

이다. 이때 중심, 꼭짓점, 초점, 점근선은 각각 다음과 같다.

쌍곡선 $\frac{x^2}{a^2}-\frac{y^2}{b^2}=1$	x축의 방향으로 m만큼 평행이동 y축의 방향으로 n만큼	쌍곡선 $\frac{(x-m)^2}{a^2}-\frac{(y-n)^2}{b^2}=1$
$(0, 0)$	중심의 좌표	(m, n)
$(a, 0)$, $(-a, 0)$	꼭짓점의 좌표	(❶ ___, n), $(-a+m, n)$
$(\sqrt{a^2+b^2}, 0)$, $(-\sqrt{a^2+b^2}, 0)$	초점의 좌표	$(\sqrt{a^2+b^2}+m, n)$, (❷ ___ $+m, n$)
$y=\pm\frac{b}{a}x$	점근선의 방정식	$y-n=$ ❸ ___ $(x-m)$

답 | ❶ $a+m$ ❷ $-\sqrt{a^2+b^2}$ ❸ $\pm\frac{b}{a}$

QUIZ

다음 □ 안에 알맞은 것을 써넣으시오.

쌍곡선 $\frac{x^2}{16}-\frac{y^2}{9}=1$을 x축의 방향으로 2만큼, y축의 방향으로 1만큼 평행이동한 쌍곡선의 방정식은 ❶ ___ 이고, 중심의 좌표는 ❷ ___ 이다.

정답 | ❶ $\frac{(x-2)^2}{16}-\frac{(y-1)^2}{9}=1$ ❷ $(2, 1)$

개념 10 좌표평면 위의 이차곡선과 이차곡선의 방정식

포물선의 방정식	$y^2=4px\ (p>0)$	$y^2=4px\ (p<0)$
그래프	$y^2=4px$, F, $-p$, O, p, x, y, $x=-p$	$y^2=4px$, F, p, O, $-p$, x, y, $x=-p$
초점의 좌표	$\mathrm{F}(p, 0)$	$\mathrm{F}(p, 0)$
준선의 방정식	$x=-p$	$x=-p$
포물선의 방정식	$x^2=4py\ (p>0)$	$x^2=4py\ (p<0)$
그래프	$x^2=4py$, F, p, O, x, y, $-p$, $y=-p$	$-p$, $y=-p$, O, x, y, F, p, $x^2=4py$
초점의 좌표	$\mathrm{F}(0, p)$	$\mathrm{F}(0, p)$
준선의 방정식	$y=-p$	$y=-p$
타원의 방정식	$\dfrac{x^2}{a^2}+\dfrac{y^2}{b^2}=1\ (a>b>0)$	$\dfrac{x^2}{a^2}+\dfrac{y^2}{b^2}=1\ (b>a>0)$
그래프	$\frac{x^2}{a^2}+\frac{y^2}{b^2}=1$, F′, F, $-a$, $-c$, O, c, a, x, b, $-b$, y	$\frac{x^2}{a^2}+\frac{y^2}{b^2}=1$, b, c, F, $-a$, O, a, x, $-c$, F′, $-b$, y
초점의 좌표	$\mathrm{F}(\sqrt{a^2-b^2}, 0), \mathrm{F}'(-\sqrt{a^2-b^2}, 0)$	$\mathrm{F}(0, \sqrt{b^2-a^2}), \mathrm{F}'(0, -\sqrt{b^2-a^2})$
장축의 길이	$2a$	$2b$
단축의 길이	$2b$	$2a$
쌍곡선의 방정식	$\dfrac{x^2}{a^2}-\dfrac{y^2}{b^2}=1$	$\dfrac{x^2}{a^2}-\dfrac{y^2}{b^2}=-1$
그래프	$\frac{x^2}{a^2}-\frac{y^2}{b^2}=1$, F′, O, F, $-c$, $-a$, a, c, x, y	$\frac{x^2}{a^2}-\frac{y^2}{b^2}=-1$, c, F, b, O, x, $-b$, $-c$, F′, y
초점의 좌표	$\mathrm{F}(\sqrt{a^2+b^2}, 0), \mathrm{F}'(-\sqrt{a^2+b^2}, 0)$	$\mathrm{F}(0, \sqrt{a^2+b^2}), \mathrm{F}'(0, -\sqrt{a^2+b^2})$
주축의 길이	$2a$	$2b$

교과서 개념 확인 테스트

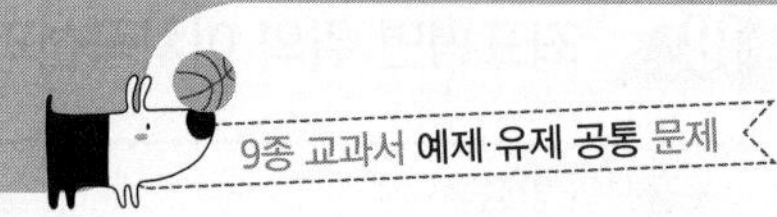

개념 01 포물선의 방정식

1-1 다음 포물선의 방정식을 구하시오.

(1) 초점이 $\mathrm{F}(3,\ 0)$이고 준선이 $x=-3$인 포물선

(2) 초점이 $\mathrm{F}(0,\ -5)$이고 준선이 $y=5$인 포물선

1-2 다음 포물선의 방정식을 구하시오.

(1) 초점이 $\mathrm{F}(-4,\ 0)$이고 준선이 $x=4$인 포물선

(2) 초점이 $\mathrm{F}(0,\ 2)$이고 준선이 $y=-2$인 포물선

개념 02 포물선의 평행이동

2-1 포물선 $y^2=8x$를 x축의 방향으로 -1만큼, y축의 방향으로 2만큼 평행이동한 포물선의 방정식을 구하시오.

2-2 다음 포물선을 x축의 방향으로 2만큼, y축의 방향으로 -1만큼 평행이동한 포물선의 방정식을 구하시오.

(1) $y^2=12x$ (2) $x^2=8y$

개념 03 타원의 방정식

3-1 두 초점 $\mathrm{F}(4,\ 0)$, $\mathrm{F}'(-4,\ 0)$으로부터의 거리의 합이 10인 타원의 방정식을 구하시오.

3-2 다음 타원의 방정식을 구하시오.

(1) 두 초점 $\mathrm{F}(2,\ 0)$, $\mathrm{F}'(-2,\ 0)$으로부터의 거리의 합이 8인 타원

(2) 두 초점 $\mathrm{F}(0,\ 1)$, $\mathrm{F}'(0,\ -1)$로부터의 거리의 합이 6인 타원

개념 04 타원의 평행이동

4-1 타원 $\frac{x^2}{25}+\frac{y^2}{16}=1$을 x축의 방향으로 2만큼, y축의 방향으로 -3만큼 평행이동한 타원의 방정식을 구하시오.

4-2 타원 $\frac{x^2}{4}+\frac{y^2}{6}=1$을 x축의 방향으로 -1만큼, y축의 방향으로 1만큼 평행이동한 타원의 방정식을 구하시오.

개념 05 쌍곡선의 방정식

5-1 두 초점 $F(5, 0)$, $F'(-5, 0)$으로부터의 거리의 차가 8인 쌍곡선의 방정식을 구하시오.

5-2 다음 쌍곡선의 방정식을 구하시오.

(1) 두 초점 $F(4, 0)$, $F'(-4, 0)$으로부터의 거리의 차가 4인 쌍곡선

(2) 두 초점 $F(0, 13)$, $F'(0, -13)$으로부터의 거리의 차가 10인 쌍곡선

개념 06 쌍곡선의 평행이동

6-1 쌍곡선 $\frac{x^2}{36}-\frac{y^2}{25}=1$을 x축의 방향으로 4만큼, y축의 방향으로 -1만큼 평행이동한 쌍곡선의 방정식을 구하시오.

6-2 쌍곡선 $\frac{x^2}{9}-\frac{y^2}{7}=-1$을 x축의 방향으로 -3만큼, y축의 방향으로 2만큼 평행이동한 쌍곡선의 방정식을 구하시오.

기출 기초 테스트

유형 01 포물선의 방정식

1-1 포물선 $y^2=8x$의 초점의 좌표와 준선의 방정식을 각각 구하고, 그 그래프를 그리시오.

(천재, 교학, 금성, 동아, 미래엔, 비상, 좋은책, 지학 유사)

1-2 다음 포물선의 초점의 좌표와 준선의 방정식을 각각 구하고, 그 그래프를 그리시오.

(1) $y^2=-4x$　　(2) $x^2=12y$

유형 02 포물선의 평행이동

2-1 포물선 $y^2=4x$를 x축의 방향으로 2만큼, y축의 방향으로 3만큼 평행이동한 포물선의 방정식을 구하고, 평행이동한 포물선의 꼭짓점, 초점의 좌표와 준선의 방정식을 각각 구하시오.

(천재, 교학, 동아, 미래엔, 비상, 좋은책, 지학 유사)

2-2 다음 포물선을 x축의 방향으로 -1만큼, y축의 방향으로 1만큼 평행이동한 포물선의 방정식을 구하고, 평행이동한 포물선의 꼭짓점, 초점의 좌표와 준선의 방정식을 각각 구하시오.

(1) $y^2=-16x$　　(2) $x^2=-8y$

유형 03 포물선의 평행이동

3-1 포물선 $y^2-4x-2y=7$은 포물선 $y^2=ax$를 x축의 방향으로 m만큼, y축의 방향으로 n만큼 평행이동한 것이다. 이때 상수 a, m, n의 값을 구하시오.

(천재, 교학, 금성, 동아, 좋은책, 지학 유사)

3-2 포물선 $y^2=4x$를 x축의 방향으로 2만큼, y축의 방향으로 n만큼 평행이동하여 얻은 포물선이 $y^2+ax+2y+b=0$일 때, 상수 a, b, n의 값을 구하시오.

유형 04 포물선의 방정식의 일반형

(천재, 교학, 금성, 동아, 미래엔, 비상, 좋은책, 지학 유사)

4-1 포물선 $y^2-8x+6y-7=0$의 초점의 좌표와 준선의 방정식을 각각 구하시오.

4-2 포물선 $x^2-8x+8y+24=0$의 초점의 좌표와 준선의 방정식을 각각 구하시오.

유형 05 타원의 방정식

(천재, 금성, 동아, 좋은책, 지학 유사)

5-1 타원 $\frac{x^2}{16}+\frac{y^2}{9}=1$의 초점의 좌표와 장축, 단축의 길이를 각각 구하고, 그 그래프를 그리시오.

5-2 타원 $\frac{x^2}{10}+\frac{y^2}{25}=1$의 초점의 좌표와 장축, 단축의 길이를 각각 구하고, 그 그래프를 그리시오.

유형 06 타원의 평행이동

(천재, 교학, 금성, 동아, 미래엔, 비상, 좋은책, 지학 유사)

6-1 타원 $\frac{x^2}{25}+\frac{y^2}{16}=1$을 x축의 방향으로 2만큼, y축의 방향으로 1만큼 평행이동한 타원의 방정식을 구하고, 평행이동한 타원의 꼭짓점, 초점의 좌표와 장축, 단축의 길이를 각각 구하시오.

6-2 다음 타원을 x축의 방향으로 2만큼, y축의 방향으로 -1만큼 평행이동한 타원의 방정식을 구하고, 평행이동한 타원의 꼭짓점, 초점의 좌표와 장축, 단축의 길이를 각각 구하시오.

(1) $\frac{x^2}{16}+\frac{y^2}{12}=1$　　(2) $\frac{x^2}{9}+\frac{y^2}{25}=1$

유형 07 타원의 평행이동

(천재, 금성, 동아, 좋은책, 지학 유사)

7-1 타원 $\dfrac{(x-1)^2}{100}+\dfrac{(y-n)^2}{64}=1$은 타원 $\dfrac{x^2}{100}+\dfrac{y^2}{64}=1$을 x축의 방향으로 m만큼, y축의 방향으로 2만큼 평행이동한 것일 때, 다음을 구하시오.

(1) 상수 m, n의 값

(2) 타원 $\dfrac{(x-1)^2}{100}+\dfrac{(y-n)^2}{64}=1$의 초점의 좌표와 장축의 길이

7-2 타원 $\dfrac{(x+2)^2}{4}+\dfrac{(y-3)^2}{9}=1$은 타원 $\dfrac{x^2}{4}+\dfrac{y^2}{9}=1$을 x축의 방향으로 m만큼, y축의 방향으로 n만큼 평행이동한 것일 때, 다음을 구하시오.

(1) 상수 m, n의 값

(2) 타원 $\dfrac{(x-2)^2}{4}+\dfrac{(y-3)^2}{9}=1$의 초점의 좌표와 장축의 길이

유형 08 타원의 방정식의 일반형

(천재, 교학, 동아, 미래엔, 비상, 좋은책, 지학 유사)

8-1 타원 $4x^2+y^2-2y-3=0$의 초점의 좌표와 장축, 단축의 길이를 각각 구하시오.

8-2 타원 $4x^2+9y^2-8x-32=0$의 초점의 좌표와 장축, 단축의 길이를 각각 구하시오.

유형 09 쌍곡선의 방정식

(천재, 교학, 금성, 동아, 좋은책, 지학 유사)

9-1 쌍곡선 $\dfrac{x^2}{4}-\dfrac{y^2}{3}=1$의 꼭짓점, 초점의 좌표와 주축의 길이를 각각 구하고, 그 그래프를 그리시오.

9-2 쌍곡선 $\dfrac{x^2}{9}-\dfrac{y^2}{4}=-1$의 꼭짓점, 초점의 좌표와 주축의 길이를 각각 구하고, 그 그래프를 그리시오.

유형 10 쌍곡선의 평행이동

10-1 쌍곡선 $\frac{x^2}{9}-\frac{y^2}{7}=1$을 x축의 방향으로 3만큼, y축의 방향으로 2만큼 평행이동한 쌍곡선의 방정식을 구하고, 평행이동한 쌍곡선의 꼭짓점, 초점의 좌표와 주축의 길이를 각각 구하시오.

(천재, 교학, 금성, 동아, 지학, 좋은책 유사)

10-2 다음 쌍곡선을 x축의 방향으로 -1만큼, y축의 방향으로 2만큼 평행이동한 쌍곡선의 방정식을 구하고, 평행이동한 쌍곡선의 꼭짓점, 초점의 좌표와 주축의 길이를 각각 구하시오.

(1) $\frac{x^2}{16}-\frac{y^2}{20}=1$ (2) $\frac{x^2}{45}-\frac{y^2}{36}=-1$

유형 11 쌍곡선의 점근선

11-1 쌍곡선 $\frac{x^2}{16}-\frac{y^2}{9}=1$의 점근선의 방정식을 구하고, 이를 이용하여 쌍곡선의 그래프를 그리시오.

(천재, 교학, 금성, 동아, 미래엔, 비상, 좋은책, 지학 유사)

11-2 다음 쌍곡선의 점근선의 방정식을 구하고, 이를 이용하여 쌍곡선의 그래프를 그리시오.

(1) $\frac{x^2}{4}-\frac{y^2}{12}=1$ (2) $x^2-y^2=-1$

유형 12 쌍곡선의 방정식의 일반형

12-1 쌍곡선 $x^2-4y^2-4x=0$의 중심, 꼭짓점, 초점의 좌표와 점근선의 방정식을 각각 구하시오.

(천재, 동아, 미래엔, 비상, 좋은책, 지학 유사)

12-2 쌍곡선 $4x^2-y^2+2y+35=0$의 중심, 꼭짓점, 초점의 좌표와 점근선의 방정식을 각각 구하시오.

교과서 기본 테스트

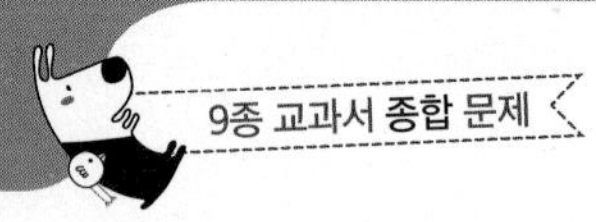

01 천재, 교학, 동아, 미래엔, 비상, 좋은책 유사 》 출제율 95%

포물선 $(y-2)^2=8x-8$의 초점의 좌표는?

① $(2, 0)$ ② $(2, 1)$ ③ $(3, 2)$
④ $(3, 3)$ ⑤ $(4, 2)$

02 천재, 동아, 미래엔, 비상, 좋은책, 지학 유사 》 출제율 95%

포물선 $y^2=ax$의 초점의 좌표가 $(3, b)$, 준선의 방정식이 $x=c$일 때, $a+b+c$의 값은?

(단, a, b, c는 상수)

① -3 ② 0 ③ 3
④ 6 ⑤ 9

03 천재, 동아, 미래엔, 비상, 좋은책, 지학 유사 》 출제율 95%

초점의 좌표가 $(-5, 0)$이고 준선의 방정식이 $x=5$인 포물선이 점 $(a, 10)$을 지날 때, 상수 a의 값은?

① -5 ② -2 ③ 0
④ 5 ⑤ 6

04 천재, 미래엔, 비상, 좋은책, 지학 유사 》 출제율 95%

초점의 좌표가 $(4, 0)$이고 준선의 방정식이 $x=0$인 포물선의 방정식은?

① $y^2=16x$ ② $y^2=8(x-2)$
③ $y^2=8(x-4)$ ④ $x^2=-16y$
⑤ $(x-4)^2=8y$

05 천재, 교학, 미래엔, 비상, 좋은책, 지학 유사 》 출제율 95%

포물선 $y^2=12x$의 초점 F와 포물선 위의 점 P 사이의 거리가 7일 때, 점 P의 x좌표는?

① 1 ② 2 ③ 3
④ 4 ⑤ 5

06 천재, 금성, 동아, 좋은책, 지학 유사 》 출제율 68%

포물선 $(y-2)^2=16(x+1)$을 x축의 방향으로 a만큼, y축의 방향으로 b만큼 평행이동한 포물선의 초점이 원점과 일치할 때, $a+b$의 값은?

(단, a, b는 상수)

① -5 ② -4 ③ -3
④ -2 ⑤ -1

07 천재, 동아, 미래엔, 비상, 지학 유사 　　　　　출제율 68%

두 점 $(2,\ 0)$, $(-2,\ 0)$으로부터의 거리의 합이 6으로 일정한 점들의 집합을 나타내는 이차곡선의 방정식은?

① $\dfrac{x^2}{3}+\dfrac{y^2}{5}=1$　　② $\dfrac{x^2}{5}+\dfrac{y^2}{9}=1$

③ $\dfrac{x^2}{9}+\dfrac{y^2}{5}=1$　　④ $\dfrac{x^2}{5}-\dfrac{y^2}{9}=1$

⑤ $\dfrac{x^2}{9}-\dfrac{y^2}{5}=-1$

08 천재, 비상, 좋은책, 지학 유사 　　　　　출제율 68%

타원 $4x^2+y^2=4$에 대한 다음 설명 중에서 옳은 것만을 있는 대로 고른 것은?

ㄱ. 초점의 좌표는 $(\pm\sqrt{3},\ 0)$이다.
ㄴ. 꼭짓점의 좌표는 $(\pm 1,\ 0)$, $(0,\ \pm 2)$이다.
ㄷ. 장축의 길이는 8이다.
ㄹ. 단축의 길이는 2이다.

① ㄱ　　② ㄴ　　③ ㄱ, ㄷ

④ ㄴ, ㄹ　　⑤ ㄴ, ㄷ, ㄹ

09 천재, 교학, 비상, 좋은책 유사 　　　　　출제율 95%

타원 $\dfrac{(x-1)^2}{a}+\dfrac{(y+3)^2}{7}=1$의 두 초점의 좌표가 $(3,\ -3)$, $(-1,\ -3)$일 때, 상수 a의 값을 구하시오.

10 천재, 교학, 비상, 좋은책 유사 　　　　　출제율 95%

타원 $\dfrac{x^2}{8}+\dfrac{y^2}{2}=1$ 위의 한 점 $\mathrm{P}(2,\ 1)$과 두 초점 F, F′으로 이루어진 삼각형 PF′F의 넓이는?

① $\sqrt{3}$　　② $\sqrt{6}$　　③ $2\sqrt{2}$

④ $2\sqrt{3}$　　⑤ $2\sqrt{6}$

11 천재, 동아, 미래엔, 비상, 좋은책 유사 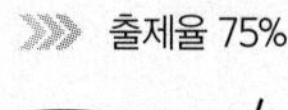

오른쪽 그림과 같이 두 초점이 F, F′이고, 장축의 길이가 8인 타원에서 초점 F를 지나는 직선이 타원과 만나는 두 점을 각각 A, B라 하자. 이때 삼각형 AF′B의 둘레의 길이를 구하시오.

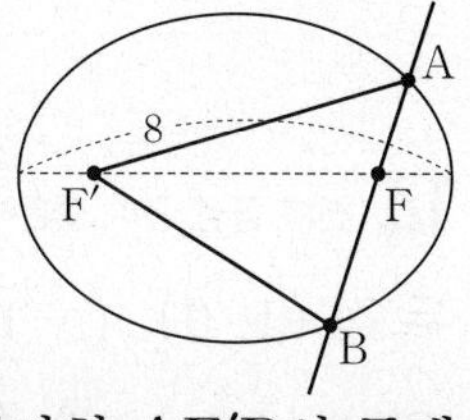

12 천재, 동아, 비상, 좋은책, 지학 유사 　　　　　출제율 95%

타원 $5x^2+9y^2-18y-36=0$의 두 초점 사이의 거리를 p라 하고, 장축, 단축의 길이를 각각 q, r라 할 때, $p+q+r$의 값은? (단, p, q, r는 상수)

① $8-2\sqrt{5}$　　② $8+2\sqrt{5}$

③ $10-2\sqrt{5}$　　④ $10+\sqrt{5}$

⑤ $10+2\sqrt{5}$

13 천재, 교학, 동아, 미래엔, 비상, 좋은책 유사 ⋙ 출제율 78%

두 점 $(0,\ 3)$, $(0,\ -3)$을 초점으로 하고, 주축의 길이가 4인 쌍곡선의 방정식은?

① $\frac{x^2}{4}-\frac{y^2}{5}=1$ ② $\frac{x^2}{4}-\frac{y^2}{5}=-1$
③ $\frac{x^2}{5}-\frac{y^2}{4}=1$ ④ $\frac{x^2}{5}-\frac{y^2}{4}=-1$
⑤ $x^2-y^2=5$

14 천재, 금성, 동아, 좋은책, 지학 유사 ⋙ 출제율 80%

두 점 $(1,\ 0)$, $(-1,\ 0)$을 초점으로 하고, 두 직선 $y=x$, $y=-x$를 점근선으로 하는 쌍곡선의 방정식은?

① $x^2-y^2=1$ ② $x^2-y^2=2$
③ $2x^2-2y^2=1$ ④ $3x^2-3y^2=4$
⑤ $4x^2-4y^2=3$

15 천재, 금성, 좋은책, 지학 유사 ⋙ 출제율 80%

두 직선 $y=2x$, $y=-2x$를 점근선으로 하고, 점 $(1,\ 0)$을 지나는 쌍곡선의 방정식을 구하시오.

16 천재, 교학, 금성, 동아, 비상, 좋은책 유사 ⋙ 출제율 78%

쌍곡선 $\frac{x^2}{a^2}-\frac{y^2}{b^2}=1$이 점 $(3,\ 1)$을 지나고 두 점근선이 서로 수직일 때, 주축의 길이는?

(단, $a>0$, $b>0$)

① 1 ② $\sqrt{2}$ ③ $2\sqrt{2}$
④ $3\sqrt{2}$ ⑤ $4\sqrt{2}$

17 천재, 금성, 비상, 좋은책, 지학 유사 ⋙ 출제율 65%

포물선 $y^2=-12x$의 초점이 타원 $\frac{x^2}{a}+\frac{y^2}{3}=1$의 한 초점일 때, 상수 a의 값은?

① 10 ② 12 ③ 14
④ 16 ⑤ 18

18 천재, 금성, 비상, 좋은책, 지학 유사 ⋙ 출제율 85%

점 $\mathrm{A}(0,\ 3)$을 지나는 직선이 타원 $\frac{x^2}{16}+\frac{y^2}{25}=1$과 만나는 두 점을 각각 P, Q라 하자. y축 위의 점 $\mathrm{R}(0,\ -3)$에 대하여 삼각형 PQR의 둘레의 길이를 구하시오.

(단, 두 점 P, Q는 모두 y축 위에 있지 않다.)

19 천재, 동아, 미래엔, 비상, 좋은책, 지학 유사

출제율 95%

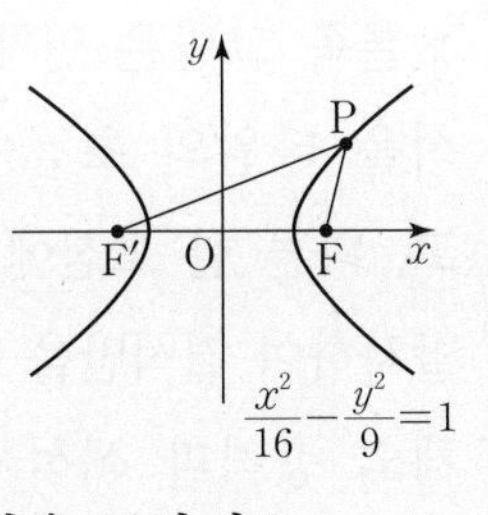

오른쪽 그림과 같은 쌍곡선 $\frac{x^2}{16}-\frac{y^2}{9}=1$의 두 초점 F, F′과 쌍곡선 위의 점 P에 대하여 삼각형 PF′F의 둘레의 길이가 30일 때, $|\overline{PF}^2-\overline{PF'}^2|$의 값을 구하시오.

20 천재, 미래엔, 비상, 좋은책, 지학 유사

출제율 83%

쌍곡선 $\frac{x^2}{p}-\frac{(y-r)^2}{q}=-1$의 두 초점의 좌표가 $(0, 7)$, $(0, -1)$이고 주축의 길이가 6일 때, $p-q+r$의 값을 구하시오. (단, p, q, r는 상수)

21 천재, 동아, 미래엔, 비상, 좋은책 유사

출제율 70%

다음 그림과 같이 쌍곡선 $\frac{x^2}{9}-\frac{y^2}{7}=1$의 두 초점을 F, F′이라 하고, 점 F를 지나고 x축에 수직인 직선이 쌍곡선과 만나는 두 점을 각각 A, B라 할 때, 삼각형 AF′B의 넓이를 구하시오.

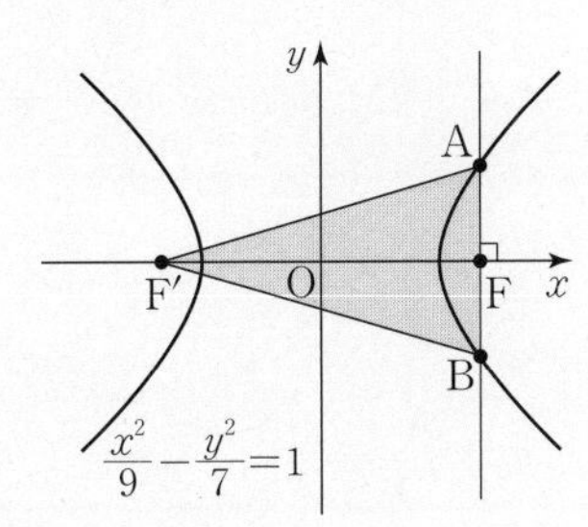

과정을 평가하는 서술형입니다.

[22~24] 다음 문제의 풀이 과정을 자세히 쓰시오.

22 천재, 동아, 미래엔, 비상, 좋은책, 지학 유사

출제율 80%

포물선 $(y-3)^2=-12(x+1)$의 초점의 좌표와 준선의 방정식을 구하고, 그 풀이 과정을 쓰시오.

23 천재, 미래엔, 비상, 좋은책, 지학 유사

출제율 75%

타원 $4x^2+8y^2=32$와 두 초점을 공유하고 단축의 길이가 2인 타원의 장축의 길이를 구하고, 그 풀이 과정을 쓰시오.

24 천재, 미래엔, 비상, 좋은책 유사

출제율 83%

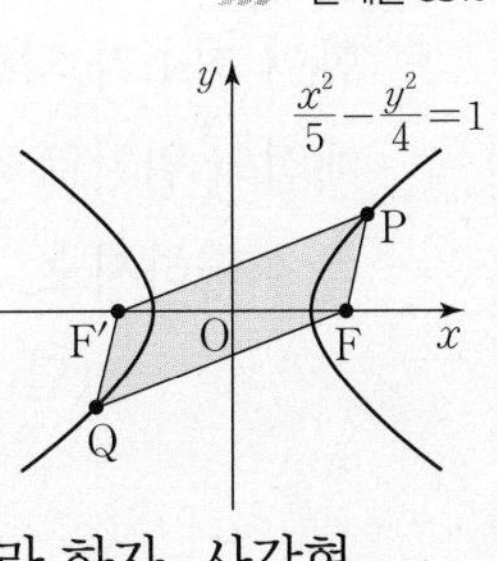

오른쪽 그림과 같이 쌍곡선 $\frac{x^2}{5}-\frac{y^2}{4}=1$의 두 초점을 F, F′, 제1사분면에 있는 쌍곡선 위의 한 점을 P, 점 P와 원점에 대하여 대칭인 점을 Q라 하자. 사각형 F′QFP의 넓이가 24일 때, 점 P의 좌표를 구하고, 그 풀이 과정을 쓰시오.

창의력·융합형·서술형·코딩

1

아래 그림과 같이 어느 놀이공원 길의 일부는 놀이 기구 P의 위치가 초점인 포물선 모양이다. A 지점에서 P 지점까지의 거리가 16 m이고 이 길의 A~E 지점 중에서 한 지점에 매점을 설치할 때, 다음 물음에 답하시오.

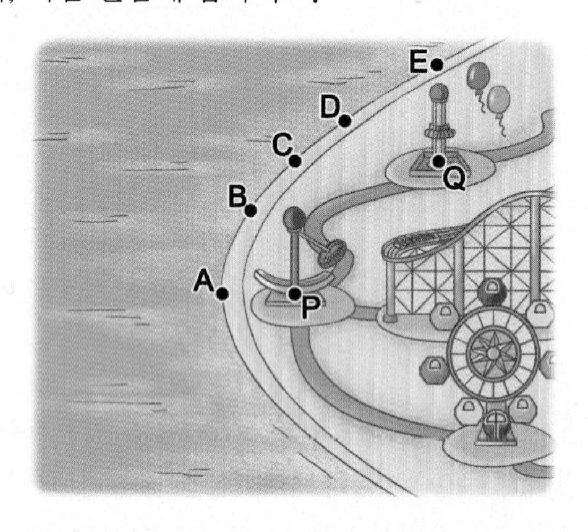

(1) A 지점을 원점으로 할 때, 포물선 모양의 길을 나타내는 방정식을 구하시오.

(2) 매점에서 두 놀이 기구 P, Q에 이르는 거리의 합이 최소가 되도록 할 때, A~E 지점 중에서 매점의 위치로 적절한 지점을 구하고, 그 이유를 설명하시오.

(단, 직선 CQ는 x축에 평행하다.)

2

오른쪽 그림은 인체에 생긴 결석을 타원의 초점에 위치시키고, 다른 한 초점에서 충격파를 발사하여 결석만을 잘게 부수는 체외 충격파 쇄석기의 원리를 나타낸 것이다. 체외 충격파 쇄석기의 단면이 장축의 길이가 50 cm, 단축의 길이가 30 cm인 타원의 일부라 할 때, 다음 물음에 답하시오.

(1) 체외 충격파 쇄석기의 단면을 나타내는 타원의 방정식을 구하시오.

(단, 타원의 중심은 원점이다.)

(2) 충격파 발사 장치에서 결석까지의 거리를 구하시오.

3

아래 그림은 관측소 A, B, C의 위치를 좌표평면 위에 나타낸 것이다. 관측소 A, B, C에서 고장 난 배의 구조 요청을 듣고 그 거리를 계산하였더니 조난 지점은 B 관측소보다 A 관측소에 16 km 만큼 더 가까이 있고, B 관측소와 C 관측소로부터 같은 거리에 있음을 알게 되었다. 다음 물음에 답하시오.

(1) 고장 난 배의 조난 지점을 P라 하면 점 P는 어떤 이차곡선 위의 점이다. 이 이차곡선의 방정식을 구하시오.

(2) 고장 난 배의 조난 지점 P의 좌표를 구하시오.

4

아래 그림과 같이 해안선 위에 100 km 떨어진 두 기지 A, B가 있다. 이동하고 있는 어느 배에 두 기지 A, B에서 각각 전파를 보내어 전파가 도착하는 시간을 이용하여 계산하였더니 배와 두 기지 사이의 거리의 차가 항상 40 km로 일정하였다. 두 기지 A, B를 지나는 직선을 x축, 두 기지 A, B의 중간 지점을 원점 O로 하는 좌표축을 그릴 때, 다음 물음에 답하시오.

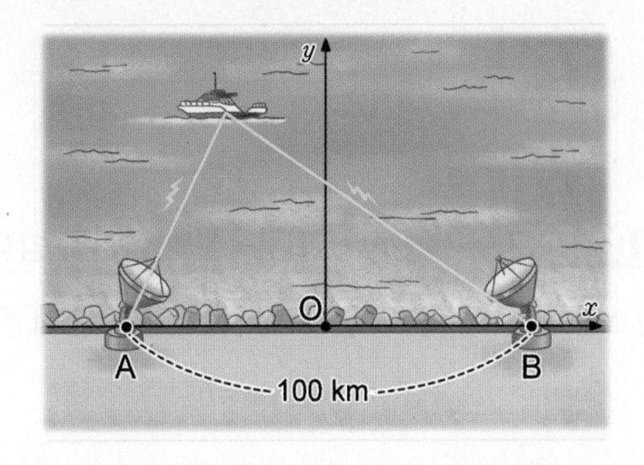

(1) 배의 이동 경로를 나타내는 이차곡선의 방정식을 구하시오.

(2) 배의 좌표가 $(-40,\ a)$일 때, 양수 a의 값을 구하시오.

이차곡선과 직선

개념 01 이차곡선과 직선의 위치 관계

이차곡선과 직선의 방정식을 연립하여 얻은 이차방정식 $Ax^2+Bx+C=0$ ($A\neq0$, A, B, C는 상수)의 판별식 D의 부호에 따라 이차곡선과 직선의 위치 관계는 다음과 같다.

① $D>0 \Longleftrightarrow$ 서로 다른 ❶ 점에서 만난다.

② $D=0 \Longleftrightarrow$ 한 점에서 만난다. (❷)

③ D ❸ $0 \Longleftrightarrow$ 만나지 않는다.

답 | ❶ 두 ❷ 접한다 ❸ <

QUIZ

다음은 포물선과 직선의 위치 관계를 나타낸 것이다. □ 안에 알맞은 것을 써넣으시오.

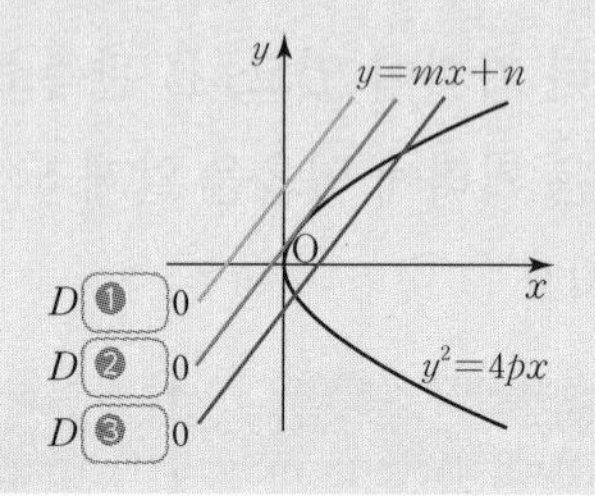

정답 |

❶ < ❷ = ❸ >

개념 02 기울기가 m인 이차곡선의 접선의 방정식

(1) 포물선 $y^2=4px$에 접하고 기울기가 m인 직선의 방정식

$$y=mx+\boxed{❶} \quad (\text{단, } m\neq0)$$

(2) 타원 $\dfrac{x^2}{a^2}+\dfrac{y^2}{b^2}=1$에 접하고 기울기가 m인 직선의 방정식

$$y=mx\pm\sqrt{\boxed{❷}+b^2}$$

(3) 쌍곡선 $\dfrac{x^2}{a^2}-\dfrac{y^2}{b^2}=1$에 접하고 기울기가 m인 직선의 방정식

$$y=mx\pm\sqrt{a^2m^2-\boxed{❸}} \quad (\text{단, } a^2m^2-b^2>0)$$

(4) 쌍곡선 $\dfrac{x^2}{a^2}-\dfrac{y^2}{b^2}=-1$에 접하고 기울기가 m인 직선의 방정식

$$y=mx\pm\sqrt{b^2-a^2m^2} \quad (\text{단, } b^2-a^2m^2>0)$$

증명 (1) 포물선 $y^2=4px$에 접하고 기울기가 m ($m\neq0$)인 직선의 방정식을 $y=mx+n$이라 하고, 포물선의 방정식 $y^2=4px$에 대입하여 정리하면

$$m^2x^2+2(mn-2p)x+n^2=0$$

위 이차방정식의 판별식을 D라 하면 $D=0$이므로

$$\frac{D}{4}=4p(p-mn)=0$$

이때 $p\neq0$이므로 $p-mn=0$, 즉 $n=\dfrac{p}{m}$

따라서 구하는 접선의 방정식은

$$y=\boxed{❹}$$

(2)~(4)의 경우도 마찬가지 방법으로 증명할 수 있다.

답 | ❶ $\dfrac{p}{m}$ ❷ a^2m^2 ❸ b^2 ❹ $mx+\dfrac{p}{m}$

QUIZ

다음은 타원 $\dfrac{x^2}{a^2}+\dfrac{y^2}{b^2}=1$에 접하고 기울기가 m인 직선의 방정식을 구하는 과정이다. □ 안에 알맞은 것을 써넣으시오.

> 기울기가 m ($m\neq0$)인 직선의 방정식을 $y=\boxed{❶}x+n$이라 하고, 타원의 방정식 $\dfrac{x^2}{a^2}+\dfrac{y^2}{b^2}=1$에 대입하여 정리하면
>
> $(a^2m^2+b^2)x^2+\boxed{❷}x+a^2(n^2-b^2)=0$
>
> 위 이차방정식의 판별식을 D라 하면 $D=0$이므로
>
> $\dfrac{D}{4}=a^2b^2(a^2m^2+b^2-n^2)=0$
>
> 이때 $a\neq0$, $b\neq0$이므로 $a^2m^2+b^2-n^2=0$
>
> 즉 $n^2=a^2m^2+b^2$에서 $n=\pm\sqrt{a^2m^2+b^2}$
>
> 따라서 구하는 접선의 방정식은
>
> $y=mx\pm\sqrt{a^2m^2+\boxed{❸}}$

정답 |

❶ m ❷ $2a^2mn$ ❸ b^2

개념 03 이차곡선 위의 점 (x_1, y_1)에서의 접선의 방정식

(1) 포물선 $y^2=4px$ 위의 점 (x_1, y_1)에서의 접선의 방정식

$$y_1y=2p(x+x_1)$$

예 포물선 $y^2=4x$ 위의 점 $(1, 2)$에서의 접선의 방정식
➡ $y^2=4x=4\times1\times x$에서 $p=1$이므로
$2y=2\times1\times(x+1)$, 즉 $y=x+1$

(2) 포물선 $x^2=4py$ 위의 점 (x_1, y_1)에서의 접선의 방정식

$$x_1x=\boxed{❶\quad}(y+y_1)$$

(3) 타원 $\frac{x^2}{a^2}+\frac{y^2}{b^2}=1$ 위의 점 (x_1, y_1)에서의 접선의 방정식

$$\frac{x_1x}{a^2}+\frac{\boxed{❷\quad}}{b^2}=1$$

(4) 쌍곡선 $\frac{x^2}{a^2}-\frac{y^2}{b^2}=1$ 위의 점 (x_1, y_1)에서의 접선의 방정식

$$\frac{\boxed{❸\quad}}{a^2}-\frac{y_1y}{b^2}=1$$

(5) 쌍곡선 $\frac{x^2}{a^2}-\frac{y^2}{b^2}=-1$ 위의 점 (x_1, y_1)에서의 접선의 방정식

$$\frac{x_1x}{a^2}-\frac{y_1y}{b^2}=-1$$

증명 (1) (i) 포물선의 방정식 $y^2=4px$에서

$$x=\frac{y^2}{4p} \quad \cdots\cdots ①$$

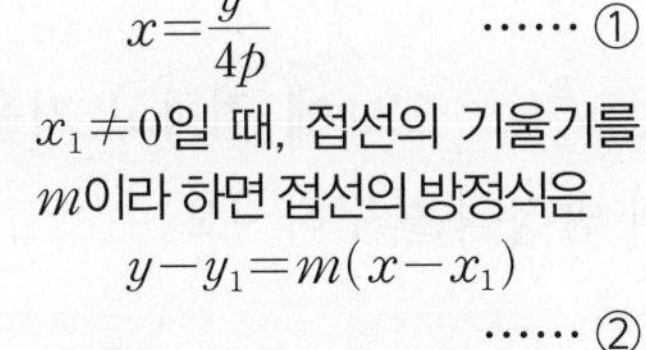

$x_1\neq0$일 때, 접선의 기울기를 m이라 하면 접선의 방정식은

$$y-y_1=m(x-x_1) \quad \cdots\cdots ②$$

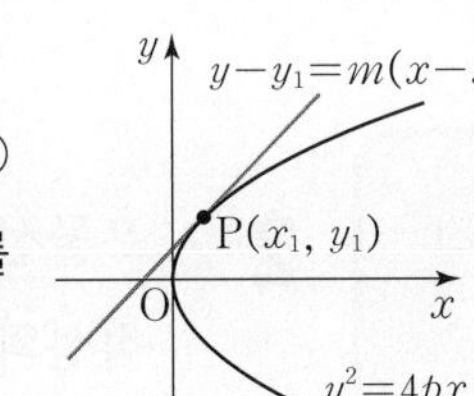

①을 ②에 대입하여 얻은 이차방정식의 판별식을 D라 하면 $D\boxed{❹\quad}0$이므로

$$\frac{D}{4}=4p(x_1m^2-y_1m+p)=0$$

이때 $p\neq0$이므로 $x_1m^2-y_1m+p=0 \quad \cdots\cdots ③$

또 점 $\mathrm{P}(x_1, y_1)$은 포물선 위의 점이므로 ${y_1}^2=4px_1$이다.

즉 $x_1=\frac{{y_1}^2}{4p}$을 ③에 대입하여 정리하면

$${y_1}^2m^2-4py_1m+4p^2=0, (y_1m-2p)^2=0$$

$$\therefore m=\frac{2p}{y_1}$$

이것을 ②에 대입하면

$$y-y_1=\frac{2p}{y_1}(x-x_1) \quad \cdots\cdots ④$$

이때 ${y_1}^2=4px_1$이므로 ④를 정리하면 구하는 접선의 방정식은

$$y_1y=2p(x+x_1)$$

(ii) $x_1=0$일 때, 즉 꼭짓점 $(0, 0)$에서의 접선의 방정식 $x=0$은 $y_1y=2p(x+x_1)$을 만족시킨다.

위의 (i), (ii)에 의하여 포물선 $y^2=4px$ 위의 점 (x_1, y_1)에서의 접선의 방정식은 $y_1y=2p(x+x_1)$

(2)~(5)의 경우도 마찬가지 방법으로 증명할 수 있다.

답 | ❶ $2p$ ❷ y_1y ❸ x_1x ❹ $=$

QUIZ

다음 이차곡선 위의 점에서의 접선의 방정식을 구하시오.

❶ 포물선 $x^2=4y$ 위의 점 $(-2, 1)$

❷ 타원 $\frac{x^2}{6}+\frac{y^2}{12}=1$ 위의 점 $(2, 2)$

❸ 쌍곡선 $\frac{x^2}{2}-\frac{y^2}{6}=-1$ 위의 점 $(1, 3)$

정답 |

❶ $y=-x-1$ ❷ $y=-2x+6$ ❸ $y=x+2$

교과서 개념 확인 테스트

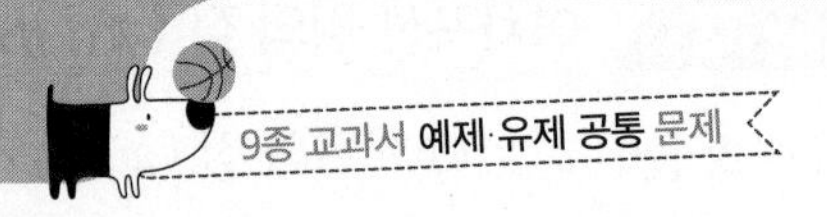

개념 01 이차곡선과 직선의 위치 관계

1-1 포물선 $y^2=-4x$와 직선 $y=x+2$의 위치 관계를 말하시오.

1-2 다음 이차곡선과 직선의 위치 관계를 말하시오.

(1) $4x^2+5y^2=20,\ y=-x-3$

(2) $5x^2-3y^2=-15,\ x+y=1$

개념 02 포물선의 접선의 방정식

2-1 포물선 $y^2=16x$에 접하고 기울기가 2인 직선의 방정식을 구하시오.

2-2 포물선 $y^2=-12x$에 접하고 기울기가 3인 직선의 방정식을 구하시오.

개념 03 포물선의 접선의 방정식

3-1 포물선 $y^2=4x$ 위의 점 $(1,\ -2)$에서의 접선의 방정식을 구하시오.

3-2 포물선 $x^2=-8y$ 위의 점 $(-4,\ -2)$에서의 접선의 방정식을 구하시오.

개념 04 타원의 접선의 방정식

4-1 타원 $\frac{x^2}{6}+y^2=1$에 접하고 기울기가 -2인 직선의 방정식을 구하시오.

4-2 타원 $2x^2+4y^2=12$에 접하고 기울기가 1인 직선의 방정식을 구하시오.

개념 05 타원의 접선의 방정식

5-1 타원 $\frac{x^2}{8}+\frac{y^2}{2}=1$ 위의 점 $(2, 1)$에서의 접선의 방정식을 구하시오.

5-2 타원 $3x^2+y^2=12$ 위의 점 $(-1, 3)$에서의 접선의 방정식을 구하시오.

개념 06 쌍곡선의 접선의 방정식

6-1 다음을 구하시오.

(1) 쌍곡선 $\frac{x^2}{4}-\frac{y^2}{3}=1$에 접하고 기울기가 1인 직선의 방정식

(2) 쌍곡선 $\frac{x^2}{5}-\frac{y^2}{4}=1$ 위의 점 $(5, 4)$에서의 접선의 방정식

6-2 다음을 구하시오.

(1) 쌍곡선 $7x^2-3y^2=-21$에 접하고 기울기가 -1인 직선의 방정식

(2) 쌍곡선 $x^2-4y^2=-12$ 위의 점 $(-2, 2)$에서의 접선의 방정식

기출 기초 테스트

9종 교과서 중요 문제

유형 01 이차곡선과 직선의 위치 관계

1-1 포물선 $y^2=4x$와 직선 $y=-x+k$의 위치 관계가 다음과 같을 때, 실수 k의 값 또는 k의 값의 범위를 구하시오.

(1) 서로 다른 두 점에서 만난다.

(2) 한 점에서 만난다.

(3) 만나지 않는다.

(천재, 교학, 금성, 동아, 미래엔, 비상, 좋은책, 지학 유사)

1-2 다음 이차곡선과 직선의 위치 관계를 실수 k의 값의 범위에 따라 말하시오.

(1) $x^2+\frac{y^2}{3}=1,\ y=-x+k$

(2) $3x^2-y^2=k,\ y=3x-2$

유형 02 포물선의 접선의 방정식

2-1 포물선 $y^2=-4x$에 접하고 기울기가 $\frac{1}{3}$인 직선이 점 $(a,\ -1)$을 지날 때, 상수 a의 값을 구하시오.

(천재, 교학, 동아, 미래엔, 비상, 좋은책, 지학 유사)

2-2 포물선 $y^2=32x$에 접하고 기울기가 2인 직선과 x축, y축이 만나는 두 점을 각각 A, B라 할 때, 선분 AB의 길이를 구하시오.

유형 03 포물선의 접선의 방정식

3-1 포물선 $y^2=16x$와 직선 $x=1$의 교점 중 제1사분면 위에 있는 교점에서의 접선의 방정식을 구하시오.

(천재, 교학, 금성, 동아, 좋은책, 지학 유사)

3-2 포물선 $y^2=-8x$ 위의 점 $(-2,\ 4)$에서의 접선이 점 $(1,\ a)$를 지날 때, 상수 a의 값을 구하시오.

정답과 해설 12쪽

유형 04 타원의 접선의 방정식

4-1 타원 $4x^2+3y^2=12$에 접하고 직선 $y=2x+5$에 평행한 직선의 방정식을 구하시오.

(천재, 교학, 금성, 동아, 미래엔, 비상, 좋은책, 지학 유사)

4-2 타원 $\frac{x^2}{5}+\frac{y^2}{4}=1$에 접하고 직선 $y=-\frac{1}{3}x+2$에 수직인 직선의 방정식을 구하시오.

유형 05 타원의 접선의 방정식

5-1 타원 $x^2+4y^2=20$ 위의 점 $(4,\ a)$에서의 접선 중 기울기가 양수인 접선의 방정식을 구하시오.

(천재, 금성, 동아, 좋은책, 지학 유사)

5-2 타원 $ax^2+y^2=12$ 위의 점 $(2,\ -2)$에서의 접선의 방정식을 구하시오. (단, a는 상수)

유형 06 쌍곡선의 접선의 방정식

6-1 쌍곡선 $\frac{x^2}{13}-\frac{y^2}{9}=1$에 접하고 직선 $y=-x+3$에 평행한 직선의 방정식을 구하시오.

(천재, 교학, 금성, 동아, 미래엔, 비상, 좋은책, 지학 유사)

6-2 쌍곡선 $5x^2-2y^2=-20$에 접하고 직선 $y=-2x+1$에 수직인 직선의 방정식을 구하시오.

STEP 3 교과서 기본 테스트

9종 교과서 종합 문제

01 천재, 교학, 동아, 미래엔, 비상, 좋은책 유사 ≫ 출제율 95%

포물선 $y^2=8x$와 직선 $y=x-k$가 서로 다른 두 점에서 만날 때, 실수 k의 값의 범위는?

① $k<-2$ ② $k>-2$ ③ $k>-1$
④ $k<0$ ⑤ $k>2$

02 천재, 동아, 미래엔, 비상, 좋은책, 지학 유사 ≫ 출제율 95%

타원 $4x^2+y^2=8$과 직선 $y=2x-k$가 만나지 않을 때, 실수 k의 값의 범위를 구하시오.

03 천재, 동아, 미래엔, 비상, 좋은책, 지학 유사 ≫ 출제율 95%

쌍곡선 $2x^2-y^2=k$와 직선 $y=-x+3$이 한 점에서 만날 때, 실수 k의 값은?

① -18 ② -9 ③ -6
④ 9 ⑤ 18

04 천재, 미래엔, 비상, 좋은책, 지학 유사 ≫ 출제율 95%

포물선 $y^2=12x$에 접하고 기울기가 1인 직선과 이 포물선의 초점 사이의 거리는?

① 2 ② $2\sqrt{2}$ ③ 3
④ $3\sqrt{2}$ ⑤ 6

05 천재, 교학, 미래엔, 비상, 좋은책, 지학 유사 ≫ 출제율 95%

포물선 $y^2=-8x$에 접하고 기울기가 -1인 직선과 x축, y축으로 둘러싸인 부분의 넓이를 구하시오.

06 천재, 금성, 동아, 좋은책, 지학 유사 ≫ 출제율 68%

타원 $4x^2+5y^2=20$에 접하고 x축의 양의 방향과 이루는 각의 크기가 $45°$인 직선의 방정식은?

① $y=x\pm1$ ② $y=x\pm2$
③ $y=x\pm3$ ④ $y=2x\pm1$
⑤ $y=2x\pm2$

07 천재, 미래엔, 비상 유사

출제율 68%

타원 $x^2+3y^2=30$에 접하고 기울기가 $\sqrt{3}$인 두 직선 사이의 거리는?

① 2 ② 4 ③ 6
④ 8 ⑤ 10

08 천재, 비상, 좋은책, 지학 유사

출제율 68%

쌍곡선 $\frac{x^2}{4}-\frac{y^2}{20}=1$ 위의 점 P에서의 접선의 기울기가 $\frac{5}{2}$일 때, 제1사분면 위에 있는 점 P의 좌표를 구하시오.

09 천재, 교학, 비상, 좋은책 유사

출제율 95%

포물선 $y^2=8x$ 위의 점 $(2,\ -4)$에서의 접선이 포물선 $x^2=ay$의 초점을 지날 때, 상수 a의 값은?

① -8 ② -4 ③ -2
④ 4 ⑤ 8

10 천재, 교학, 비상, 좋은책 유사

출제율 95%

포물선 $y^2=4x$의 초점을 지나면서 y축에 평행한 직선과 포물선의 교점을 각각 P, Q라 하자. 두 점 P, Q에서의 접선을 각각 그을 때, 두 접선의 교점의 좌표는?

① $(-2, 0)$ ② $(-1, 0)$ ③ $\left(-\frac{1}{2}, 0\right)$
④ $(1, 0)$ ⑤ $(2, 0)$

11 천재, 동아, 미래엔, 비상, 좋은책 유사

출제율 75%

타원 $\frac{x^2}{16}+\frac{y^2}{9}=1$ 위의 점 $(a,\ b)$에서의 접선의 x절편이 8일 때, a^2b^2의 값은? (단, a, b는 상수)

① 21 ② 23 ③ 25
④ 27 ⑤ 29

12 천재, 동아, 비상, 좋은책, 지학 유사

출제율 95%

타원 $\frac{x^2}{8}+\frac{y^2}{4}=1$ 위의 점 P에서의 접선의 y절편이 $2\sqrt{2}$일 때, 제2사분면 위에 있는 점 P의 좌표를 구하시오.

13 천재, 교학, 동아, 미래엔, 비상, 좋은책 유사 ⋙ 출제율 78%

타원 $\frac{x^2}{18}+\frac{y^2}{8}=1$ 위의 점 $(3, 2)$에서의 접선에 수직이고, 쌍곡선 $\frac{x^2}{4}-\frac{y^2}{5}=1$에 접하는 직선의 방정식을 구하시오.

14 천재, 금성, 동아, 좋은책, 지학 유사 ⋙ 출제율 80%

쌍곡선 $4x^2-y^2=3$ 위의 점 $\mathrm{P}(1, -1)$에서의 접선에 수직이고, 점 P를 지나는 직선의 방정식은?

① $y=-4x+3$ ② $y=-2x+1$
③ $y=-x$ ④ $y=4x-5$
⑤ $y=\frac{1}{4}x-\frac{5}{4}$

15 천재, 금성, 좋은책, 지학 유사 ⋙ 출제율 80%

점 $(4, -2)$에서 포물선 $y^2=-8x$에 그은 접선 중 기울기가 음수인 직선의 방정식은?

① $y=-\frac{1}{4}x-1$ ② $y=-\frac{1}{2}x$
③ $y=-x+2$ ④ $y=-2x+6$
⑤ $y=-3x+10$

16 천재, 교학, 금성, 동아, 비상, 좋은책 유사 ⋙ 출제율 78%

점 $(a, 1)$에서 포물선 $y^2=x$에 그은 두 접선이 서로 수직일 때, 상수 a의 값은?

① $-\frac{1}{2}$ ② $-\frac{1}{4}$ ③ $\frac{1}{4}$
④ $\frac{1}{2}$ ⑤ 1

17 천재, 금성, 비상, 좋은책, 지학 유사 ⋙ 출제율 65%

점 $(1, 6)$에서 타원 $4x^2+y^2=8$에 그은 접선 중 기울기가 양수인 직선과 y축이 만나는 점의 좌표를 구하시오.

18 천재, 금성, 비상, 좋은책, 지학 유사 ⋙ 출제율 65%

제1사분면 위에 있는 점 $(2k, k)$에서 타원 $\frac{x^2}{3}+\frac{y^2}{6}=1$에 그은 접선의 기울기가 1일 때, 상수 k의 값을 구하시오.

19 천재, 동아, 미래엔, 비상, 좋은책, 지학 유사 출제율 95%

점 $(1, 3)$에서 타원 $\frac{x^2}{4}+y^2=1$에 그은 두 접선의 기울기를 m_1, m_2라 할 때, m_1+m_2의 값은?

① -2 ② -1 ③ 0
④ 1 ⑤ 2

20 천재, 미래엔, 비상, 좋은책, 지학 유사 출제율 83%

쌍곡선 $3x^2-y^2=3$ 위의 한 점 (p, q)에서의 접선이 점 $(1, 1)$을 지날 때, $p+q$의 값을 구하시오.
(단, p, q는 0이 아닌 상수)

21 천재, 동아, 미래엔, 비상, 좋은책 유사 출제율 70%

점 $\mathrm{P}(0, 2)$에서 쌍곡선 $x^2-5y^2=5$에 그은 접선과 쌍곡선의 접점을 각각 A, B라 할 때, 삼각형 PAB의 넓이를 구하시오.

과정을 평가하는 서술형입니다.

[22~24] 다음 문제의 풀이 과정을 자세히 쓰시오.

22 천재, 금성, 동아, 좋은책, 지학 유사 출제율 80%

타원 $4x^2+y^2=k$와 직선 $y=x-5$가 서로 다른 두 점에서 만날 때, 실수 k의 값의 범위를 구하고, 그 풀이 과정을 쓰시오.

23 천재, 미래엔, 비상, 좋은책, 지학 유사 출제율 75%

포물선 $y^2=2x$ 위의 점과 직선 $y=-x-1$ 사이의 거리의 최솟값을 구하고, 그 풀이 과정을 쓰시오.

24 천재, 교학, 동아, 미래엔, 비상 유사 출제율 95%

다음 그림과 같이 포물선 $y^2=4px$의 초점 F에서 쌍곡선 $\frac{x^2}{7}-\frac{y^2}{16}=-1$에 그은 두 접선이 서로 수직일 때, 양수 p의 값을 구하고, 그 풀이 과정을 쓰시오.

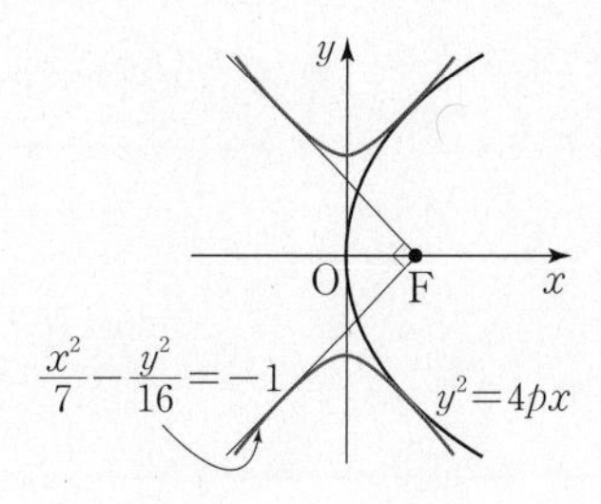

창의력·융합형·서술형·코딩

1

오른쪽 그림은 타원 모양의 호수와 그 둘레에 접하는 사각형 모양의 도로를 좌표평면 위에 나타낸 것이다. 다음 물음에 답하시오.

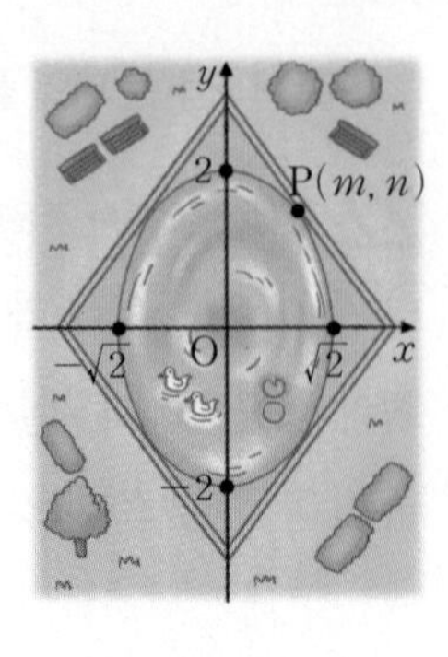

(1) 호수의 둘레를 나타내는 타원의 방정식을 구하시오. (단, 타원의 초점은 y축 위에 있다.)

(2) 타원 모양의 호수와 사각형 모양의 도로가 제1사분면에서 접하는 지점 P의 좌표를 (m, n)이라 하자. 사각형 모양의 도로로 둘러싸인 부분의 넓이가 $8\sqrt{2}$일 때, mn의 값을 구하시오. (단, m, n은 상수)

2

아래 그림은 어느 스케이트보드 미끄럼틀의 단면에 나타나는 타원을 좌표평면 위에 나타낸 것이다. 다음 물음에 답하시오.

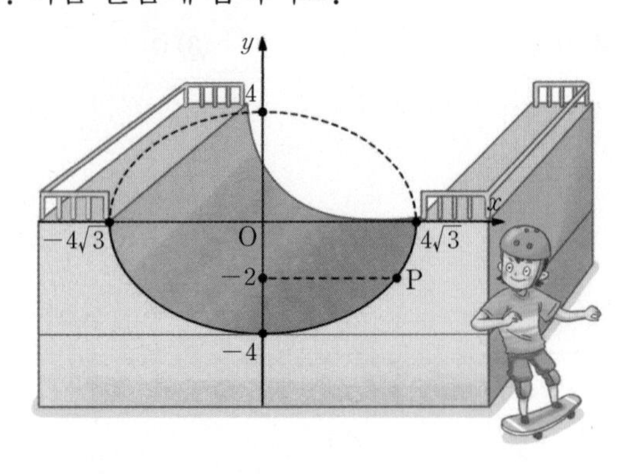

(1) 타원의 방정식을 구하시오. (단, 타원의 초점은 x축 위에 있다.)

(2) 타원 위의 점 P의 좌표를 구하시오.

(3) 타원 위의 점 P에서의 접선의 방정식을 구하시오.

3

아래 그림과 같이 포물선 $y^2=8x$ 위의 점 P(8, 8)에서의 접선을 l, 직선 l과 x축이 만나는 점을 Q라 하자. 이때 x축에 평행하게 입사되어 점 P에서 포물선에 반사된 빛이 x축과 만나는 점을 R라 하면 점 R는 포물선의 초점이 된다고 한다. 다음 물음에 답하시오.

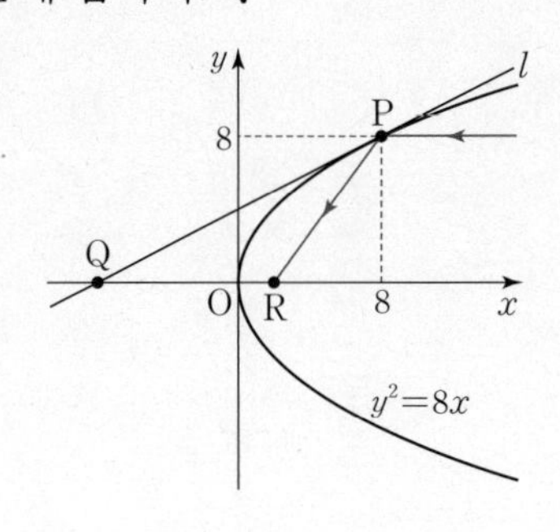

(1) 직선 l의 방정식과 점 Q의 좌표를 각각 구하시오.

(2) 반사의 법칙을 이용하여 $\overline{QR}=\overline{PR}$임을 설명하고, 점 R의 좌표를 구하시오.

(3) 포물선 $y^2=8x$의 초점의 좌표를 구하고, 점 R의 좌표와 비교하시오.

4

아래 그림과 같이 쌍곡선 $x^2-y^2=-5$ 위의 점 (2, 3)에서의 접선과 이 쌍곡선의 점근선과의 교점을 각각 P, Q라 할 때, 다음 물음에 답하시오.

(단, 점 O는 원점이다.)

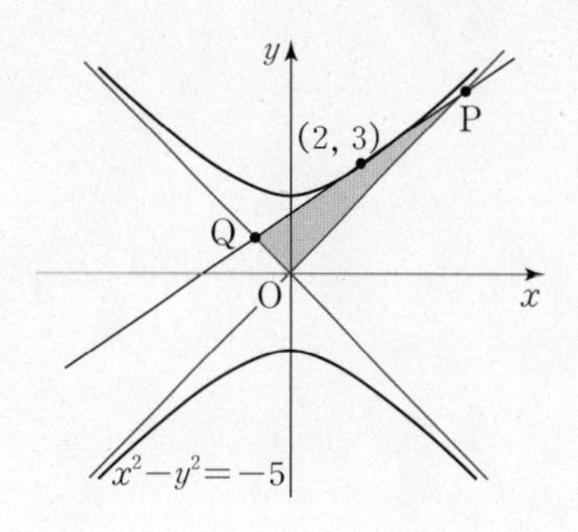

(1) 쌍곡선 위의 점 (2, 3)에서의 접선의 방정식을 구하시오.

(2) 두 점 P, Q의 좌표를 각각 구하시오.

(3) 삼각형 OPQ의 넓이를 구하시오.

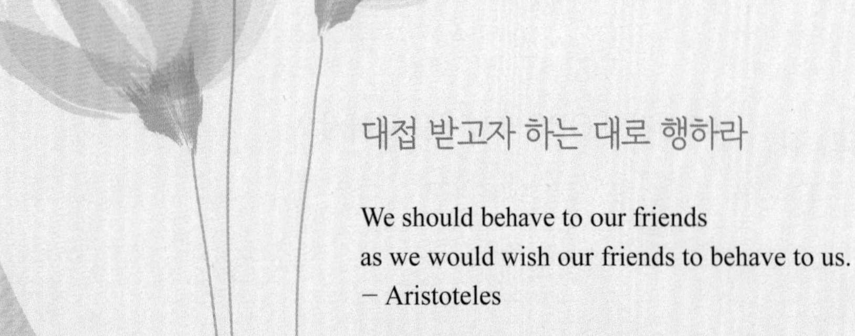

대접 받고자 하는 대로 행하라

We should behave to our friends
as we would wish our friends to behave to us.
− Aristoteles

우리는 친구들이 우리에게 행동하기를 바라는 대로
친구들에게 행동해야 한다.
− 아리스토텔레스

평면벡터

벡터의 연산

개념 01 벡터

(1) 속도, 가속도, 힘 등은 그 양을 나타낼 때 크기와 함께 방향도 나타내야 한다. 이와 같이 크기와 방향을 함께 가지는 양을 ❶ ( ) 라 한다.

(2) 벡터는 오른쪽 그림과 같이 방향이 주어진 선분을 이용하여 나타낼 수 있다. 점 A에서 점 B로 향하는 방향이 주어진 선분 AB를 벡터 AB라 하며, 이것을 기호로 ❷ ( ) 와 같이 나타낸다.
이때 점 A를 $\overrightarrow{AB}$의 시점, 점 B를 $\overrightarrow{AB}$의 종점이라 한다.
또 선분 AB의 길이를 벡터 $\overrightarrow{AB}$의 크기라 하며, 이것을 기호로 $|\overrightarrow{AB}|$와 같이 나타낸다.

(3) 벡터를 한 문자로 나타낼 때는 간단히 $\vec{a}$, $\vec{b}$, $\vec{c}$, …와 같이 나타내고, 벡터 $\vec{a}$의 크기는 기호로 $|\vec{a}|$와 같이 나타낸다.
이때 크기가 1인 벡터를 ❸ ( ) 라 하고, 평면에서의 벡터를 평면벡터라 한다.
한편 $\overrightarrow{AA}$, $\overrightarrow{BB}$와 같이 시점과 종점이 일치하는 벡터를 ❹ ( ) 라 하며, 이것을 기호로 $\vec{0}$와 같이 나타낸다. 영벡터의 크기는 0이고 방향은 생각하지 않는다.

답 | ❶ 벡터 ❷ $\overrightarrow{AB}$ ❸ 단위벡터 ❹ 영벡터

QUIZ

오른쪽 그림과 같이 한 변의 길이가 1인 정사각형 ABCD에서 $|\overrightarrow{AB}|=|\overrightarrow{AD}|=$ ❶ ( ) 이므로 두 벡터 $\overrightarrow{AB}$, $\overrightarrow{AD}$는 ❷ (영벡터, 단위벡터)이다.

정답 |
❶ 1 ❷ 단위벡터

개념 02 서로 같은 벡터

(1) 오른쪽 그림의 두 벡터 $\overrightarrow{AB}=\vec{a}$, $\overrightarrow{CD}=\vec{b}$와 같이 시점과 종점은 달라도 그 ❶ ( ) 와 ❷ ( ) 이 각각 같을 때, 두 벡터는 서로 같다고 하며, 이것을 기호로

$$\overrightarrow{AB}=\overrightarrow{CD} \text{ 또는 } \vec{a}=\vec{b}$$

와 같이 나타낸다.

(2) 벡터 $\vec{a}$와 크기는 같고 방향이 반대인 벡터를 기호로 ❸ ( ) 와 같이 나타낸다.
따라서 오른쪽 그림에서 $\overrightarrow{BA}=-\overrightarrow{AB}$이고, $|-\vec{a}|=|\vec{a}|$이다.

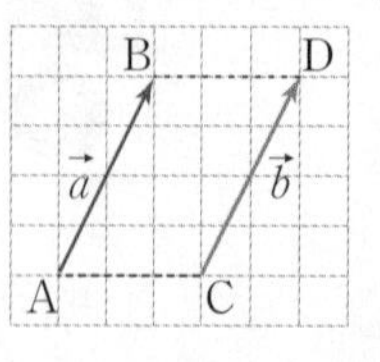

답 | ❶ 크기 ❷ 방향 ❸ $-\vec{a}$

QUIZ

아래 그림을 보고, 다음을 구하시오.

❶ $\vec{a}$와 같은 벡터
❷ $\vec{b}$와 크기는 같고 방향이 반대인 벡터

정답 |
❶ $\vec{d}$, $\vec{h}$ ❷ $\vec{c}$

개념 03 벡터의 덧셈과 뺄셈

(1) 벡터의 덧셈: 두 벡터 $\vec{a}$, $\vec{b}$에 대하여 오른쪽 그림에서

$\vec{a}+\vec{b}=\overrightarrow{AB}+\overrightarrow{BC}=$ ❶ ____

세 벡터 $\vec{a}$, $\vec{b}$, $\vec{c}$와 영벡터 $\vec{0}$에 대하여 다음이 성립한다.

① 교환법칙: $\vec{a}+\vec{b}=\vec{b}+\vec{a}$

② 결합법칙: $(\vec{a}+\vec{b})+\vec{c}=\vec{a}+(\vec{b}+\vec{c})$

③ $\vec{a}+\vec{0}=\vec{0}+\vec{a}=\vec{a}$

④ $\vec{a}+(-\vec{a})=(-\vec{a})+\vec{a}=\vec{0}$

(2) 벡터의 뺄셈: 두 벡터 $\vec{a}$, $\vec{b}$에 대하여 $\vec{a}$와 $-\vec{b}$의 합 $\vec{a}+(-\vec{b})$를 $\vec{a}$에서 $\vec{b}$를 뺀 차라 하며, 이것을 기호로 $\vec{a}-\vec{b}$와 같이 나타낸다.

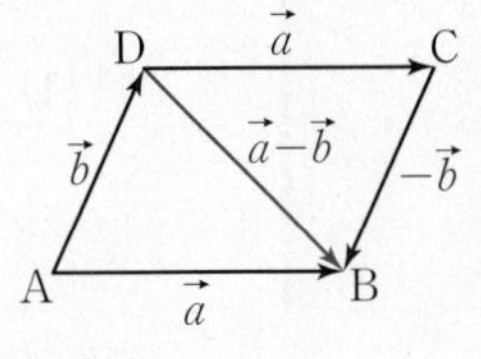

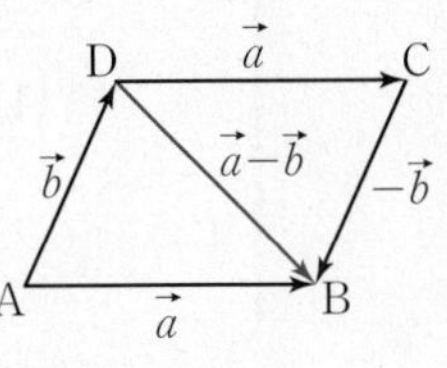

즉 $\vec{a}-\vec{b}=\vec{a}+(-\vec{b})$이므로 위의 그림에서

$\vec{a}-\vec{b}=\overrightarrow{AB}-\overrightarrow{AD}=$ ❷ ____

답 | ❶ $\overrightarrow{AC}$ ❷ $\overrightarrow{DB}$

QUIZ

두 벡터 $\vec{a}$, $\vec{b}$가 오른쪽과 같을 때, 다음을 그림으로 나타내시오.

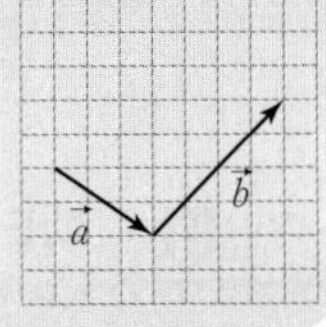

❶ $\vec{a}+\vec{b}$

❷ $\vec{a}-\vec{b}$

정답 |

❶ 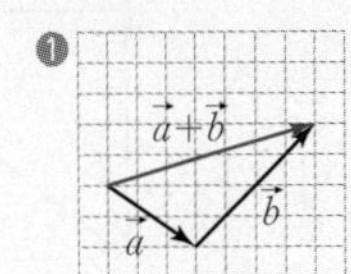

❷ 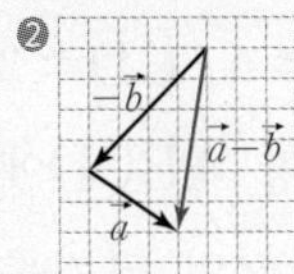

개념 04 벡터의 실수배

(1) 실수 k와 벡터 $\vec{a}$ $(\vec{a}\neq\vec{0})$에 대하여

① $k>0$이면 $k\vec{a}$는 $\vec{a}$와 방향이 같고, 그 크기가 ❶ ____ 인 벡터이다.

② $k<0$이면 $k\vec{a}$는 $\vec{a}$와 방향이 ❷ ____ 이고, 그 크기가 $|k||\vec{a}|$인 벡터이다.

③ $k=0$이면 $k\vec{a}=\vec{0}$이다.

참고 $\vec{a}=\vec{0}$일 때, $k\vec{a}=\vec{0}$이다.

(2) 두 실수 k, l과 두 벡터 $\vec{a}$, $\vec{b}$에 대하여

① 결합법칙: $k(l\vec{a})=(kl)\vec{a}$

② 분배법칙: $(k+l)\vec{a}=k\vec{a}+l\vec{a}$, $k(\vec{a}+\vec{b})=k\vec{a}+k\vec{b}$

답 | ❶ $k|\vec{a}|$ ❷ 반대

QUIZ

세 벡터 $\vec{a}$, $\vec{b}$, $\vec{c}$가 오른쪽과 같다. □ 안에 알맞은 수를 써넣으시오.

(1) $\vec{b}=$ ❶ ____ $\vec{a}$

(2) $\vec{c}=$ ❷ ____ $\vec{a}$

정답 |

❶ 2 ❷ -2

개념 05 벡터의 평행

영벡터가 아닌 두 벡터 $\vec{a}$, $\vec{b}$가 방향이 같거나 반대일 때, 두 벡터 $\vec{a}$, $\vec{b}$는 서로 ❶ ____ 고 하며, 이것을 기호로 $\vec{a}\mathbin{/\!/}\vec{b}$와 같이 나타낸다. 즉

$\vec{a}\mathbin{/\!/}\vec{b} \Longleftrightarrow \vec{b}=$ ❷ ____ (단, k는 0이 아닌 실수)

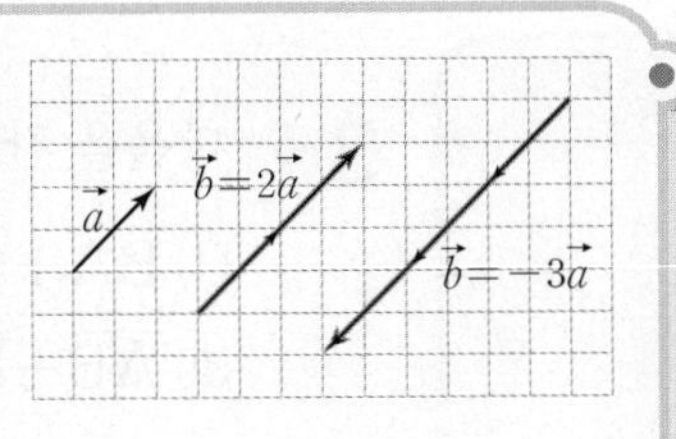

답 | ❶ 평행하다 ❷ $k\vec{a}$

QUIZ

다음 중에서 아래 벡터와 평행한 벡터를 고르시오.

(단, $\vec{a}\neq\vec{0}$, $\vec{b}\neq\vec{0}$)

ㄱ. $-\vec{a}-\vec{b}$　　ㄴ. $2\vec{a}-2\vec{b}$

ㄷ. $-2\vec{a}+4\vec{b}$　　ㄹ. $3\vec{a}+6\vec{b}$

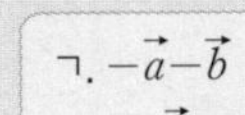

❶ $\vec{a}+\vec{b}$

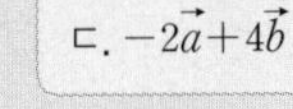

❷ $\vec{a}-2\vec{b}$

정답 |

❶ ㄱ ❷ ㄷ

교과서 개념 확인 테스트

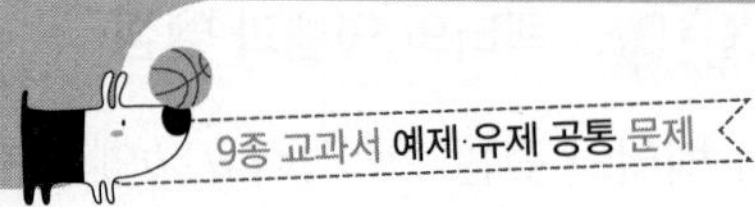

개념 01 벡터

1-1 오른쪽 그림과 같이 $\overline{AD}=4$, $\overline{CD}=3$인 직사각형 ABCD에서 다음 벡터의 크기를 구하시오.

(1) $\overrightarrow{BA}$　　　(2) $\overrightarrow{BD}$

1-2 오른쪽 그림과 같이 한 변의 길이가 1인 정육각형 ABCDEF에서 다음 벡터의 크기를 구하시오.

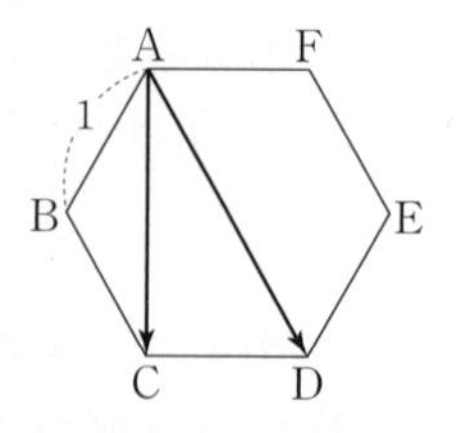

(1) $\overrightarrow{AC}$　　　(2) $\overrightarrow{AD}$

개념 02 서로 같은 벡터

2-1 오른쪽 그림에서 다음 벡터와 서로 같은 벡터를 구하시오.

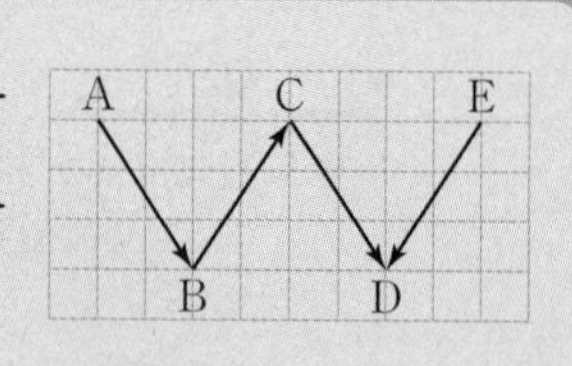

(1) $\overrightarrow{AB}$　　　(2) $\overrightarrow{BC}$

2-2 오른쪽 그림과 같이 한 변의 길이가 1인 정육각형 ABCDEF에서 세 대각선의 교점을 O라 할 때, 다음을 구하시오.

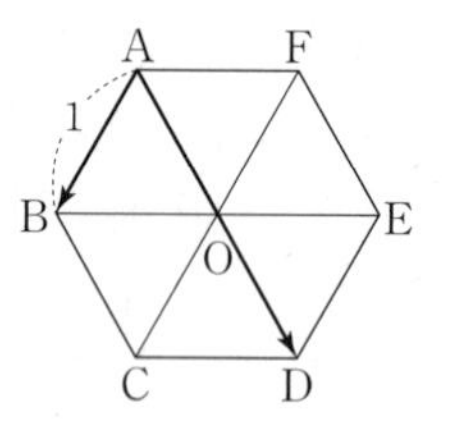

(1) $\overrightarrow{AB}$와 서로 같은 벡터

(2) $\overrightarrow{AD}$와 방향이 같은 벡터

개념 03 벡터의 덧셈

3-1 다음을 간단히 하시오.

(1) $\overrightarrow{CA}+\overrightarrow{DC}$

(2) $\overrightarrow{AB}+\overrightarrow{DA}+\overrightarrow{CD}$

3-2 다음을 간단히 하시오.

(1) $\overrightarrow{BA}+\overrightarrow{CB}$

(2) $\overrightarrow{AB}+\overrightarrow{BC}+\overrightarrow{CD}+\overrightarrow{DA}$

개념 04 벡터의 뺄셈

4-1 두 벡터 $\vec{a}$, $\vec{b}$가 오른쪽과 같을 때, $\vec{a}-\vec{b}$를 그림으로 나타내시오.

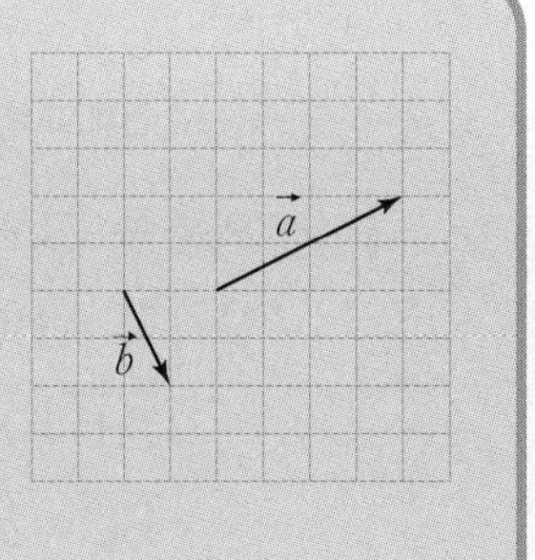

4-2 두 벡터 $\vec{a}$, $\vec{b}$가 다음과 같을 때, $\vec{a}-\vec{b}$를 그림으로 나타내시오.

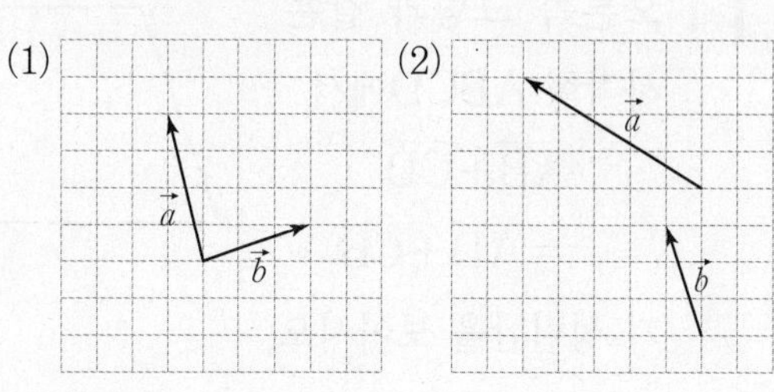

개념 05 벡터의 실수배

5-1 $2(\vec{a}+4\vec{b})-3(-\vec{a}+2\vec{b})$를 간단히 하시오.

5-2 다음을 간단히 하시오.

(1) $2(2\vec{a}-\vec{b})-(\vec{a}-3\vec{b})$

(2) $3(\vec{a}-\vec{b}+2\vec{c})-2(2\vec{a}-\vec{b}+3\vec{c})$

개념 06 벡터의 평행

6-1 서로 평행하지 않고 영벡터가 아닌 두 벡터 $\vec{a}$, $\vec{b}$에 대하여 두 벡터 $2\vec{a}-5\vec{b}$, $-6\vec{a}+m\vec{b}$가 서로 평행하도록 하는 실수 m의 값을 구하시오.

6-2 서로 평행하지 않고 영벡터가 아닌 두 벡터 $\vec{a}$, $\vec{b}$에 대하여 두 벡터 $3\vec{a}-\vec{b}$와 $m\vec{a}-2\vec{b}$가 서로 평행하도록 하는 실수 m의 값을 구하시오.

기출 기초 테스트

9종 교과서 중요 문제

유형 01 벡터의 덧셈

(천재, 교학, 금성, 동아, 미래엔, 비상, 좋은책, 지학 유사)

1-1 오른쪽 그림과 같은 사각형 ABCD에서

$\overrightarrow{AB}+\overrightarrow{CD}$
$=\overrightarrow{AD}+\overrightarrow{CB}$

가 성립함을 보이시오.

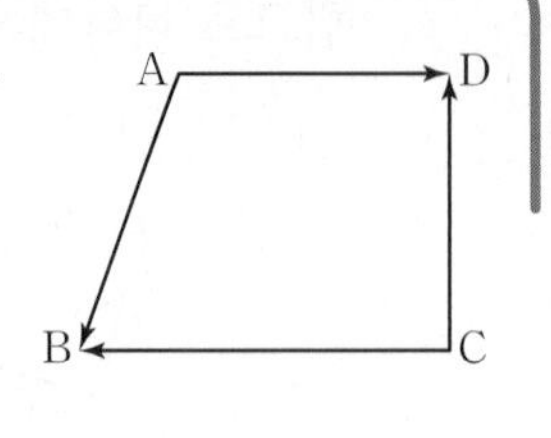

1-2 오른쪽 그림과 같은 삼각형 ABC에서

$\overrightarrow{AB}=\vec{a}$,
$\overrightarrow{BC}=\vec{b}$,
$\overrightarrow{CA}=\vec{c}$

라 할 때, $\vec{a}+\vec{b}+\vec{c}=\vec{0}$임을 보이시오.

A, B, C, $\vec{a}$, $\vec{b}$, $\vec{c}$

유형 02 벡터의 뺄셈

(천재, 교학, 금성, 동아, 미래엔, 비상, 좋은책, 지학 유사)

2-1 오른쪽 그림과 같은 평행사변형 ABCD에서 두 대각선의 교점을 O라 하고, $\overrightarrow{OA}=\vec{a}$, $\overrightarrow{OB}=\vec{b}$라 할 때, $\overrightarrow{CD}$를 $\vec{a}$, $\vec{b}$로 나타내시오.

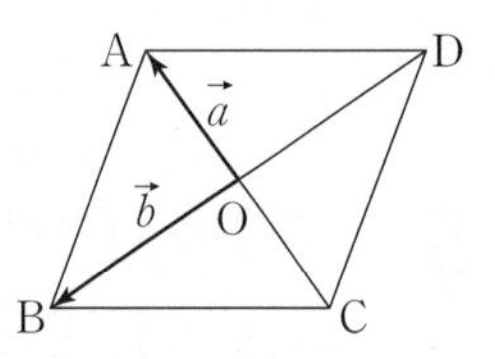

2-2 서로 합동인 세 개의 정삼각형이 오른쪽 그림과 같이 놓여 있다.
$\overrightarrow{AB}=\vec{a}$, $\overrightarrow{AE}=\vec{b}$라 할 때, $\overrightarrow{CD}$를 $\vec{a}$, $\vec{b}$로 나타내시오.

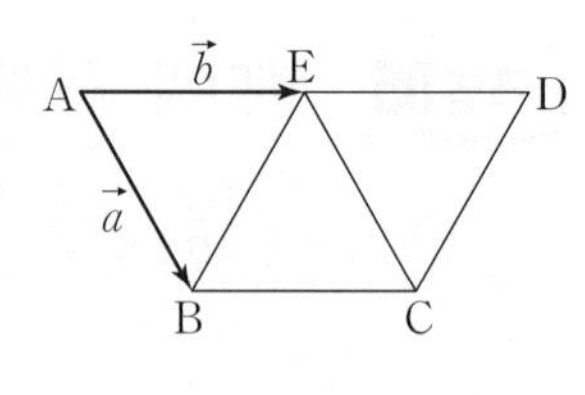

유형 03 벡터의 덧셈과 뺄셈

(천재, 교학, 금성, 동아, 좋은책, 지학 유사)

3-1 오른쪽 그림과 같이 한 변의 길이가 1인 정육각형 ABCDEF에서 $|\overrightarrow{AB}+\overrightarrow{BC}-\overrightarrow{CD}|$를 구하시오.

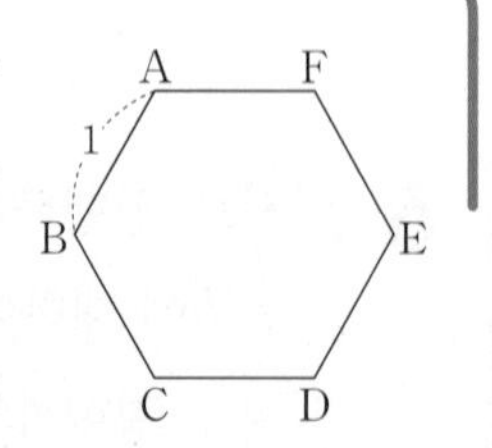

3-2 오른쪽 그림과 같이 한 변의 길이가 2인 정육각형 ABCDEF에서 다음을 구하시오.

(1) $|\overrightarrow{AB}+\overrightarrow{AE}|$

(2) $|\overrightarrow{AB}+\overrightarrow{CD}-\overrightarrow{ED}|$

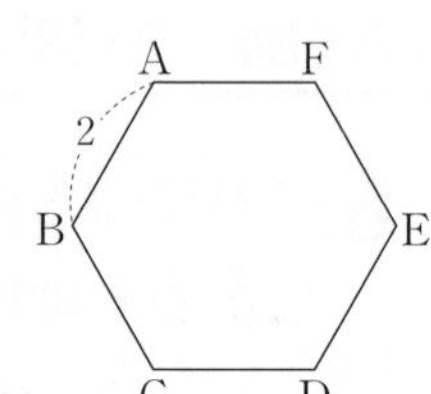

유형 04 벡터의 실수배

(천재, 교학, 금성, 동아, 미래엔, 비상, 좋은책, 지학 유사)

4-1 $2(\vec{a}+2\vec{b})-(-\vec{a}+5\vec{b})$를 간단히 하시오.

4-2 $2(\vec{a}+3\vec{b})-3(-\vec{a}+2\vec{b})+2(\vec{a}-\vec{b})$를 간단히 하시오.

유형 05 벡터의 실수배

(천재, 금성, 동아, 좋은책, 지학 유사)

5-1 등식 $\vec{a}+3\vec{b}+2\vec{x}=5\vec{a}-3\vec{b}$를 만족시키는 $\vec{x}$를 $\vec{a}$, $\vec{b}$로 나타내시오.

5-2 다음 등식을 만족시키는 $\vec{x}$를 $\vec{a}$, $\vec{b}$로 나타내시오.

(1) $\vec{a}+2\vec{b}+3\vec{x}=4\vec{a}-7\vec{b}$

(2) $4\vec{a}+3\vec{x}=2(\vec{x}-3\vec{a}+2\vec{b})$

유형 06 벡터의 평행

(천재, 교학, 금성, 동아, 미래엔, 비상, 좋은책, 지학 유사)

6-1 평면 위의 서로 다른 네 점 O, A, B, C에 대하여

$$\overrightarrow{OA}=\vec{a},\ \overrightarrow{OB}=2\vec{b},\ \overrightarrow{OC}=-\vec{a}+4\vec{b}$$

일 때, 세 점 A, B, C가 한 직선 위에 있음을 보이시오.

6-2 평면 위의 서로 다른 네 점 O, A, B, C에 대하여

$$\overrightarrow{OA}=2\vec{a}+3\vec{b},\ \overrightarrow{OB}=4\vec{a}-\vec{b},$$
$$\overrightarrow{OC}=-\vec{a}+9\vec{b}$$

일 때, 세 점 A, B, C가 한 직선 위에 있음을 보이시오.

STEP 3 교과서 기본 테스트

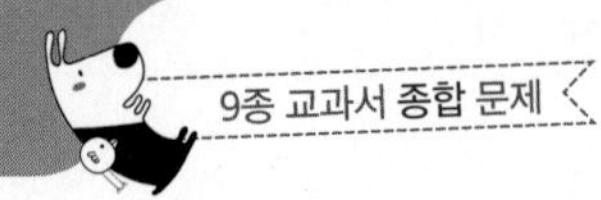

01 천재, 교학, 동아, 미래엔, 비상, 좋은책 유사 ⋙ 출제율 75%

오른쪽 그림과 같이 한 변의 길이가 1인 정육각형 ABCDEF에서 세 대각선의 교점을 O라 할 때, 다음을 구하시오.

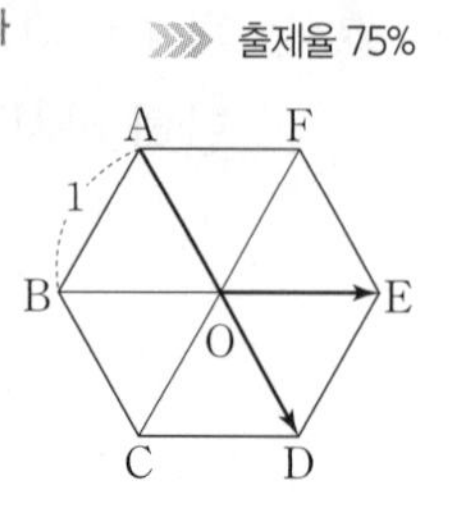

(1) $\overrightarrow{OE}$와 서로 같은 벡터

(2) $\overrightarrow{AD}$와 크기가 같은 벡터

02 천재, 동아, 미래엔, 비상, 좋은책, 지학 유사 ⋙ 출제율 95%

오른쪽 그림과 같은 정사각형 ABCD에서 $\overrightarrow{AB}=\vec{a}$, $\overrightarrow{AC}=\vec{b}$라 할 때, $\overrightarrow{BC}$를 $\vec{a}$, $\vec{b}$로 나타내면?

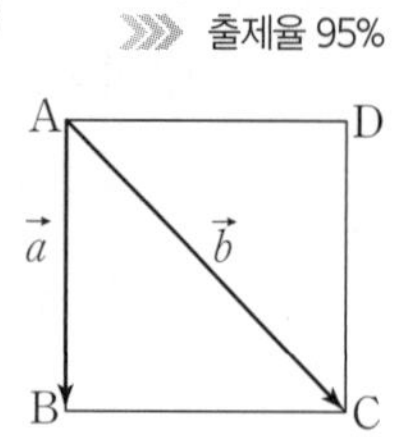

① $\vec{a}+\vec{b}$ ② $\vec{a}-\vec{b}$
③ $\vec{b}-\vec{a}$ ④ $-\vec{a}$
⑤ $-\vec{b}$

03 천재, 미래엔, 비상, 좋은책, 지학 유사 ⋙ 출제율 95%

오른쪽 그림과 같은 평행사변형 ABCD에서 $\overrightarrow{AB}=\vec{a}$, $\overrightarrow{AC}=\vec{b}$, $\overrightarrow{AD}=\vec{c}$라 할 때, $-\vec{b}+\vec{c}$와 같은 것은?

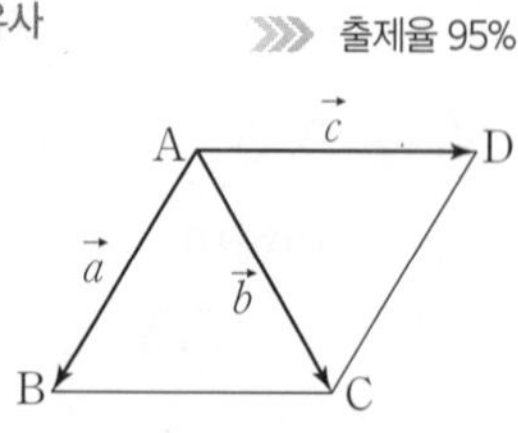

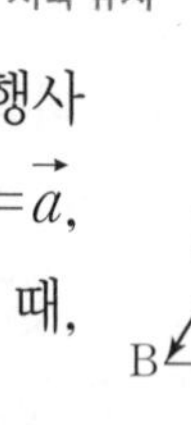

① $-\vec{a}$ ② $\vec{b}$ ③ $\vec{c}$
④ $\vec{a}+\vec{b}$ ⑤ $\vec{c}-\vec{a}$

04 천재, 교학, 미래엔, 비상, 좋은책, 지학 유사 ⋙ 출제율 95%

오른쪽 그림과 같은 정육각형 ABCDEF에서 $\overrightarrow{AB}=\vec{a}$, $\overrightarrow{BC}=\vec{b}$라 할 때, 다음 중 옳지 않은 것은?

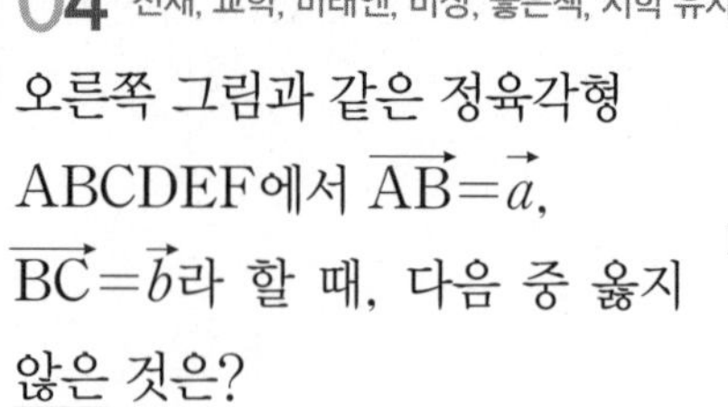
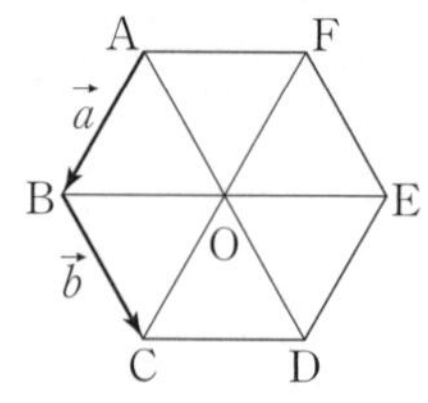

① $\overrightarrow{AO}=\vec{b}$ ② $\overrightarrow{AC}=\vec{a}+\vec{b}$
③ $\overrightarrow{AD}=2\vec{b}$ ④ $\overrightarrow{BO}=\vec{a}-\vec{b}$
⑤ $\overrightarrow{DE}=-\vec{a}$

05 천재, 미래엔, 비상 유사 ⋙ 출제율 68%

오른쪽 그림과 같은 정육각형 ABCDEF에서 $\overrightarrow{AB}=\vec{a}$, $\overrightarrow{BC}=\vec{b}$라 할 때, $\overrightarrow{CE}$를 $\vec{a}$, $\vec{b}$로 나타내면?

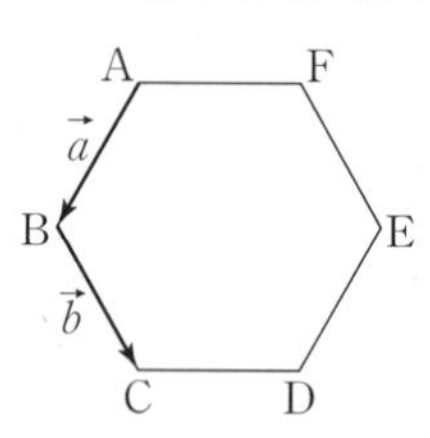

① $-2\vec{a}+\vec{b}$ ② $-\vec{a}+2\vec{b}$
③ $-\vec{a}-\vec{b}$ ④ $-\vec{a}+\vec{b}$
⑤ $\vec{a}+\vec{b}$

06 천재, 금성, 동아, 좋은책, 지학 유사 ⋙ 출제율 68%

오른쪽 그림과 같은 정사각형 ABCD에서

$$|\overrightarrow{AB}+\overrightarrow{AC}+\overrightarrow{AD}|=4$$

일 때, 정사각형의 한 변의 길이를 구하시오.

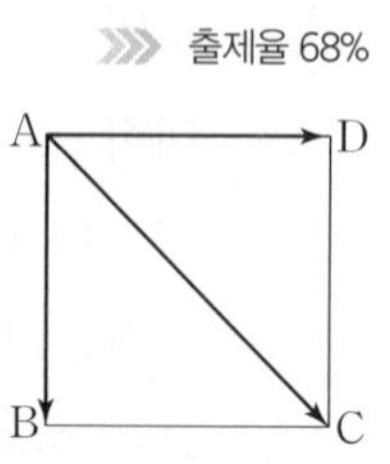

07 천재, 비상, 좋은책, 지학 유사 ≫ 출제율 68%

오른쪽 그림과 같이 한 변의 길이가 1인 정육각형 ABCDEF에서 $\overrightarrow{AB}=\vec{a}$, $\overrightarrow{BC}=\vec{b}$, $\overrightarrow{CD}=\vec{c}$라 할 때, $|\vec{c}-\vec{a}+\vec{b}|$를 구하시오.

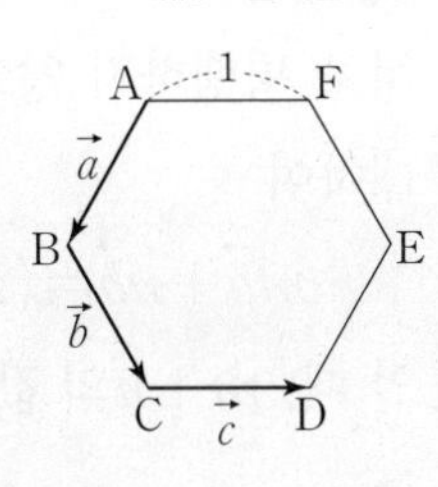

08 천재, 동아, 미래엔, 비상, 좋은책, 지학 유사 ≫ 출제율 95%

오른쪽 그림과 같은 정육각형 ABCDEF에서 $\overrightarrow{AB}=\vec{a}$, $\overrightarrow{BC}=\vec{b}$라 할 때, $\overrightarrow{BE}=m\vec{a}+n\vec{b}$를 만족시키는 실수 m, n에 대하여 mn의 값을 구하시오.

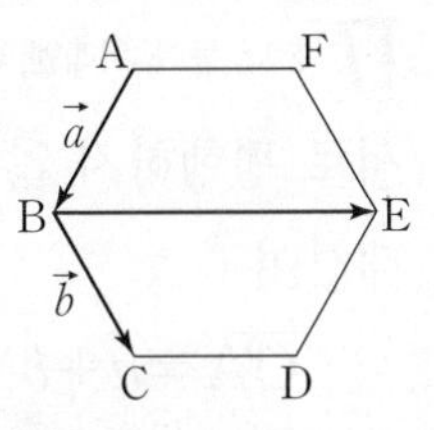

09 천재, 교학, 비상, 좋은책 유사 ≫ 출제율 95%

다음 중에서 평면 위의 서로 다른 세 점 A, B, C에 대하여 옳은 것만을 있는 대로 고른 것은?

ㄱ. $\overrightarrow{AB}+\vec{0}=\overrightarrow{BA}$
ㄴ. $\overrightarrow{CB}+\overrightarrow{CA}-\overrightarrow{BA}=\vec{0}$
ㄷ. $\overrightarrow{AB}+\overrightarrow{BC}+\overrightarrow{CA}=\vec{0}$

① ㄱ ② ㄴ ③ ㄷ
④ ㄴ, ㄷ ⑤ ㄱ, ㄴ, ㄷ

10 천재, 교학, 비상, 좋은책 유사 ≫ 출제율 95%

다음을 간단히 하시오.

(1) $2(2\vec{a}+\vec{b})+3(\vec{a}-\vec{b})$

(2) $\frac{2}{3}(\vec{a}+5\vec{b}-\vec{c})-\frac{1}{3}(5\vec{a}+\vec{b}+4\vec{c})$

11 천재, 동아, 미래엔, 비상, 좋은책 유사 ≫ 출제율 75%

$2(\vec{a}-\vec{b})-3(\vec{a}-2\vec{b})+5\vec{a}$를 간단히 하시오.

12 천재, 동아, 비상, 좋은책, 지학 유사 ≫ 출제율 95%

세 벡터 $\vec{a}$, $\vec{b}$, $\vec{c}$에 대하여

$$3\vec{a}-2\vec{b}+\vec{c}=\vec{x},\ 2\vec{a}+\vec{b}-4\vec{c}=\vec{y}$$

일 때, $2(\vec{x}-\vec{y})+3\vec{y}$를 $\vec{a}$, $\vec{b}$, $\vec{c}$로 나타내면?

① $\vec{a}-\vec{b}+\vec{c}$ ② $4\vec{a}+3\vec{b}-2\vec{c}$
③ $4\vec{a}-3\vec{b}+2\vec{c}$ ④ $8\vec{a}-3\vec{b}+2\vec{c}$
⑤ $8\vec{a}-3\vec{b}-2\vec{c}$

13 천재, 금성, 동아, 좋은책, 지학 유사 ⋙ 출제율 78%

두 벡터 $\vec{x}$, $\vec{y}$에 대하여

$$\vec{x}+2\vec{y}=\vec{a},\ 3\vec{x}-\vec{y}=\vec{b}$$

일 때, $\vec{x}+\vec{y}$를 $\vec{a}$, $\vec{b}$로 나타내시오.

14 천재, 금성, 동아, 좋은책, 지학 유사 ⋙ 출제율 80%

등식 $3(\vec{x}+\vec{a}+2\vec{b})=2(\vec{b}-\vec{x})$를 만족시키는 $\vec{x}$를 $\vec{a}$, $\vec{b}$로 나타내면?

① $\frac{3}{5}\vec{a}-\frac{4}{5}\vec{b}$ ② $-\frac{3}{5}\vec{a}-\frac{4}{5}\vec{b}$
③ $\frac{4}{5}\vec{a}-\frac{3}{5}\vec{b}$ ④ $-\frac{4}{5}\vec{a}+\frac{3}{5}\vec{b}$
⑤ $-3\vec{a}-4\vec{b}$

15 천재, 금성, 좋은책, 지학 유사 ⋙ 출제율 80%

서로 평행하지 않고 영벡터가 아닌 두 벡터 $\vec{a}$, $\vec{b}$에 대하여

$$\overrightarrow{OA}=\vec{a}+4\vec{b},\ \overrightarrow{OB}=2\vec{a}-\vec{b}$$

일 때, $\overrightarrow{AB}=p\vec{a}+q\vec{b}$이다. 실수 p, q의 값을 구하시오.

16 천재, 교학, 금성, 동아, 비상, 좋은책 유사 ⋙ 출제율 78%

서로 평행하지 않고 영벡터가 아닌 두 벡터 $\vec{a}$, $\vec{b}$에 대하여

$$m\vec{a}+n\vec{b}=(n-m)\vec{a}+(m+1)\vec{b}$$

일 때, $m+n$의 값은? (단, m, n은 실수)

① 1 ② 2 ③ 3
④ 4 ⑤ 5

17 천재, 동아, 미래엔, 비상, 좋은책, 지학 유사 ⋙ 출제율 95%

서로 평행하지 않고 영벡터가 아닌 두 벡터 $\vec{a}$, $\vec{b}$에 대하여

$$\overrightarrow{OA}=\vec{a}+\vec{b},\ \overrightarrow{OB}=2\vec{a}-\vec{b},\ \overrightarrow{OC}=6\vec{a}+m\vec{b}$$

일 때, 세 점 A, B, C가 한 직선 위에 있도록 하는 실수 m의 값은?

① -9 ② -7 ③ -5
④ -3 ⑤ -1

18 천재, 금성, 비상, 좋은책, 지학 유사 ⋙ 출제율 65%

서로 평행하지 않고 영벡터가 아닌 두 벡터 $\vec{a}$, $\vec{b}$에 대하여

$$\overrightarrow{OA}=2\vec{a}+\vec{b},\ \overrightarrow{OB}=\vec{a}-\vec{b},\ \overrightarrow{OC}=m\vec{a}+5\vec{b}$$

일 때, 세 점 A, B, C가 한 직선 위에 있도록 하는 실수 m의 값을 구하시오.

19 천재, 금성, 비상, 좋은책, 지학 유사

>>> 출제율 65%

서로 평행하지 않고 영벡터가 아닌 두 벡터 $\vec{a}$, $\vec{b}$에 대하여

$$\overrightarrow{OA}=-3\vec{a},\ \overrightarrow{OB}=2\vec{b},\ \overrightarrow{OC}=m(\vec{a}+\vec{b})$$

일 때, 세 점 A, B, C가 한 직선 위에 있도록 하는 실수 m의 값을 구하시오.

20 천재, 미래엔, 비상, 좋은책, 지학 유사

>>> 출제율 83%

오른쪽 그림과 같이 한 변의 길이가 2인 정사각형 ABCD가 있다. 점 P가 변 CD 위를 움직일 때, $|\overrightarrow{AB}-\overrightarrow{AP}|$의 최댓값을 구하시오.

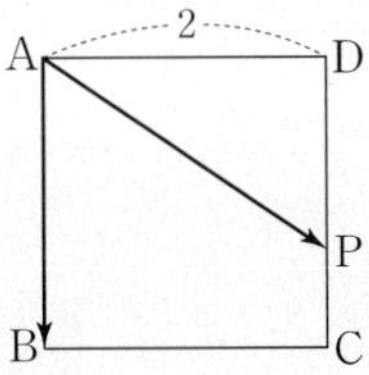

A 2 D P B C

21 천재, 동아, 미래엔, 비상, 좋은책 유사

>>> 출제율 70%

사각형 ABCD와 임의의 점 P에 대하여

$$\overrightarrow{PA}+\overrightarrow{PC}=\overrightarrow{PB}+\overrightarrow{PD}$$

가 성립할 때, 사각형 ABCD는 어떤 사각형인지 말하시오.

과정을 평가하는 서술형입니다.

[22~24] 다음 문제의 풀이 과정을 자세히 쓰시오.

22 천재, 좋은책, 지학 유사

>>> 출제율 80%

등식 $3(\vec{a}+\vec{b}+\vec{x})=2(3\vec{b}-2\vec{a})+2\vec{x}$를 만족시키는 $\vec{x}$를 $\vec{a}$, $\vec{b}$로 나타내고, 그 풀이 과정을 쓰시오.

23 천재, 미래엔, 비상, 좋은책, 지학 유사

>>> 출제율 75%

두 등식 $3\vec{x}-\vec{y}=-\vec{a}$, $5\vec{x}-2\vec{y}=\vec{b}$를 만족시키는 네 벡터 $\vec{a}$, $\vec{b}$, $\vec{x}$, $\vec{y}$에 대하여 $\vec{x}-\vec{y}=m\vec{a}+n\vec{b}$일 때, 실수 m, n의 값을 구하고, 그 풀이 과정을 쓰시오. (단, 두 벡터 $\vec{a}$, $\vec{b}$는 서로 평행하지 않고, 영벡터가 아니다.)

24 천재, 미래엔, 비상 유사

>>> 출제율 85%

서로 평행하지 않고 영벡터가 아닌 두 벡터 $\vec{a}$, $\vec{b}$에 대하여

$$3\vec{a}+2\vec{b}=\vec{p},\ 2\vec{a}-\vec{b}=\vec{q},\ -9\vec{a}+\vec{b}=\vec{r}$$

일 때, 두 벡터 $\vec{p}+\vec{q}$, $2\vec{q}+\vec{r}$가 서로 평행함을 보이고, 그 풀이 과정을 쓰시오.

창의력·융합형·서술형·코딩

1

아래 그림은 서로 평행하지 않고 영벡터가 아닌 두 벡터 $\vec{a}$, $\vec{b}$에 대하여 $\vec{c}$를 $\vec{a}$, $\vec{b}$로 나타내는 과정이다. 다음 물음에 답하시오.

(1) 위 그림에서 $\vec{c}=$ (가) $\vec{a}+$ (나) $\vec{b}$일 때, (가), (나)에 알맞은 수를 구하시오.

(2) 서로 평행하지 않고 영벡터가 아닌 두 벡터 $\vec{a}$, $\vec{b}$에 대하여 임의의 벡터 $\vec{c}$를 $\vec{a}$, $\vec{b}$의 실수배의 합으로 나타낼 수 있음을 설명하시오.

2

혜진이와 민희가 같은 지점에서 동시에 출발하여 혜진이는 남쪽으로 6 km/h의 속력으로 걸어가고, 민희는 동쪽으로 8 km/h의 속력으로 뛰어가고 있다. 다음 물음에 답하시오.

(1) 혜진이가 걸어가면서 민희를 바라볼 때, 민희는 어느 쪽으로 움직이는 것처럼 보이는지 구하시오.

(2) 혜진이가 걸어가면서 민희를 바라볼 때 느끼는 민희의 속력을 구하시오.

3

아래 그림과 같이 80 km/h의 속력으로 달리고 있는 자동차에서 자동차가 달리는 반대 방향으로 80 km/h의 속력으로 공을 쏘는 실험을 하였다. 다음 물음에 답하시오.

(1) 자동차에서 쏜 공은 자동차의 밖에서 바라볼 때, 어느 쪽으로 움직일지 추측하시오.

(2) (1)과 같이 추측한 이유를 벡터를 이용하여 설명하시오.

4

아래 그림과 같이 두 배 A, B가 θ의 각을 이루면서 각각 2000 N의 힘으로 배 C를 끌고 있을 때, 다음 물음에 답하시오.

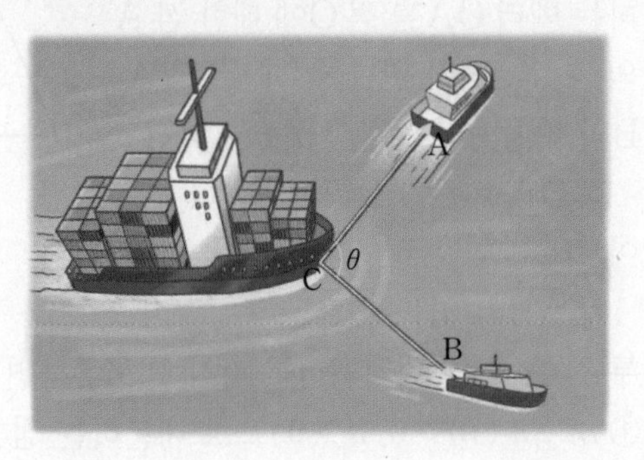

(1) $\theta=90^{\circ}$일 때, 배 C에 작용하는 힘의 크기를 구하시오.

(2) θ의 크기에 따라 배 C의 속력이 어떻게 변하는지 설명하시오.

평면벡터의 성분과 내적

개념 01 위치벡터

(1) 평면에서 정해진 점 O를 시점으로 하는 벡터 $\overrightarrow{OA}$를 점 O에 대한 점 A의 ❶ ____ 라 한다. 이때 두 점 A, B의 위치벡터를 각각 $\vec{a}$, $\vec{b}$라 하면

$\overrightarrow{OA}=\vec{a}$, $\overrightarrow{OB}=\vec{b}$

이므로

$\overrightarrow{AB}=\overrightarrow{OB}-\overrightarrow{OA}=$ ❷ ____

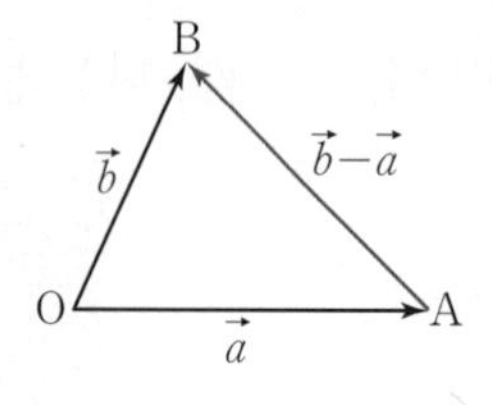

(2) 두 점 A, B의 위치벡터를 각각 $\vec{a}$, $\vec{b}$라 하면 선분 AB를

① $m:n\,(m>0,\ n>0)$으로 내분하는 점 P의 위치벡터는 $\vec{p}=\dfrac{m\vec{b}+n\vec{a}}{m+n}$

② $m:n\,(m>0,\ n>0,\ m\neq n)$으로 외분하는 점 Q의 위치벡터는 $\vec{q}=\dfrac{m\vec{b}-n\vec{a}}{❸\ \_\_\_\_}$

답 | ❶ 위치벡터 ❷ $\vec{b}-\vec{a}$ ❸ $m-n$

QUIZ

다음 □ 안에 알맞은 것을 써넣으시오.

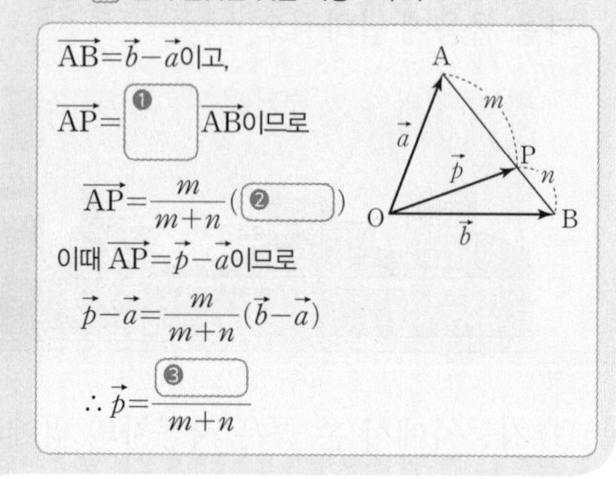

$\overrightarrow{AB}=\vec{b}-\vec{a}$이고,

$\overrightarrow{AP}=$ ❶ ____ $\overrightarrow{AB}$이므로

$\overrightarrow{AP}=\dfrac{m}{m+n}($❷ ____$)$

이때 $\overrightarrow{AP}=\vec{p}-\vec{a}$이므로

$\vec{p}-\vec{a}=\dfrac{m}{m+n}(\vec{b}-\vec{a})$

$\therefore \vec{p}=\dfrac{❸\ \_\_\_\_}{m+n}$

정답 |

❶ $\dfrac{m}{m+n}$ ❷ $\vec{b}-\vec{a}$ ❸ $m\vec{b}+n\vec{a}$

개념 02 벡터의 성분

좌표평면 위의 두 점 $E_1(1, 0)$, $E_2(0, 1)$의 위치벡터를 각각 $\vec{e_1}$, $\vec{e_2}$로 나타내고, 좌표평면 위의 임의의 벡터 $\vec{a}$에 대하여 $\vec{a}=\overrightarrow{OA}$가 되는 점 $A(a_1, a_2)$를 정하면 $\overrightarrow{OA}=\overrightarrow{OA_1}+\overrightarrow{OA_2}$이므로

$\vec{a}=a_1\vec{e_1}+a_2\vec{e_2}=(a_1, a_2)$, $|\vec{a}|=\sqrt{❶\ \_\_\_\_}$

과 같이 나타낼 수 있다. 이때 a_1, a_2를 벡터 $\vec{a}$의 성분이라 하며 a_1을 $\vec{a}$의 ❷ ____ 성분, a_2를 $\vec{a}$의 y성분이라 한다.

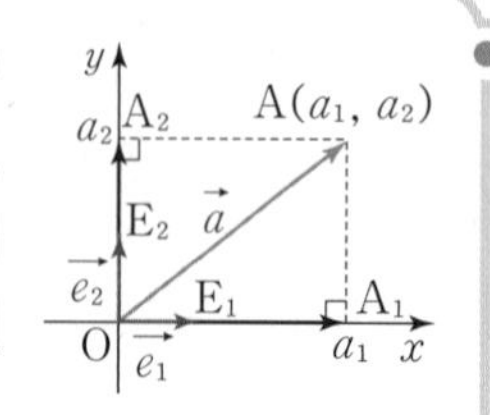

답 | ❶ $a_1^2+a_2^2$ ❷ x

QUIZ

$\vec{e_1}=(1, 0)$, $\vec{e_2}=(0, 1)$에 대하여 점 P(5, 3)의 위치벡터를 $\vec{p}$라 하면 $\vec{p}=$ ❶ ____ $\vec{e_1}+3\vec{e_2}$이므로 $\vec{p}$를 성분으로 나타내면 $\vec{p}=(5,$ ❷ ____$)$이다.

정답 |

❶ 5 ❷ 3

개념 03 벡터의 성분과 연산

(1) 두 평면벡터 $\vec{a}=(a_1, a_2)$, $\vec{b}=(b_1, b_2)$와 실수 k에 대하여

① $\vec{a}=\vec{b} \iff a_1=b_1,\ a_2=$ ❶ ____

② $\vec{a}\pm\vec{b}=(a_1\pm b_1, a_2\pm b_2)$ (단, 복호동순)

③ $k\vec{a}=(ka_1, ka_2)$

(2) 두 점 $A(a_1, a_2)$, $B(b_1, b_2)$에 대하여

① $\overrightarrow{AB}=(b_1-a_1, b_2-a_2)$

② ❷ ____ $=\sqrt{(b_1-a_1)^2+(b_2-a_2)^2}$

답 | ❶ b_2 ❷ $|\overrightarrow{AB}|$

QUIZ

$\vec{a}=(1, 3)$, $\vec{b}=(-4, 2)$일 때, 다음을 구하시오.

❶ $\vec{a}+\vec{b}$

❷ $2\vec{a}$

정답 |

❶ $(-3, 5)$ ❷ $(2, 6)$

개념 04 두 벡터가 이루는 각의 크기와 벡터의 내적

(1) 평면 위의 한 점 O와 영벡터가 아닌 두 평면벡터 $\vec{a}, \vec{b}$에 대하여 $\vec{a}=\overrightarrow{OA}$, $\vec{b}=\overrightarrow{OB}$가 되도록 두 점 A, B를 잡았을 때, $\angle AOB=\theta$를 두 평면벡터 $\vec{a}, \vec{b}$가 이루는 ❶ 라 한다.

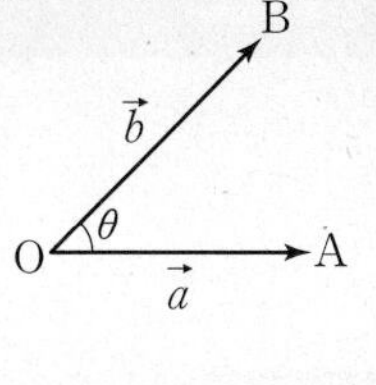

(2) **평면벡터의 내적 $\vec{a}\cdot\vec{b}$**

두 평면벡터 $\vec{a}, \vec{b}$가 이루는 각의 크기가 θ일 때

① $0^\circ \le \theta \le 90^\circ$이면

$\vec{a}\cdot\vec{b}=|\vec{a}||\vec{b}|\cos\theta$

② $90^\circ < \theta \le 180^\circ$이면

$\vec{a}\cdot\vec{b}=-|\vec{a}||\vec{b}|\cos($❷$)$

참고 $\vec{a}=\vec{b}$이면 $\cos\theta=1$이므로 $\vec{a}\cdot\vec{a}=|\vec{a}||\vec{a}|\cos\theta=|\vec{a}|^2$

답 | ❶ 각의 크기 ❷ $180^\circ-\theta$

QUIZ

다음 □ 안에 알맞은 것을 써넣으시오.

$|\vec{a}|=4$, $|\vec{b}|=3$, $\theta=30^\circ$일 때,

$\vec{a}\cdot\vec{b}=|\vec{a}||\vec{b}|$❶

$=4\times3\times\frac{\sqrt{3}}{2}$

$=$❷

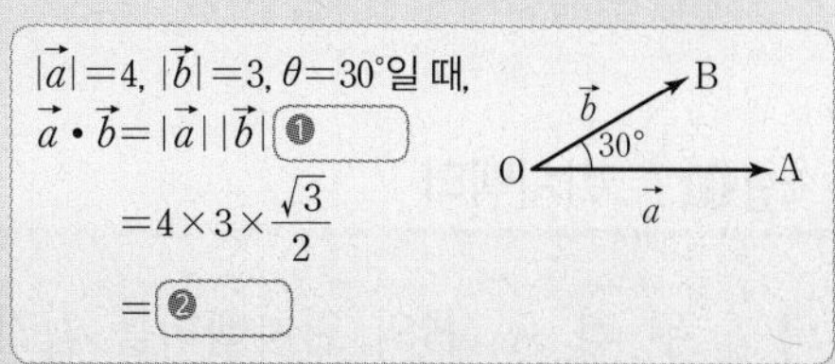

정답 |

❶ $\cos 30^\circ$ ❷ $6\sqrt{3}$

개념 05 벡터의 성분과 내적

(1) 두 평면벡터 $\vec{a}=(a_1, a_2)$, $\vec{b}=(b_1, b_2)$에 대하여

$\vec{a}\cdot\vec{b}=$❶

(2) **평면벡터의 내적의 성질**

세 평면벡터 $\vec{a}, \vec{b}, \vec{c}$와 실수 k에 대하여

① $\vec{a}\cdot\vec{b}=\vec{b}\cdot\vec{a}$

② $\vec{a}\cdot(\vec{b}+\vec{c})=\vec{a}\cdot\vec{b}+\vec{a}\cdot\vec{c}$

$(\vec{a}+\vec{b})\cdot\vec{c}=\vec{a}\cdot\vec{c}+\vec{b}\cdot\vec{c}$

③ $(k\vec{a})\cdot\vec{b}=\vec{a}\cdot(k\vec{b})=$❷$(\vec{a}\cdot\vec{b})$

답 | ❶ $a_1b_1+a_2b_2$ ❷ k

QUIZ

$\vec{a}=(1, 5)$, $\vec{b}=(4, -1)$일 때, 다음을 구하시오.

❶ $\vec{a}\cdot\vec{b}$

❷ $3\vec{a}\cdot\vec{b}$

정답 |

❶ -1 ❷ -3

개념 06 두 벡터가 이루는 각의 크기와 벡터의 수직과 평행

(1) 영벡터가 아닌 두 평면벡터 $\vec{a}=(a_1, a_2)$, $\vec{b}=(b_1, b_2)$가 이루는 각의 크기를 $\theta\,(0^\circ \le \theta \le 180^\circ)$라 할 때

① $\vec{a}\cdot\vec{b}\ge 0$이면

$$\cos\theta=\frac{\vec{a}\cdot\vec{b}}{|\vec{a}||\vec{b}|}=\frac{❶}{\sqrt{a_1^2+a_2^2}\sqrt{b_1^2+b_2^2}}$$

② $\vec{a}\cdot\vec{b}<0$이면

$$\cos(180^\circ-\theta)=-\frac{\vec{a}\cdot\vec{b}}{|\vec{a}||\vec{b}|}=-\frac{a_1b_1+a_2b_2}{\sqrt{a_1^2+a_2^2}\sqrt{b_1^2+b_2^2}}$$

(2) 영벡터가 아닌 두 평면벡터 $\vec{a}, \vec{b}$에 대하여

① 수직 조건 $\vec{a}\perp\vec{b} \iff \vec{a}\cdot\vec{b}=$❷

② 평행 조건 $\vec{a}/\!/\vec{b} \iff \vec{a}\cdot\vec{b}=\pm|\vec{a}||\vec{b}|$

답 | ❶ $a_1b_1+a_2b_2$ ❷ 0

QUIZ

$\vec{a}=(2, -5)$, $\vec{b}=(5, 2)$일 때

$\vec{a}\cdot\vec{b}=2\times5+(-5)\times2=$❶

이므로 두 벡터 $\vec{a}, \vec{b}$는 서로 ❷이다.

정답 |

❶ 0 ❷ 수직

교과서 개념 확인 테스트

개념 01 위치벡터

1-1 두 점 A, B의 위치벡터를 각각 $\vec{a}$, $\vec{b}$라 할 때, 선분 AB를 1 : 2로 내분하는 점 P의 위치벡터 $\vec{p}$를 $\vec{a}$, $\vec{b}$로 나타내시오.

1-2 두 점 A, B의 위치벡터를 각각 $\vec{a}$, $\vec{b}$라 할 때, 선분 AB를 3 : 2로 외분하는 점 Q의 위치벡터 $\vec{q}$를 $\vec{a}$, $\vec{b}$로 나타내시오.

개념 02 벡터의 성분

2-1 오른쪽 그림의 두 벡터 $\vec{a}$, $\vec{b}$에 대하여 다음 물음에 답하시오.

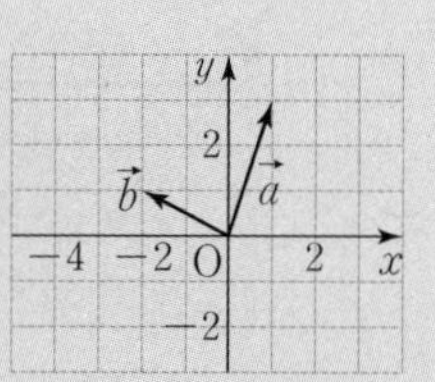

(1) $\vec{a}$, $\vec{b}$를 $\vec{e_1}=(1, 0)$, $\vec{e_2}=(0, 1)$을 이용하여 나타내시오.

(2) $\vec{a}$, $\vec{b}$를 성분으로 나타내시오.

2-2 오른쪽 그림의 두 벡터 $\vec{a}$, $\vec{b}$에 대하여 다음 물음에 답하시오.

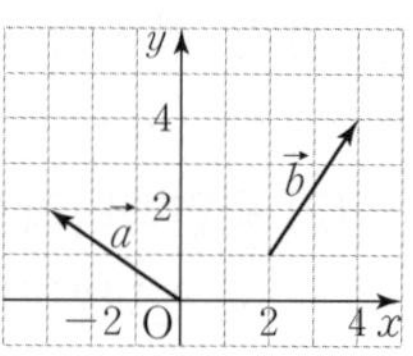

(1) $\vec{a}$, $\vec{b}$를 $\vec{e_1}=(1, 0)$, $\vec{e_2}=(0, 1)$을 이용하여 나타내시오.

(2) $\vec{a}$, $\vec{b}$를 성분으로 나타내시오.

개념 03 벡터의 성분과 연산

3-1 두 벡터 $\vec{a}=(3, -1)$, $\vec{b}=(1, 4)$에 대하여 다음 벡터를 성분으로 나타내시오.

(1) $-2\vec{a}$　　(2) $\vec{a}+2\vec{b}$

3-2 세 벡터 $\vec{a}=(1, -2)$, $\vec{b}=(3, 2)$, $\vec{c}=(1, 0)$에 대하여 다음 벡터를 성분으로 나타내시오.

(1) $2\vec{a}+\vec{b}-3\vec{c}$

(2) $2(\vec{a}-\vec{b})+3(\vec{c}-2\vec{a})$

정답과 해설 23쪽

개념 04 벡터의 내적

4-1 $|\vec{a}|=4$, $|\vec{b}|=5$인 두 벡터 $\vec{a}$, $\vec{b}$가 이루는 각의 크기가 다음과 같을 때, $\vec{a}\cdot\vec{b}$를 구하시오.

(1) $0°$ (2) $60°$

(3) $90°$

4-2 $|\vec{a}|=2$, $|\vec{b}|=3$인 두 벡터 $\vec{a}$, $\vec{b}$가 이루는 각의 크기가 다음과 같을 때, $\vec{a}\cdot\vec{b}$를 구하시오.

(1) $30°$ (2) $45°$

(3) $120°$

개념 05 벡터의 성분과 내적

5-1 다음 두 벡터 $\vec{a}$, $\vec{b}$의 내적을 구하시오.

(1) $\vec{a}=(2, 4)$, $\vec{b}=(2, -1)$

(2) $\vec{a}=(0, -3)$, $\vec{b}=(4, 1)$

5-2 다음 두 벡터 $\vec{a}$, $\vec{b}$의 내적을 구하시오.

(1) $\vec{a}=(2, 3)$, $\vec{b}=(5, -1)$

(2) $\vec{a}=(1, -2)$, $\vec{b}=(4, 0)$

개념 06 벡터의 수직 조건

6-1 두 벡터 $\vec{a}=(2, 3)$, $\vec{b}=(x, 6)$이 서로 수직일 때, 실수 x의 값을 구하시오.

6-2 두 벡터 $\vec{a}=(-4, y)$, $\vec{b}=(8, 4)$가 서로 수직일 때, 실수 y의 값을 구하시오.

기출 기초 테스트

9종 교과서 중요 문제

유형 01 위치벡터

1-1 두 점 A, B의 위치벡터를 각각 $\vec{a}$, $\vec{b}$라 할 때, 다음 점의 위치벡터를 $\vec{a}$, $\vec{b}$로 나타내시오.

(1) 선분 AB를 2 : 1로 내분하는 점

(2) 선분 AB를 2 : 1로 외분하는 점

(천재, 교학, 금성, 동아, 미래엔, 비상, 좋은책, 지학 유사)

1-2 두 점 A, B의 위치벡터를 각각 $\vec{a}$, $\vec{b}$라 할 때, 다음 점의 위치벡터를 $\vec{a}$, $\vec{b}$로 나타내시오.

(1) 선분 AB를 5 : 4로 내분하는 점

(2) 선분 AB를 5 : 4로 외분하는 점

유형 02 벡터의 성분

2-1 다음 벡터를 $\overrightarrow{e_1}=(1, 0)$, $\overrightarrow{e_2}=(0, 1)$을 이용하여 나타내시오.

(1) $\vec{a}=(2, 1)$ (2) $\vec{b}=(3, -2)$

(3) $\vec{c}=(-4, 0)$ (4) $\vec{d}=(0, 3)$

(천재, 교학, 금성, 동아, 미래엔, 비상, 좋은책, 지학 유사)

2-2 다음 벡터를 성분으로 나타내시오.

(단, $\overrightarrow{e_1}=(1, 0)$, $\overrightarrow{e_2}=(0, 1)$)

(1) $\vec{a}=3\overrightarrow{e_1}-4\overrightarrow{e_2}$ (2) $\vec{b}=-\overrightarrow{e_1}+3\overrightarrow{e_2}$

(3) $\vec{c}=5\overrightarrow{e_1}$ (4) $\vec{d}=-7\overrightarrow{e_2}$

유형 03 벡터의 크기

3-1 두 점 A(1, 3), B(2, 1)에 대하여 $\overrightarrow{AB}$를 성분으로 나타내고, 그 크기를 구하시오.

(천재, 교학, 금성, 동아, 좋은책, 지학 유사)

3-2 다음 두 점 A, B에 대하여 $\overrightarrow{AB}$를 성분으로 나타내고, 그 크기를 구하시오.

(1) A(1, 0), B(2, 3)

(2) A(4, −1), B(0, 2)

정답과 해설 24쪽

유형 04 벡터의 성분과 연산

4-1 두 벡터

$\vec{a}=(x+2,\ 5-y)$,

$\vec{b}=(7-y,\ -x+4)$

에 대하여 $\vec{a}=\vec{b}$일 때, 실수 x, y의 값을 구하시오.

(천재, 교학, 금성, 동아, 미래엔, 비상, 좋은책, 지학 유사)

4-2 다음 두 벡터 $\vec{a}$, $\vec{b}$에 대하여 $\vec{a}=\vec{b}$일 때, 실수 x, y의 값을 구하시오.

(1) $\vec{a}=(2x,\ 4)$, $\vec{b}=(-6,\ y)$

(2) $\vec{a}=(2x-y,\ 3y)$, $\vec{b}=(x+y,\ 2x-1)$

유형 05 벡터의 성분과 연산

5-1 $\vec{a}=(5,\ 2)$, $\vec{b}=(1,\ -2)$일 때, 다음 벡터를 성분으로 나타내시오.

(1) $2\vec{a}+\vec{b}$

(2) $4(\vec{a}+\vec{b})-3(\vec{a}-2\vec{b})$

(천재, 금성, 동아, 좋은책, 지학 유사)

5-2 $\vec{a}=(2,\ 1)$, $\vec{b}=(1,\ 0)$, $\vec{c}=(3,\ -1)$일 때, 다음 벡터를 성분으로 나타내시오.

(1) $\vec{a}-2\vec{b}+3\vec{c}$

(2) $2(\vec{a}+2\vec{b}-\vec{c})-(\vec{a}+2\vec{c})$

유형 06 벡터의 실수배와 성분

6-1 $\vec{a}=(3,\ -2)$, $\vec{b}=(1,\ 2)$일 때, $\vec{c}=(5,\ -6)$을 $k\vec{a}+l\vec{b}$의 꼴로 나타내시오.

(단, k, l은 실수)

(천재, 교학, 금성, 동아, 미래엔, 비상, 좋은책, 지학 유사)

6-2 $\vec{a}=(-1,\ 2)$, $\vec{b}=(3,\ -1)$일 때, 다음 벡터를 $k\vec{a}+l\vec{b}$의 꼴로 나타내시오.

(단, k, l은 실수)

(1) $\vec{c}=(3,\ 4)$ (2) $\vec{d}=(5,\ 0)$

STEP 2 기출 기초 테스트

유형 07 벡터의 성분과 내적

7-1 다음 두 벡터 $\vec{a}$, $\vec{b}$의 내적을 구하시오.

(1) $\vec{a}=(2, 4)$, $\vec{b}=(3, -2)$

(2) $\vec{a}=(0, 3)$, $\vec{b}=(1, 1)$

(천재, 교학, 금성, 동아, 미래엔, 비상, 좋은책, 지학 유사)

7-2 다음 두 벡터 $\vec{a}$, $\vec{b}$의 내적을 구하시오.

(1) $\vec{a}=(-2, 3)$, $\vec{b}=(3, -2)$

(2) $\vec{a}=(2, -3)$, $\vec{b}=(1, -4)$

유형 08 벡터의 내적의 연산

8-1 $|\vec{a}|=2$, $|\vec{b}|=1$인 두 벡터 $\vec{a}$, $\vec{b}$가 이루는 각의 크기가 60°일 때, $|\vec{a}+2\vec{b}|$를 구하시오.

(천재, 교학, 금성, 동아, 미래엔, 비상, 좋은책, 지학 유사)

8-2 $|\vec{a}|=\sqrt{2}$, $|\vec{b}|=3$인 두 벡터 $\vec{a}$, $\vec{b}$가 이루는 각의 크기가 45°일 때, $|2\vec{a}-\vec{b}|$를 구하시오.

유형 09 벡터의 내적의 연산

9-1 $|\vec{a}|=3$, $|\vec{b}|=5$, $|\vec{a}+\vec{b}|=8$일 때, 다음을 구하시오.

(1) $\vec{a}\cdot\vec{b}$

(2) $|\vec{a}-3\vec{b}|$

(천재, 교학, 금성, 동아, 좋은책, 지학 유사)

9-2 $|\vec{a}|=1$, $|\vec{b}|=2$, $|\vec{a}+\vec{b}|=3$일 때, 다음을 구하시오.

(1) $\vec{a}\cdot\vec{b}$

(2) $|3\vec{a}+2\vec{b}|$

유형 10 벡터의 내적과 각의 크기

(천재, 교학, 금성, 동아, 미래엔, 비상, 좋은책, 지학 유사)

10-1 두 벡터 $\vec{a}=(2, 1)$, $\vec{b}=(1, 3)$에 대하여 두 벡터 $\vec{a}$, $\vec{b}$가 이루는 각의 크기를 구하시오.

10-2 다음 두 벡터 $\vec{a}$, $\vec{b}$가 이루는 각의 크기를 구하시오.

(1) $\vec{a}=(1, 2)$, $\vec{b}=(-2, 6)$

(2) $\vec{a}=(0, 1)$, $\vec{b}=(\sqrt{3}, -1)$

유형 11 벡터의 수직 조건

(천재, 교학, 금성, 동아, 미래엔, 비상, 좋은책, 지학 유사)

11-1 벡터 $\vec{a}=(1, 1)$과 수직이고, 크기가 2인 벡터 $\vec{b}$를 구하시오.

11-2 벡터 $\vec{a}=(-4, 3)$과 수직이고, 크기가 5인 벡터 $\vec{b}$를 구하시오.

유형 12 벡터의 수직 조건

(천재, 교학, 금성, 동아, 미래엔, 비상, 좋은책, 지학 유사)

12-1 두 벡터 $\vec{a}=(1, 3)$, $\vec{b}=(k, 1-k)$가 서로 수직일 때, 실수 k의 값을 구하시오.

12-2 두 벡터 $\vec{a}=(-1, 1)$, $\vec{b}=(2, 1)$에 대하여 $2\vec{a}-3\vec{b}$, $k\vec{a}+\vec{b}$가 서로 수직일 때, 실수 k의 값을 구하시오.

교과서 기본 테스트

01 천재, 교학, 동아, 미래엔, 비상, 좋은책 유사 ⋙ 출제율 95%

세 점 A, B, C의 위치벡터를 각각 $\vec{a}$, $\vec{b}$, $\vec{c}$라 할 때, $\overrightarrow{AB}-2\overrightarrow{BC}+3\overrightarrow{AC}$를 $\vec{a}$, $\vec{b}$, $\vec{c}$로 나타내시오.

02 천재, 동아, 미래엔, 비상, 좋은책, 지학 유사 ⋙ 출제율 95%

$\overrightarrow{OP}=\vec{p}$, $\overrightarrow{OQ}=\vec{q}$라 할 때, 선분 PQ를 $1:4$로 내분하는 점 R에 대하여 $\overrightarrow{OR}$를 $\vec{p}$, $\vec{q}$로 나타내면?

① $\frac{4}{5}\vec{p}+\frac{1}{5}\vec{q}$　② $\frac{1}{5}\vec{p}+\frac{4}{5}\vec{q}$
③ $\frac{4}{3}\vec{p}+\frac{1}{3}\vec{q}$　④ $\frac{1}{3}\vec{p}-\frac{4}{3}\vec{q}$
⑤ $\frac{1}{4}\vec{p}-\frac{1}{4}\vec{q}$

03 천재, 미래엔, 비상, 좋은책, 지학 유사 ⋙ 출제율 95%

$\vec{a}=(2, 3)$, $\vec{b}=(-2, -1)$, $\vec{c}=(1, -3)$일 때, $-3\vec{a}+2\vec{b}-4\vec{c}$를 성분으로 나타내면?

① $(-23, -6)$　② $(-14, 1)$
③ $(-6, -23)$　④ $(1, -14)$
⑤ $(2, -3)$

04 천재, 교학, 미래엔, 비상, 좋은책, 지학 유사 ⋙ 출제율 95%

두 벡터 $\vec{a}=(x+2,\ 5-y)$, $\vec{b}=(3-y,\ -x+2)$에 대하여 $\vec{a}=\vec{b}$일 때, 실수 x, y의 값을 구하시오.

05 천재, 금성, 동아, 좋은책, 지학 유사 ⋙ 출제율 68%

세 점 $A(-2, 5)$, $B(0, 3)$, $C(3, 6)$에 대하여 $\overrightarrow{AB}=\overrightarrow{CD}$를 만족시키는 점 D의 좌표는?

① $(-5, 2)$　② $(-1, -4)$　③ $(1, 4)$
④ $(2, 3)$　⑤ $(5, 4)$

06 천재, 미래엔, 비상 유사 ⋙ 출제율 68%

$\vec{a}=(2, 1)$, $\vec{b}=(1, -2)$일 때, $\vec{c}=(0, 10)$을 $k\vec{a}+l\vec{b}$의 꼴로 나타내시오. (단, k, l은 실수)

07 천재, 비상, 좋은책, 지학 유사

>>> 출제율 68%

$\vec{a}=(3, 2)$, $\vec{b}=(-1, 1)$일 때, $\vec{c}=(6, -1)$을 $k\vec{a}+l\vec{b}$의 꼴로 나타낼 수 있다. 이때 $k+l$의 값은? (단, k, l은 실수)

① -3 ② -2 ③ -1
④ 1 ⑤ 2

08 천재, 동아, 미래엔, 비상, 좋은책, 지학 유사

>>> 출제율 95%

세 점 $\mathrm{O}(0, 0)$, $\mathrm{A}(1, 2)$, $\mathrm{B}(3, -4)$에 대하여 $\overrightarrow{\mathrm{OA}}+\overrightarrow{\mathrm{BA}}+\overrightarrow{\mathrm{MO}}=\vec{0}$인 점 M의 좌표를 (x, y)라 할 때, $x+y$의 값은?

① 5 ② 6 ③ 7
④ 8 ⑤ 9

09 천재, 교학, 비상, 좋은책 유사

>>> 출제율 95%

두 벡터 $\vec{a}=(1, k)$, $\vec{b}=(-2, 3)$에 대하여 $-2\vec{a}+\vec{b}$와 $\vec{a}+2\vec{b}$가 서로 평행할 때, k의 값은?

① $-\frac{3}{2}$ ② $-\frac{2}{3}$ ③ $-\frac{1}{2}$
④ 0 ⑤ $\frac{2}{3}$

10 천재, 교학, 비상, 좋은책 유사

>>> 출제율 85%

$\overrightarrow{\mathrm{AD}} /\!/ \overrightarrow{\mathrm{BC}}$인 사다리꼴 ABCD에서 세 점 $\mathrm{A}(0, 1)$, $\mathrm{B}(1, -1)$, $\mathrm{C}(7, 5)$에 대하여 $\overline{\mathrm{AD}}=4\sqrt{2}$일 때, 꼭짓점 D의 좌표를 구하시오.

11 천재, 동아, 미래엔, 비상, 좋은책 유사

>>> 출제율 75%

다음 두 벡터 $\vec{a}$, $\vec{b}$의 내적을 구하시오.

(1) $\vec{a}=(5, -2)$, $\vec{b}=(-1, -4)$

(2) $\vec{a}=(2, 0)$, $\vec{b}=(-3, -2)$

12 천재, 동아, 비상, 좋은책, 지학 유사

>>> 출제율 95%

$\angle \mathrm{A}=90^{\circ}$인 직각삼각형 ABC에서 $\overline{\mathrm{AB}}=3$, $\overline{\mathrm{AC}}=4$일 때, $\overrightarrow{\mathrm{BA}} \cdot \overrightarrow{\mathrm{BC}}$는?

① 2 ② 3 ③ 5
④ 9 ⑤ 16

13 천재, 금성, 동아, 좋은책, 지학 유사 출제율 78%

오른쪽 그림과 같은 삼각형 AOB에서 $|\vec{a}|=2$, $|\vec{b}|=4$, $\angle AOB=60^\circ$일 때, $\vec{a}\cdot\vec{b}$를 구하시오.

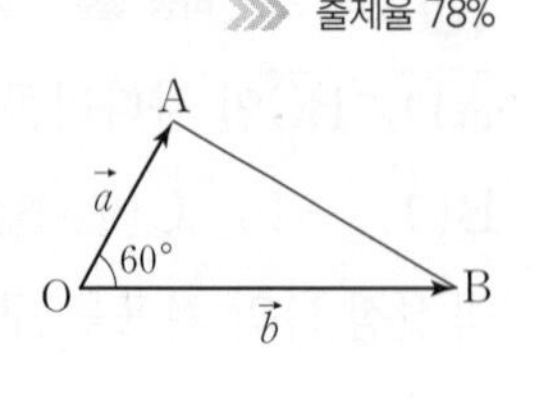

14 천재, 금성, 동아, 좋은책, 지학 유사 출제율 80%

$|\vec{a}|=2\sqrt{3}$, $|\vec{b}|=2$인 두 벡터 $\vec{a}$, $\vec{b}$가 이루는 각의 크기가 150°일 때, $\vec{a}\cdot\vec{b}$는?

① -6 ② $-2\sqrt{3}$ ③ $-\sqrt{6}$
④ $\sqrt{6}$ ⑤ $2\sqrt{3}$

15 천재, 금성, 좋은책, 지학 유사 출제율 80%

세 벡터 $\vec{a}$, $\vec{b}$, $\vec{c}$에 대하여 $\vec{a}\cdot\vec{b}=2$, $\vec{a}\cdot\vec{c}=3$일 때, 다음을 구하시오.

(1) $\vec{a}\cdot(\vec{b}+2\vec{c})$ (2) $(2\vec{b}-\vec{c})\cdot\vec{a}$

16 천재, 교학, 금성, 동아, 비상, 좋은책 유사 출제율 78%

$|\vec{a}|=1$, $|\vec{b}|=2$, $|\vec{a}+\vec{b}|=\sqrt{3}$일 때, $\vec{a}\cdot\vec{b}$는?

① -2 ② -1 ③ 0
④ 1 ⑤ 2

17 천재, 금성, 비상, 좋은책, 지학 유사 출제율 65%

$|\vec{a}|=\sqrt{3}$, $|\vec{b}|=2$, $|\vec{a}+\vec{b}|=3$인 두 벡터 $\vec{a}$, $\vec{b}$에 대하여 두 벡터 $\vec{a}$, $\vec{b}$가 이루는 각의 크기를 θ라 할 때, $\cos\theta$의 값을 구하시오. (단, $0^\circ\le\theta\le180^\circ$)

18 천재, 금성, 비상, 좋은책, 지학 유사 출제율 65%

$|\vec{a}|=4$, $|\vec{b}|=6$인 두 벡터 $\vec{a}$, $\vec{b}$가 이루는 각의 크기가 120°일 때, $|3\vec{a}-2\vec{b}|$를 구하시오.

19 천재, 동아, 미래엔, 비상, 좋은책, 지학 유사 ⋙ 출제율 95%

오른쪽 그림과 같은 직각삼각형 OAB에서 $|\overrightarrow{OA}|=\sqrt{3}$, $|\overrightarrow{OB}|=1$이고, 선분 AB 위의 점 P에 대하여

$$5\overrightarrow{OP}=3\overrightarrow{OB}+2\overrightarrow{OA}$$

가 성립할 때, $\overrightarrow{AP}$의 크기를 구하시오.

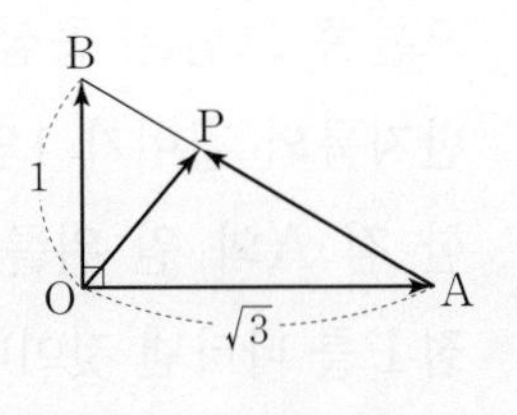

20 천재, 미래엔, 비상, 좋은책, 지학 유사 ⋙ 출제율 83%

삼각형 ABC와 점 P에 대하여

$$2\overrightarrow{PA}+\overrightarrow{PB}+\overrightarrow{PC}=\overrightarrow{AB}$$

가 성립할 때, 삼각형 ABP와 삼각형 BCP의 넓이의 비는?

① 1 : 3 ② 2 : 1 ③ 2 : 3
④ 3 : 1 ⑤ 4 : 3

21 천재, 동아, 미래엔, 비상, 좋은책 유사 ⋙ 출제율 70%

오른쪽 그림과 같은 삼각형 OAB에서 $|\overrightarrow{OA}|=4$, $|\overrightarrow{OB}|=3$, $\overrightarrow{OA}\cdot\overrightarrow{OB}=6$일 때, 삼각형 OAB의 넓이는?

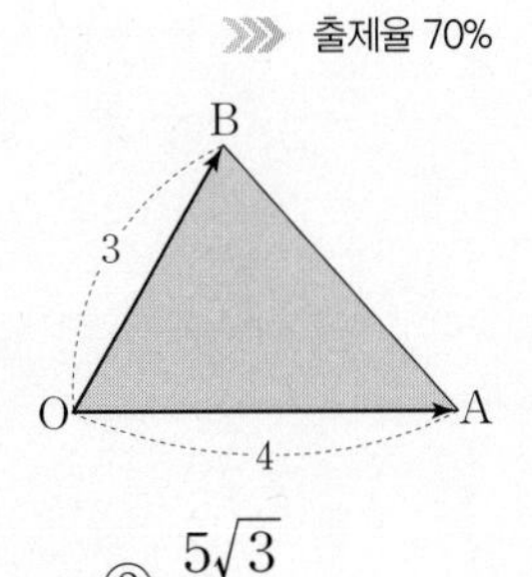

① $\frac{\sqrt{3}}{2}$ ② $\frac{3\sqrt{3}}{2}$ ③ $\frac{5\sqrt{3}}{2}$
④ $3\sqrt{3}$ ⑤ $3\sqrt{5}$

과정을 평가하는 서술형입니다.

[22~24] 다음 문제의 풀이 과정을 자세히 쓰시오.

22 천재, 미래엔, 좋은책, 지학 유사 ⋙ 출제율 80%

다음 등식이 성립함을 보이고, 그 풀이 과정을 쓰시오.

(1) $|\vec{a}-\vec{b}|^2=|\vec{a}|^2-2\vec{a}\cdot\vec{b}+|\vec{b}|^2$

(2) $(\vec{a}+\vec{b})\cdot(\vec{a}-\vec{b})=|\vec{a}|^2-|\vec{b}|^2$

23 천재, 미래엔, 비상, 좋은책, 지학 유사 ⋙ 출제율 75%

$|\vec{a}|=1$, $|\vec{b}|=3$, $|\vec{a}-\vec{b}|=2\sqrt{2}$일 때, $|\vec{a}+3\vec{b}|$를 구하고, 그 풀이 과정을 쓰시오.

24 천재, 교학, 동아, 미래엔, 비상 유사 ⋙ 출제율 95%

오른쪽 그림과 같이 점 P(2, 3)을 중심으로 하고 반지름의 길이가 1인 원에 내접하는 정삼각형 ABC가 있다. $\overrightarrow{OA}=\vec{a}$, $\overrightarrow{OB}=\vec{b}$, $\overrightarrow{OC}=\vec{c}$라 할 때, $\vec{a}+\vec{b}+\vec{c}$의 크기를 구하고, 그 풀이 과정을 쓰시오.

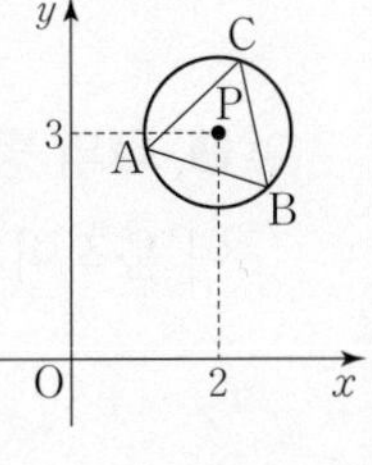

창의력·융합형·서술형·코딩

1

아래 그림과 같이 아빠가 똑같은 힘을 사용하여 딸이 탄 썰매를 같은 시간 동안 움직이게 하려고 한다. 아빠의 힘을 $\vec{a}$라 할 때, 물음에 답하시오.

❶ 썰매를 뒤에서 손으로 민다.

❷ 썰매에 줄을 달아 어깨에 둘러메고 끈다.

(1) ❶의 방법에서 썰매에 작용하는 아빠의 힘의 크기를 구하시오.

(2) ❷의 방법에서 줄과 이동 방향 사이의 각의 크기를 θ라 할 때, 썰매에 작용하는 아빠의 힘의 크기를 구하시오.

(3) ❶, ❷의 방법 중 같은 시간 동안 썰매를 더 많이 움직이게 할 수 있는 방법을 말하시오.

2

오른쪽 그림은 중심이 O이고 반지름의 길이가 1인 원 위의 한 점 A와 원 위를 움직이는 점 P를 나타낸 것이다.

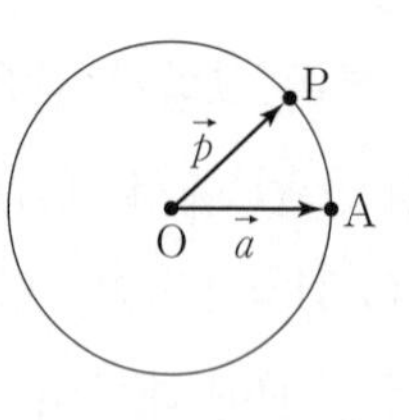

$\overrightarrow{OA}=\vec{a}$, $\overrightarrow{OP}=\vec{p}$라 할 때, 다음 물음에 답하시오.

(1) $\vec{a}\cdot\vec{p}=0$인 점 P의 위치를 설명하시오.

(2) $\frac{1}{2}\le\vec{a}\cdot\vec{p}\le1$인 점 P가 나타내는 도형을 좌표평면 위에 나타내시오.

(단, 점 O는 원점이다.)

3

물리학에서 일의 양은 다음과 같이 정의한다.

(일의 양)$=$(물체의 이동 방향으로 작용한 힘의 크기)$\times$(이동 거리)

오른쪽 그림과 같이 수평면과 θ의 각을 이루는 방향으로 힘 $\overrightarrow{OA}$를 작용하여 상자를 O에서 B까지 이동하였다. 다음 물음에 답하시오.

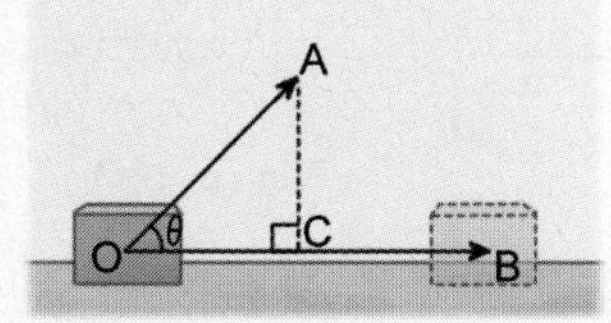

(1) 상자의 이동 방향으로 작용한 힘의 크기를 구하시오.

(2) 일의 양 W를 $\overrightarrow{OA}$, $\overrightarrow{OB}$로 나타내시오.

(3) $|\overrightarrow{OA}|=5$, $\overrightarrow{OB}=8$, $\theta=45°$일 때, 일의 양 W를 구하시오.

4

오른쪽 그림과 같은 사각형 ABCD에서 두 변 AB, CD의 중점을 각각 M, N이라 하고, 네 점 A, B, C, D의 위치벡터를 각각 $\vec{a}$, $\vec{b}$, $\vec{c}$, $\vec{d}$라 할 때, 다음 물음에 답하시오.

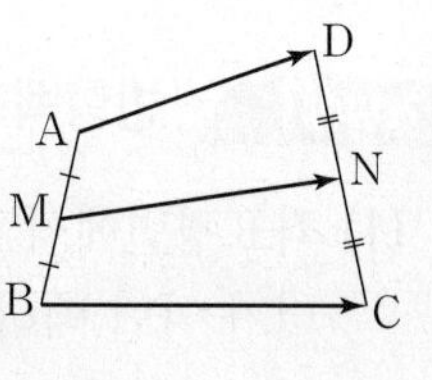

(1) 두 점 M, N의 위치벡터 $\vec{m}$, $\vec{n}$을 각각 $\vec{a}$, $\vec{b}$, $\vec{c}$, $\vec{d}$로 나타내시오.

(2) $\overrightarrow{AD}$, $\overrightarrow{BC}$를 각각 $\vec{a}$, $\vec{b}$, $\vec{c}$, $\vec{d}$로 나타내시오.

(3) (1), (2)를 이용하여 $\overrightarrow{AD}+\overrightarrow{BC}=2\overrightarrow{MN}$임을 설명하시오.

직선과 원의 방정식

개념 01 방향벡터와 직선의 방정식

(1) 좌표평면에서 점 A를 지나고 영벡터가 아닌 벡터 $\vec{u}$에 평행한 직선 l 위의 한 점을 P라 할 때, 점 P가 점 A와 일치하지 않으면 $\overrightarrow{AP} /\!/ \vec{u}$ 이므로

$$\overrightarrow{AP}=t\vec{u}$$

를 만족시키는 실수 t가 존재한다.
이때 벡터 $\vec{u}$를 직선 l의 ❶ [   ] 라 한다.
여기서 두 점 A, P의 위치벡터를 각각 $\vec{a}$, $\vec{p}$라 하면 $\overrightarrow{OP}=\overrightarrow{OA}+\overrightarrow{AP}$이므로 $\vec{p}=\vec{a}+t\vec{u}$이다.

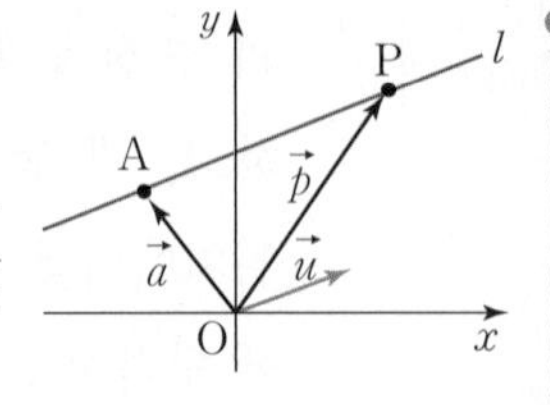

(2) 점 $A(x_1, y_1)$을 지나고 방향벡터가 $\vec{u}=(u_1, u_2)$인 직선의 방정식은

$$\frac{x-x_1}{❷\ [\ \ ]}=\frac{y-y_1}{❸\ [\ \ ]}\ (단,\ u_1u_2\neq0)$$

(3) 좌표평면 위의 두 점 $A(x_1, y_1)$, $B(x_2, y_2)$를 지나는 직선의 방정식은

$$\frac{x-x_1}{x_2-x_1}=\frac{y-y_1}{y_2-y_1}\ (단,\ (x_2-x_1)(y_2-y_1)\neq0)$$

답 | ❶ 방향벡터 ❷ u_1 ❸ u_2

QUIZ

좌표평면에서 점 $A(x_1, y_1)$을 지나고 방향벡터가 $\vec{u}=(u_1, u_2)$인 직선 l 위의 한 점을 $P(x, y)$, 두 점 A, P의 위치벡터를 각각 $\vec{a}$, $\vec{p}$라 하면 $\vec{p}=\vec{a}+t\vec{u}$에서

$(x, y)=(x_1, y_1)+t(u_1, u_2)$
$\quad=(x_1+tu_1, y_1+tu_2)$

즉 $x=x_1+$ ❶ [   ], $y=y_1+tu_2$이고, $u_1u_2\neq0$일 때, t를 소거하면 $\frac{x-x_1}{u_1}=\frac{❷\ [\ \ ]}{u_2}$이다.

정답 |
❶ tu_1 ❷ $y-y_1$

개념 02 법선벡터와 직선의 방정식

(1) 좌표평면에서 점 A를 지나고 영벡터가 아닌 벡터 $\vec{n}$에 수직인 직선 l 위의 한 점을 P라 할 때, 점 P가 점 A와 일치하지 않으면 $\overrightarrow{AP}\perp\vec{n}$이므로

$$\overrightarrow{AP}\cdot\vec{n}=❶\ [\ \ ]$$

이다.
이때 벡터 $\vec{n}$을 직선 l의 ❷ [   ] 라 한다.
여기서 두 점 A, P의 위치벡터를 각각 $\vec{a}$, $\vec{p}$라 하면 $\overrightarrow{AP}=\overrightarrow{OP}-\overrightarrow{OA}$이므로 $(\vec{p}-\vec{a})\cdot\vec{n}=0$이다.

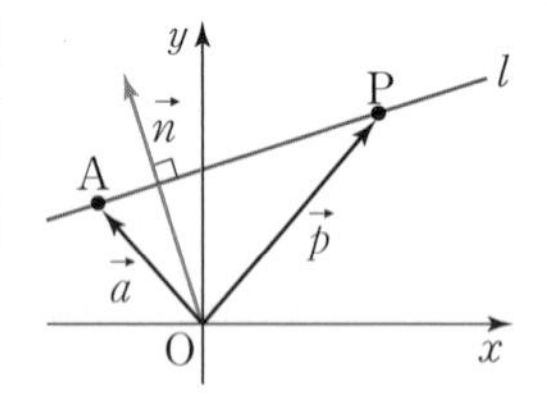

(2) 점 $A(x_1, y_1)$을 지나고 법선벡터가 $\vec{n}=(n_1, n_2)$인 직선의 방정식은

$$n_1(x-x_1)+n_2(y-y_1)=0$$

답 | ❶ 0 ❷ 법선벡터

QUIZ

좌표평면에서 점 $A(x_1, y_1)$을 지나고 법선벡터가 $\vec{n}=(n_1, n_2)$인 직선 l 위의 한 점을 $P(x, y)$, 두 점 A, P의 위치벡터를 각각 $\vec{a}$, $\vec{p}$라 하면

$(\vec{p}-\vec{a})\cdot\vec{n}=$ ❶ [   ]
$(x-x_1, y-y_1)\cdot(n_1, n_2)=0$
$\therefore$ ❷ [   ] $(x-x_1)+$ ❸ [   ] $(y-y_1)=0$

정답 |
❶ 0 ❷ n_1 ❸ n_2

개념 03 두 직선이 이루는 각의 크기

두 직선 l_1, l_2의 방향벡터를 각각 $\vec{u_1}=(a_1, b_1)$, $\vec{u_2}=(a_2, b_2)$라 하고, 두 벡터 $\vec{u_1}$, $\vec{u_2}$가 이루는 각의 크기를 α라 할 때, 두 직선이 이루는 각의 크기 $\theta(0°\le\theta\le 90°)$는 α와 $180°-\alpha$ 중에서 크지 않은 것과 같다. 즉

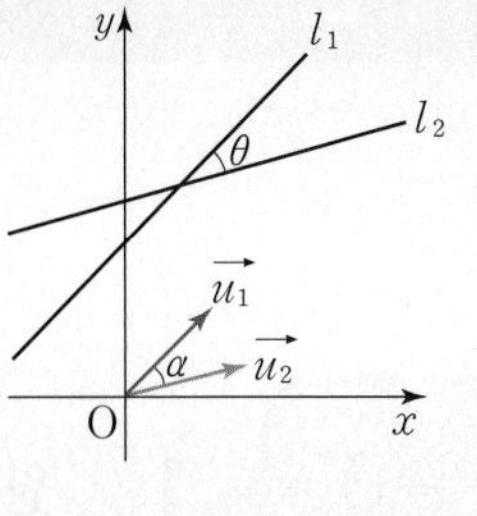

$$\cos\theta=\frac{❶\square}{|\vec{u_1}||\vec{u_2}|}=\frac{|a_1a_2+b_1b_2|}{\sqrt{a_1^2+b_1^2}\sqrt{a_2^2+b_2^2}}$$

답 | ❶ $|\vec{u_1}\cdot\vec{u_2}|$

QUIZ

두 직선 $x=\frac{y+1}{3}$, $\frac{x}{2}=y-2$의 방향벡터를 각각 $\vec{u_1}$, $\vec{u_2}$라 하고, 두 직선이 이루는 각의 크기를 θ라 하면 $\vec{u_1}=(1, 3)$, $\vec{u_2}=$ ❶ $\square$ 이므로

$$\cos\theta=\frac{|1\times2+3\times1|}{\sqrt{1^2+3^2}\sqrt{2^2+1^2}}=❷\square$$

이때 $0°\le\theta\le 90°$이므로 $\theta=$ ❸ $\square$

따라서 두 직선이 이루는 각의 크기는 ❹ $\square$ 이다.

정답 |

❶ $(2, 1)$ ❷ $\frac{\sqrt{2}}{2}$ ❸ $45°$ ❹ $45°$

개념 04 두 직선의 수직과 평행

서로 다른 두 직선 l_1, l_2의 방향벡터가 각각 $\vec{u_1}=(a_1, b_1)$, $\vec{u_2}=(a_2, b_2)$일 때, 다음이 성립한다.

(1) 두 직선 l_1, l_2가 서로 수직이다.

$$\vec{u_1}\perp\vec{u_2} \iff \vec{u_1}\cdot\vec{u_2}=❶\square \iff a_1a_2+b_1b_2=0$$

(2) 두 직선 l_1, l_2가 서로 평행하다.

$$\vec{u_1}\,/\!/\,\vec{u_2} \iff \vec{u_1}=k❷\square \ (k\text{는 0이 아닌 실수})$$

$$\iff a_1=ka_2,\ b_1=kb_2$$

답 | ❶ 0 ❷ $\vec{u_2}$

QUIZ

두 직선이 서로 수직이면 두 직선의 방향벡터도 서로 ❶ **(수직, 평행)**이고, 두 직선이 서로 평행하면 두 직선의 방향벡터도 서로 ❷ **(수직, 평행)**하다.

정답 |

❶ 수직 ❷ 평행

개념 05 원의 방정식

점 C를 중심으로 하고 반지름의 길이가 r인 원 위의 한 점을 P라 하면 벡터 $\overrightarrow{CP}$의 크기는 r로 일정하다. 즉

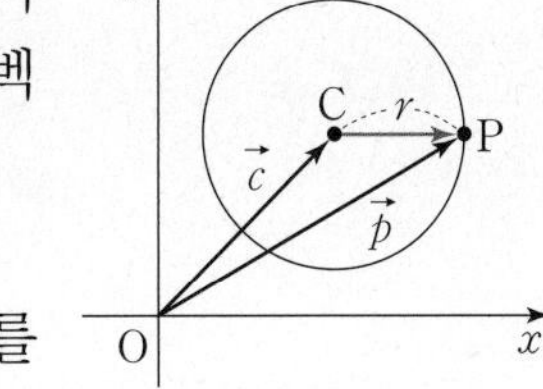

$$❶\square=r$$

이다. 이때 두 점 C, P의 위치벡터를 각각 $\vec{c}$, $\vec{p}$라 하면

$\overrightarrow{CP}=\overrightarrow{OP}-\overrightarrow{OC}=\vec{p}-\vec{c}$이므로 원의 방정식을 벡터를 이용하여 나타내면

$$|\vec{p}-\vec{c}|=r \quad \cdots\cdots ㉠$$

이다. 이때 두 점 C, P의 좌표를 각각 (a, b), (x, y)라 하면 $\vec{c}=(a, b)$, $\vec{p}=(x, y)$이므로

$$\vec{p}-\vec{c}=(x-a, ❷\square)$$

이다. 따라서 ㉠에서 $|\vec{p}-\vec{c}|^2=r^2$, 즉

$$(\vec{p}-\vec{c})\cdot(\vec{p}-\vec{c})=r^2,$$

$$(x-a, y-b)\cdot(x-a, y-b)=r^2$$

이므로 원의 방정식은 다음과 같다.

$$(x-a)^2+(y-b)^2=❸\square$$

답 | ❶ $|\overrightarrow{CP}|$ ❷ $y-b$ ❸ r^2

QUIZ

점 $C(1, -3)$에 대하여 $|\overrightarrow{CP}|=2$를 만족시키는 점 P가 나타내는 도형은 중심의 좌표가 $(1, -3)$이고 반지름의 길이가 ❶ $\square$ 인 원이므로

$$(x-1)^2+(❷\square)^2=4$$

정답 |

❶ 2 ❷ $y+3$

교과서 개념 확인 테스트

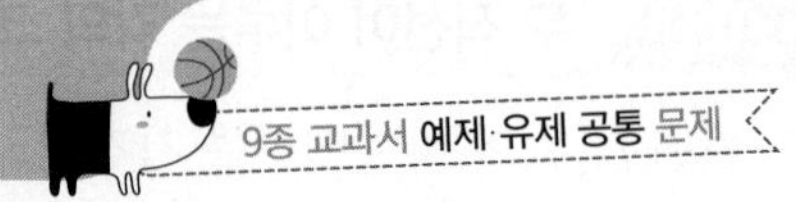

개념 01 방향벡터와 직선의 방정식

1-1 점 $(2, 3)$을 지나고 방향벡터가 $\vec{u}=(2, -1)$인 직선의 방정식을 구하시오.

1-2 원점 O를 지나고 벡터 $\vec{u}=(1, 5)$에 평행한 직선의 방정식을 구하시오.

개념 02 두 점을 지나는 직선의 방정식

2-1 두 점 $\mathrm{A}(1, 2)$, $\mathrm{B}(-1, 3)$을 지나는 직선의 방정식을 벡터를 이용하여 구하시오.

2-2 다음 두 점 A, B를 지나는 직선의 방정식을 벡터를 이용하여 구하시오.

(1) $\mathrm{A}(1, 3)$, $\mathrm{B}(3, 5)$

(2) $\mathrm{A}(-1, 1)$, $\mathrm{B}(-3, -3)$

개념 03 법선벡터와 직선의 방정식

3-1 점 $(5, -2)$를 지나고 법선벡터가 $\vec{n}=(-1, 2)$인 직선의 방정식을 구하시오.

3-2 점 $(-2, 4)$를 지나고 법선벡터가 $\vec{n}=(3, 1)$인 직선의 방정식을 구하시오.

개념 04 두 직선이 이루는 각의 크기

4-1 두 직선 $x-1=\frac{y+2}{-3}$, $x+3=\frac{y}{2}$가 이루는 각의 크기 θ를 구하시오. (단, $0^\circ \le \theta \le 90^\circ$)

4-2 두 직선 $\frac{x}{5}=y+2$, $x-4=1-\frac{y}{5}$가 이루는 각의 크기 θ를 구하시오. (단, $0^\circ \le \theta \le 90^\circ$)

개념 05 두 직선의 수직과 평행

5-1 두 직선 $\frac{x-3}{-4}=\frac{y+1}{2}$, $\frac{x-1}{a}=y+2$가 서로 수직일 때, 실수 a의 값을 구하시오.

5-2 두 직선 $\frac{x+2}{a}=\frac{y-3}{2}$, $\frac{x-1}{2}=y-5$가 서로 평행할 때, 실수 a의 값을 구하시오.

개념 06 원의 방정식

6-1 점 $\mathrm{A}(2,\ -3)$을 중심으로 하고 반지름의 길이가 3인 원의 방정식을 벡터를 이용하여 구하시오.

6-2 점 $\mathrm{A}(1,\ 0)$을 중심으로 하고 반지름의 길이가 5인 원의 방정식을 벡터를 이용하여 구하시오.

기출 기초 테스트

유형 01 방향벡터와 직선의 방정식

(천재, 교학, 금성, 동아, 미래엔, 비상, 좋은책, 지학 유사)

1-1 점 $(4,\ -3)$을 지나고 직선 $\frac{x-1}{2}=\frac{y+5}{3}$에 평행한 직선의 방정식을 구하시오.

1-2 점 $(-3,\ 5)$를 지나고 직선 $\frac{x+2}{-3}=\frac{y-1}{2}$에 평행한 직선의 방정식을 구하시오.

유형 02 두 점을 지나는 직선의 방정식

(천재, 교학, 동아, 미래엔, 비상, 좋은책, 지학 유사)

2-1 두 점 $\mathrm{A}(2,\ 4)$, $\mathrm{B}(6,\ 12)$를 지나는 직선의 방정식을 벡터를 이용하여 구하시오.

2-2 두 점 $\mathrm{A}(1,\ -5)$, $\mathrm{B}(-3,\ -4)$를 지나는 직선의 방정식을 벡터를 이용하여 구하시오.

유형 03 법선벡터와 직선의 방정식

(천재, 교학, 금성, 동아, 좋은책, 지학 유사)

3-1 점 $(3,\ 2)$를 지나고 법선벡터가 $\vec{n}=(2,\ -7)$인 직선의 방정식을 구하시오.

3-2 점 $(2,\ -5)$를 지나고 벡터 $\vec{n}=(-4,\ 1)$에 수직인 직선의 방정식을 구하시오.

정답과 해설 30쪽

유형 04 두 직선이 이루는 각의 크기

(천재, 교학, 금성, 동아, 미래엔, 비상, 좋은책, 지학 유사)

4-1 두 직선 $1-x=\frac{4-y}{2}$, $\frac{x+6}{3}=\frac{y-2}{-4}$가 이루는 각의 크기를 θ라 할 때, $\cos\theta$의 값을 구하시오. (단, $0^\circ\le\theta\le 90^\circ$)

4-2 점 $A(-1, 2)$를 지나고 $\vec{u}=(3, 4)$에 평행한 직선이 직선 $1-x=\frac{y}{7}$와 이루는 각의 크기를 θ라 할 때, $\sin\theta$의 값을 구하시오.
(단, $0^\circ\le\theta\le 90^\circ$)

유형 05 두 직선의 수직과 평행

(천재, 금성, 동아, 좋은책, 지학 유사)

5-1 두 직선 $\frac{x-2}{-3}=\frac{y+3}{2}$, $\frac{x+1}{a}=y-4$가 서로 수직일 때와 서로 평행할 때의 실수 a의 값을 각각 구하시오.

5-2 두 직선 $\frac{x-5}{a}=\frac{y-2}{3}$, $2-x=\frac{y+2}{4}$가 서로 수직일 때와 서로 평행할 때의 실수 a의 값을 각각 구하시오.

유형 06 원의 방정식

(천재, 교학, 금성, 동아, 미래엔, 비상, 좋은책, 지학 유사)

6-1 두 점 $A(2, 1)$, $B(6, -1)$을 지름의 양 끝 점으로 하는 원의 방정식을 벡터를 이용하여 구하시오.

6-2 두 점 $A(1, 0)$, $B(5, 4)$를 지름의 양 끝 점으로 하는 원의 방정식을 벡터를 이용하여 구하시오.

교과서 기본 테스트

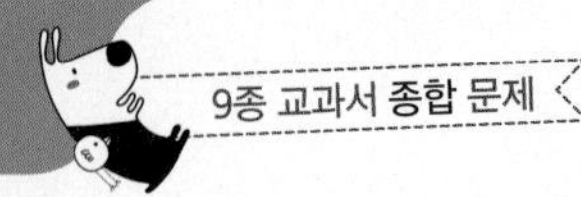

01 천재, 교학, 동아, 미래엔, 비상, 좋은책 유사 ⋙ 출제율 95%

점 $(2,\ 0)$을 지나고 방향벡터가 $\vec{u}=(3,\ -2)$인 직선의 방정식은?

① $\dfrac{x-3}{2}=y+2$　② $\dfrac{x+3}{2}=y-2$

③ $\dfrac{x-2}{3}=\dfrac{y}{-2}$　④ $\dfrac{x+2}{3}=\dfrac{y}{-2}$

⑤ $\dfrac{x}{-2}=\dfrac{y-2}{3}$

02 천재, 교학, 미래엔, 비상, 좋은책, 지학 유사 ⋙ 출제율 95%

점 $(1,\ 3)$을 지나고 직선 $\dfrac{x-3}{2}=\dfrac{1-y}{3}$에 평행한 직선의 방정식을 구하시오.

03 천재, 동아, 미래엔, 비상, 좋은책, 지학 유사 ⋙ 출제율 95%

두 점 $(2,\ 3)$, $(4,\ 2)$를 지나는 직선의 방정식은?

① $x-2=\dfrac{y-3}{-2}$　② $\dfrac{x-2}{-2}=y-3$

③ $\dfrac{x-2}{-2}=3-y$　④ $\dfrac{x-4}{2}=\dfrac{y-2}{-2}$

⑤ $\dfrac{x-4}{2}=\dfrac{y-2}{3}$

04 천재, 교학, 미래엔, 비상, 좋은책, 지학 유사 ⋙ 출제율 80%

직선 $2(x-3)=k(y+1)$이 실수 k의 값에 관계없이 지나는 점의 좌표를 구하시오.

05 천재, 미래엔, 비상, 좋은책, 지학 유사 ⋙ 출제율 95%

점 $(7,\ 7)$을 지나고 직선 $x=\dfrac{y-1}{-1}$에 수직인 직선의 방정식을 구하시오.

06 천재, 교학, 비상, 좋은책 유사 ⋙ 출제율 85%

점 $(2,\ 3)$을 지나고 직선 $3(x-2)=4(y-5)$에 평행한 직선을 l이라 할 때, 다음 중 직선 l 위의 점은?

① $(-2,\ 4)$　② $(0,\ 1)$　③ $(1,\ 5)$

④ $(3,\ 2)$　⑤ $(6,\ 6)$

07 천재, 비상, 좋은책, 지학 유사 ⋙ 출제율 68%

점 A$(-1, 3)$을 지나고 방향벡터가 $\vec{u}=(2, -1)$인 직선과 두 점 B$(2, 5)$, C$(1, 2)$를 지나는 직선이 한 점 (p, q)에서 만날 때, $p+q$의 값은?

① 1 ② 2 ③ 3
④ 4 ⑤ 5

08 천재, 미래엔, 비상, 좋은책, 지학 유사 ⋙ 출제율 95%

점 A$(-1, -1)$에서 직선 $x+1=2(y-4)$에 내린 수선의 발 H의 좌표를 (a, b)라 할 때, $a-b$의 값은?

① -6 ② -3 ③ 0
④ 3 ⑤ 6

09 천재, 동아, 비상, 좋은책, 지학 유사 ⋙ 출제율 95%

세 점 A$(1, 1)$, B$(-1, 2)$, C$(-6, k)$가 일직선 위의 점일 때, 실수 k의 값은?

① 3 ② $\frac{7}{2}$ ③ 4
④ $\frac{9}{2}$ ⑤ 5

10 천재, 미래엔, 비상, 지학 유사 ⋙ 출제율 68%

두 직선 $\frac{x-1}{3}=\frac{y+2}{-2}$, $\frac{x-1}{4}=\frac{y+1}{3}$이 이루는 각의 크기를 θ라 할 때, $\cos\theta$의 값을 구하시오.

11 천재, 미래엔, 비상, 지학 유사 ⋙ 출제율 68%

두 직선 $\frac{x-1}{4}=\frac{y+2}{3}$, $\frac{x}{7}=-y$가 이루는 각의 크기 θ는? (단, $0^\circ \le \theta \le 90^\circ$)

① 0° ② 30° ③ 45°
④ 60° ⑤ 90°

12 천재, 비상, 좋은책, 지학 유사 ⋙ 출제율 68%

두 직선 $x+3=\frac{y-2}{a}$, $3-x=\frac{y+5}{3}$가 이루는 각의 크기가 45°일 때, 양수 a의 값은?

① 1 ② 2 ③ 3
④ 4 ⑤ 5

13 천재, 교학, 비상, 좋은책 유사 ⋙ 출제율 85%

두 직선 $\frac{x-2}{a}=\frac{y+3}{b}$, $\frac{x+1}{12}=\frac{y-4}{5}$가 이루는 각의 크기를 θ라 할 때, $\cos\theta=\frac{12}{13}$이다. 자연수 a, b에 대하여 $\frac{a}{b}$의 값을 구하시오. (단, a, b는 서로소)

14 천재, 동아, 미래엔, 비상, 좋은책 유사 ⋙ 출제율 75%

두 점 $\mathrm{A}(2, a)$, $\mathrm{B}(a, 4)$를 지나는 직선과 직선 $\frac{x+2}{7}=\frac{y-4}{5}$가 서로 수직일 때, 상수 a의 값을 구하시오.

15 천재, 금성, 동아, 좋은책, 지학 유사 ⋙ 출제율 68%

두 직선 $\frac{x+1}{-2}=\frac{y-2}{k}$, $\frac{x-3}{k+1}=\frac{-y-2}{3}$가 서로 평행할 때, 모든 실수 k의 값의 합은?

① -5 ② -4 ③ -3
④ -2 ⑤ -1

16 천재, 미래엔, 비상, 좋은책, 지학 유사 ⋙ 출제율 95%

네 점 $\mathrm{A}(2, 1)$, $\mathrm{B}(1, 0)$, $\mathrm{C}(4, -3)$, $\mathrm{D}(1, k)$에 대하여 두 직선 AB, CD가 서로 평행할 때, 실수 k의 값을 구하시오.

17 천재, 동아, 미래엔, 비상, 좋은책 유사 ⋙ 출제율 75%

두 점 $\mathrm{A}(2, -2)$, $\mathrm{B}(4, 8)$에 대하여 $\overrightarrow{\mathrm{CA}}\cdot\overrightarrow{\mathrm{CB}}=0$을 만족시키는 점 C의 위치벡터 $\overrightarrow{\mathrm{OC}}$의 크기의 최댓값과 최솟값의 합을 구하시오.

(단, 점 O는 원점이다.)

18 천재, 동아, 비상, 좋은책, 지학 유사 ⋙ 출제율 95%

두 점 A, B의 위치벡터가 각각 $\vec{a}=(-3, 4)$, $\vec{b}=(6, 1)$일 때, 선분 AB를 $2:1$로 내분하는 점을 중심으로 하고, 반지름의 길이가 2인 원의 방정식을 벡터를 이용하여 구하시오.

정답과 해설 32쪽

19 천재, 비상, 좋은책, 지학 유사 ⋙ 출제율 78%

두 점 $A(2, 5)$, $B(-3, 1)$에 대하여

$$|\overrightarrow{OP}-\overrightarrow{OA}|=|\overrightarrow{OB}-\overrightarrow{OA}|$$

를 만족시키는 점 P가 나타내는 도형의 넓이는?

(단, 점 O는 원점이다.)

① 36π ② 39π ③ 41π
④ 43π ⑤ 44π

20 천재, 금성, 동아, 좋은책, 지학 유사 ⋙ 출제율 80%

두 점 $A(-2, 1)$, $B(1, -3)$에 대하여 $\overrightarrow{PA}\cdot\overrightarrow{PB}=0$을 만족시키는 점 $P(x, y)$가 나타내는 도형의 길이를 구하시오.

21 천재, 금성, 좋은책, 지학 유사 ⋙ 출제율 80%

두 점 $C(1, -5)$, $P(x, y)$의 위치벡터를 각각 $\vec{c}$, $\vec{p}$라 할 때, $|\vec{p}-\vec{c}|=3$을 만족시키는 점 P가 나타내는 도형을 말하시오.

과정을 평가하는 서술형입니다.

[22~24] 다음 문제의 풀이 과정을 자세히 쓰시오.

22 천재, 동아, 좋은책, 지학 유사 ⋙ 출제율 80%

점 $(-4, 3)$을 지나고 직선 $2x-5y+5=0$에 수직인 직선의 방정식을 구하고, 그 풀이 과정을 쓰시오.

23 천재, 미래엔, 비상, 좋은책, 지학 유사 ⋙ 출제율 75%

직선 l: $\frac{x-2}{2}=\frac{y+1}{-3}$이 직선 m: $\frac{x-3}{6}=\frac{2-y}{a}$와는 서로 평행하고, 직선 n: $\frac{x-3}{2}=\frac{y-1}{b}$과는 서로 수직일 때, 실수 a, b의 값을 구하고, 그 풀이 과정을 쓰시오.

24 천재, 교학, 미래엔, 비상 유사 ⋙ 출제율 65%

두 점 $A(0, -3)$, $B(4, 1)$에 대하여 $|\overrightarrow{PA}+\overrightarrow{PB}|=4$를 만족시키는 점 $P(x, y)$가 나타내는 도형의 길이를 구하고, 그 풀이 과정을 쓰시오.

창의력·융합형·서술형·코딩

1

다음은 형욱이와 소민이가 점 $(-1,\ 4)$를 지나고 주어진 직선 l에 평행한 직선 m의 방정식을 각각 구한 것이다. 물음에 답하시오.

(1) 두 학생의 풀이에서 (가), (나), (다)에 알맞은 것을 각각 구하시오.

(2) 두 학생의 풀이의 결과를 비교하시오.

2

점 $\mathrm{A}(-1,\ 3)$과 직선 $l:\ \frac{x-2}{2}=\frac{y-1}{3}$에 대하여 다음 물음에 답하시오.

(1) 점 A를 지나고 직선 l에 수직인 직선의 방정식을 구하시오.

(2) 점 A에서 직선 l에 내린 수선의 발 H의 좌표를 구하시오.

(3) $|\overrightarrow{\mathrm{AH}}|$를 구하시오.

3

다음은 당구대와 당구공의 위치를 좌표평면 위에 나타낸 것이다. 물음에 답하시오.

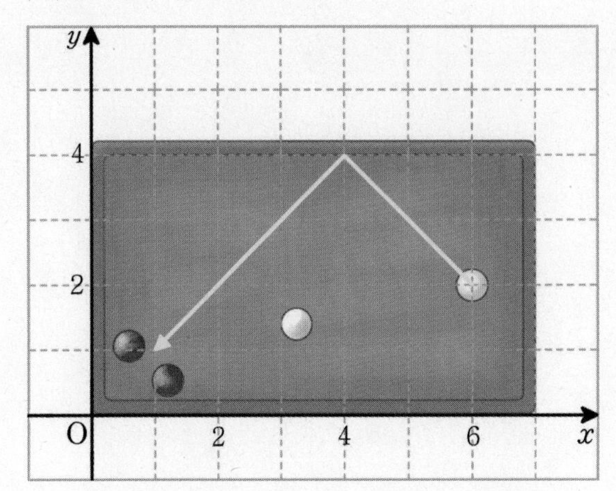

(1) 노란색 당구공이 당구대에 맞기까지 당구공의 이동 경로를 직선의 방정식으로 나타내시오.

(2) 노란색 당구공이 당구대에 맞은 후 당구공의 이동 경로를 직선의 방정식으로 나타내시오.

(3) (1), (2)에서 구한 두 직선이 이루는 각의 크기를 구하시오.

4

세 점 $\mathrm{A}(1,\ 0)$, $\mathrm{B}(3,\ 0)$, $\mathrm{P}(x,\ y)$의 위치벡터를 각각 $\vec{a}$, $\vec{b}$, $\vec{p}$라 하면

$$(\vec{p}-\vec{a})\cdot(\vec{p}-\vec{b})=0$$

이다. 다음 물음에 답하시오.

(1) 점 P가 나타내는 도형을 말하시오.

(2) $|\vec{p}|$가 최대일 때의 점 P를 C라 할 때, 점 C를 지나고 기울기가 1인 직선이 위 (1)의 도형과 만나는 두 점 중 점 C가 아닌 점의 위치벡터를 성분으로 나타내시오.

성공 아닌 실패가 교훈

It is fine to celebrate success but it is more
important to heed the lessons of failure.
- Bill Gates

성공을 축하하는 것은 좋지만 실패의 교훈들에
주의를 기울이는 것이 보다 중요하다.
– 빌 게이츠

공간도형과 공간좌표

공간도형

개념 01 직선, 평면의 위치 관계

(1) 두 직선의 위치 관계

① 한 점에서 만난다. ② 평행하다. ③ 꼬인 위치에 있다.

l m

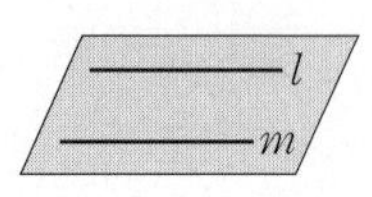

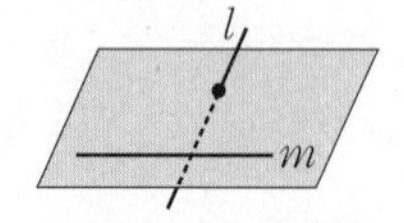

한 평면 위에 있다. 한 평면 위에 있지 않다.

참고 한 평면 위의 두 직선 l, m이 서로 만나지 않을 때, 두 직선 l, m은 서로 평행하다고 하고, l ❶ m과 같이 나타낸다.

(2) 직선과 평면의 위치 관계

① 포함된다. ② 한 점에서 만난다. ③ ❷ .

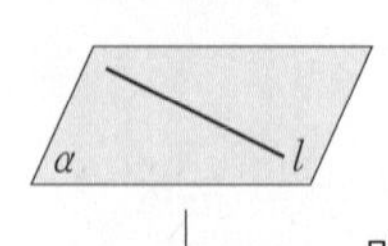

l α

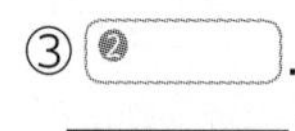

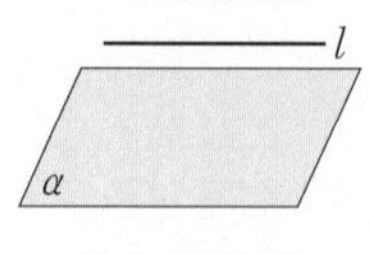

만난다. 만나지 않는다.

(3) 두 평면의 위치 관계

① 한 직선에서 만난다. ② 평행하다.

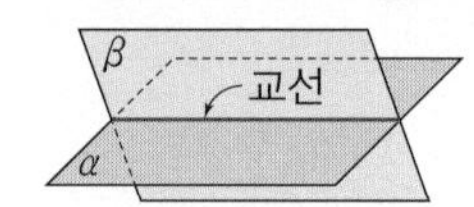

답 | ❶ // ❷ 평행하다

QUIZ

다음은 평면의 결정조건이다. □ 안에 알맞은 것을 써넣으시오.

(1) 한 직선 위에 있지 않은 ❶ 점
(2) 한 직선과 그 ❷ 위에 있지 않은 한 점
(3) 한 점에서 만나는 ❸ 직선
(4) ❹ 한 두 직선

정답 |
❶ 세 ❷ 직선 ❸ 두 ❹ 평행

개념 02 직선, 평면이 이루는 각

(1) 오른쪽 그림과 같이 두 직선 l, m이 꼬인 위치에 있을 때, 직선 m 위의 한 점 O를 지나고 직선 l에 평행한 직선 l'을 그어 두 직선 l', m이 이루는 각을 두 직선 l, m이 이루는 각이라 한다. 이때 두 직선이 이루는 각은 보통 크기가 크지 않은 각을 의미한다.

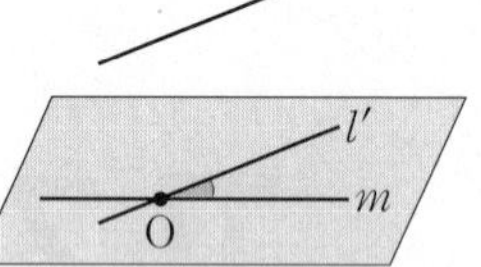

참고 두 직선 l, m이 이루는 각의 크기가 $90°$일 때, 두 직선 l, m은 서로 ❶ 이라 하며, $l \perp m$과 같이 나타낸다.

(2) 공간에서 직선 l이 평면 α 위의 모든 직선과 수직일 때, 직선 l과 평면 α는 서로 수직이라 하며, $l \perp \alpha$와 같이 나타낸다. 이때 직선 l을 평면 α의 ❷ , 직선 l과 평면 α가 만나는 점 O를 ❸ 이라 한다.

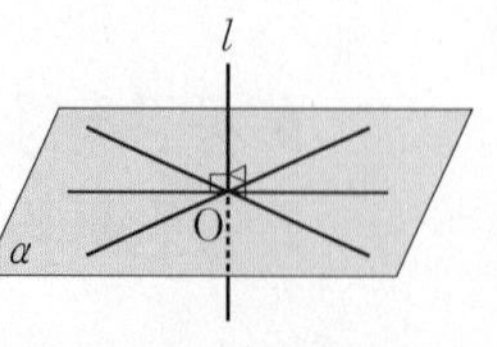

답 | ❶ 수직 ❷ 수선 ❸ 수선의 발

QUIZ

다음 □ 안에 알맞은 것을 써넣으시오.

공간에서 직선 l이 평면 α와 점 O에서 만나고, 점 O를 지나는 평면 α 위의 모든 ❶ 과 수직일 때, 직선 l은 평면 α와 ❷ 이라 한다.

정답 |
❶ 직선 ❷ 수직

개념 03 삼수선의 정리

평면 α 위에 있지 않은 점 P, 평면 α 위의 점 O를 지나지 않는 평면 α 위의 직선 l, 직선 l 위의 점 H에 대하여

① $\overline{PO}\perp\alpha$, $\overline{OH}\perp l$이면 [❶] $\perp l$

② $\overline{PO}\perp\alpha$, $\overline{PH}\perp l$이면 $\overline{OH}\perp$ [❷]

③ $\overline{PH}\perp l$, $\overline{OH}\perp l$, $\overline{PO}\perp\overline{OH}$이면 $\overline{PO}\perp$ [❸]

①

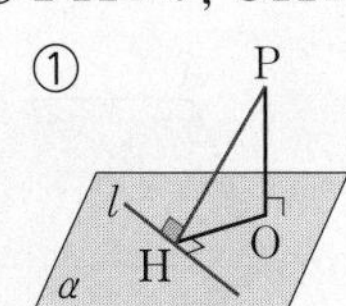

②

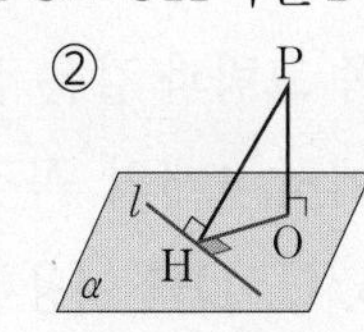

③

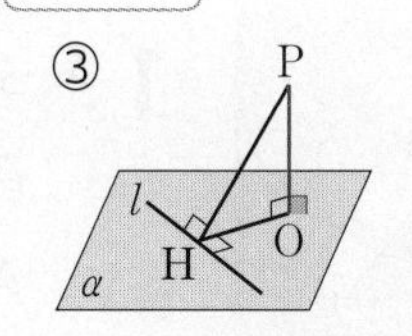

답 | ❶ $\overline{PH}$ ❷ l ❸ α

QUIZ

다음은 삼수선의 정리 ①이 성립함을 보인 것이다. □ 안에 알맞은 것을 써넣으시오.

$\overline{PO}\perp\alpha$이고, 직선 l은 평면 α에 포함되므로
$\overline{PO}$ [❶] l이다.
또 $\overline{OH}\perp l$이므로 직선 l은 $\overline{PO}$와 $\overline{OH}$를 포함하는 평면 PHO에 [❷]이고, $\overline{PH}$는 평면 PHO 위에 있으므로 $\overline{PH}$ [❸] l이다.

정답 |

❶ ⊥ ❷ 수직 ❸ ⊥

개념 04 이면각

오른쪽 그림과 같이 직선 l을 공유하는 두 반평면 α, β로 이루어진 도형을 [❶]이라 한다. 이때 직선 l을 이면각의 변, 두 반평면 α, β를 각각 이면각의 [❷]이라 한다. 이면각의 변 l 위의 한 점 O를 지나고 직선 l에 수직인 두 반직선 OA, OB를 두 반평면 α, β 위에 각각 그을 때, ∠AOB의 크기를 이면각의 [❸]라 한다.

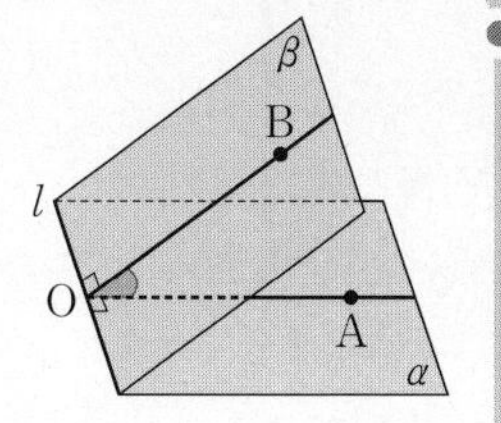

참고 (1) 두 평면이 만날 때 생기는 이면각의 크기 중에서 90°보다 크지 않은 것을 두 평면이 이루는 각의 크기라 한다.
(2) 두 평면 α, β가 이루는 각의 크기가 90°일 때, 두 평면 α, β는 서로 [❹]이라 하며, $\alpha\perp\beta$와 같이 나타낸다.

답 | ❶ 이면각 ❷ 면 ❸ 크기 ❹ 수직

QUIZ

다음 □ 안에 알맞은 것을 써넣으시오.

두 평면이 이루는 각의 크기를 θ라 하면
$0^\circ\le\theta\le$ [❶]이다.
즉 오른쪽 그림에서 두 평면 α, β가 이루는 각의 크기는 [❷]이다.

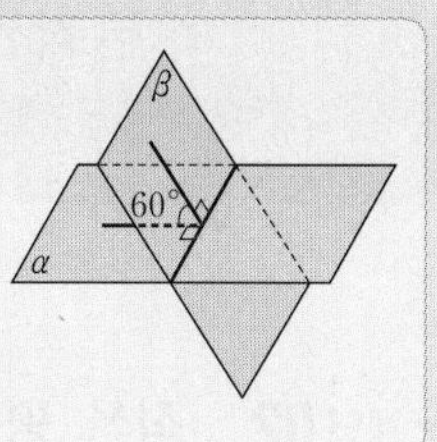

정답 |

❶ 90° ❷ 60°

개념 05 정사영

(1) 한 점 P에서 평면 α에 내린 수선의 발 P′을 점 P의 평면 α 위로의 [❶]이라 한다.
또 도형 F의 각 점의 평면 α 위로의 정사영으로 이루어진 도형 F'을 도형 F의 평면 α 위로의 정사영이라 한다.

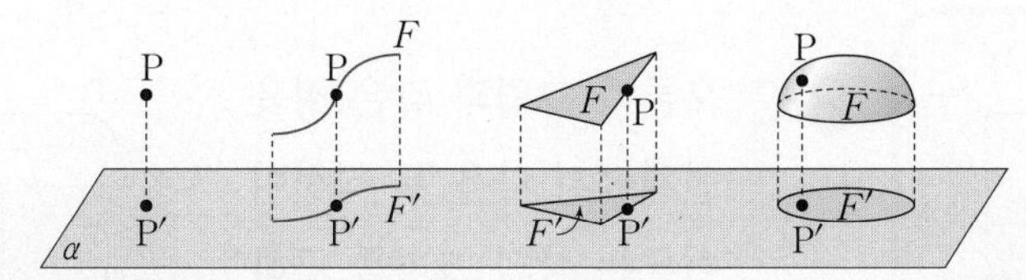

(2) 선분 AB의 평면 α 위로의 정사영을 선분 A′B′이라 할 때, 직선 AB와 평면 α가 이루는 각의 크기를 $\theta\,(0^\circ\le\theta\le90^\circ)$라 하면 $\overline{A'B'}=$ [❷]

(3) 평면 β 위의 도형의 넓이를 S, 이 도형의 평면 α 위로의 정사영의 넓이를 S'이라 할 때, 두 평면 α, β가 이루는 각의 크기를 $\theta\,(0^\circ\le\theta\le90^\circ)$라 하면 [❸] $=S\cos\theta$

답 | ❶ 정사영 ❷ $\overline{AB}\cos\theta$ ❸ S'

QUIZ

직선 l이 평면 α에 수직일 때, 직선 l의 평면 α 위로의 정사영은 [❶]이다. 한편 직선 l이 평면 α와 수직이 아닐 때, 직선 l의 평면 α 위로의 정사영은 [❷]이다.

정답 |

❶ 한 점 ❷ 직선

교과서 개념 확인 테스트

개념 01 평면의 결정조건

1-1 오른쪽 그림과 같은 사각뿔에 대하여 다음 중 한 평면을 결정할 수 있는 것을 있는 대로 고르시오.

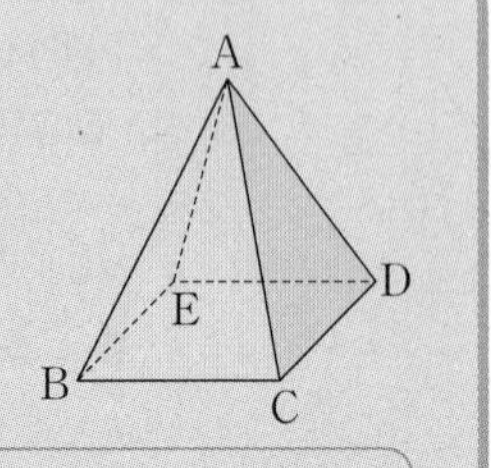

ㄱ. 세 점 A, C, E
ㄴ. 직선 AD와 점 E
ㄷ. 두 직선 AC와 DE
ㄹ. 두 직선 BC와 DE

1-2 오른쪽 그림과 같은 삼각뿔대에서 4개의 꼭짓점 A, B, C, D를 이용하여 만들 수 있는 서로 다른 평면의 개수를 구하시오.

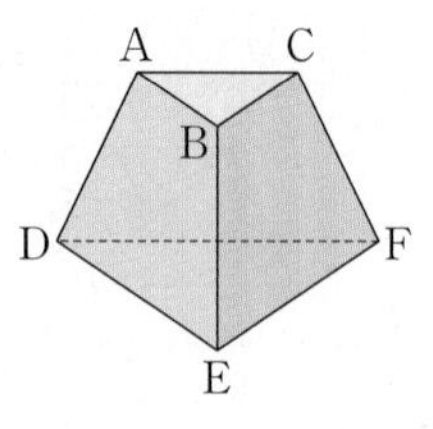

개념 02 직선, 평면의 위치 관계

2-1 오른쪽 그림과 같은 사각뿔에서 모서리 BC와 꼬인 위치에 있는 모서리를 모두 구하시오.

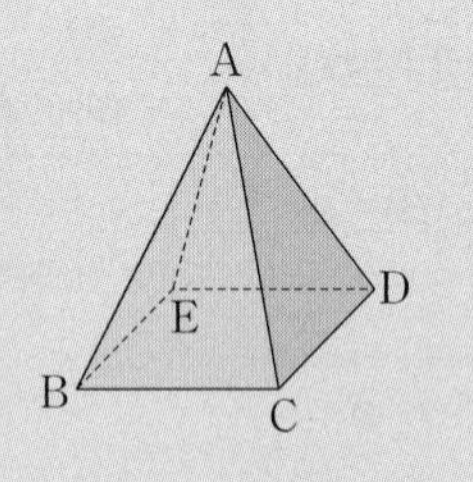

2-2 오른쪽 그림과 같은 정육면체에서 다음을 구하시오.

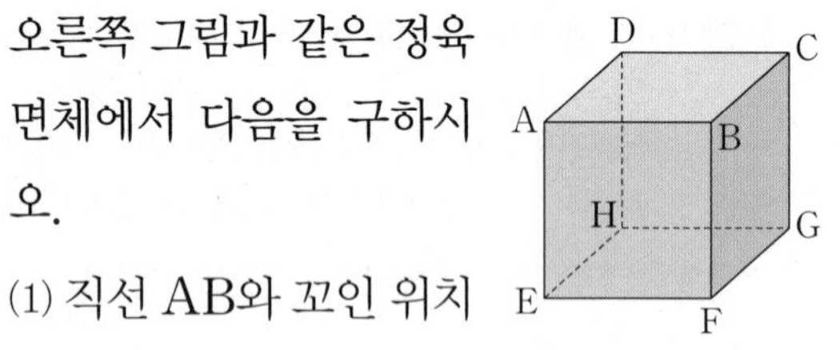

(1) 직선 AB와 꼬인 위치에 있는 직선
(2) 직선 AD와 평행한 평면
(3) 평면 AEHD와 평행한 평면

개념 03 두 직선이 이루는 각

3-1 오른쪽 그림과 같은 정육면체에서 두 직선 AD와 HF가 이루는 각의 크기를 구하시오.

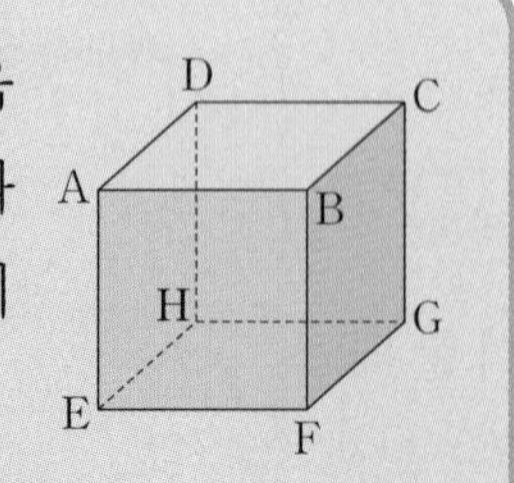

3-2 오른쪽 그림과 같은 정육면체에서 다음 두 직선이 이루는 각의 크기를 구하시오.

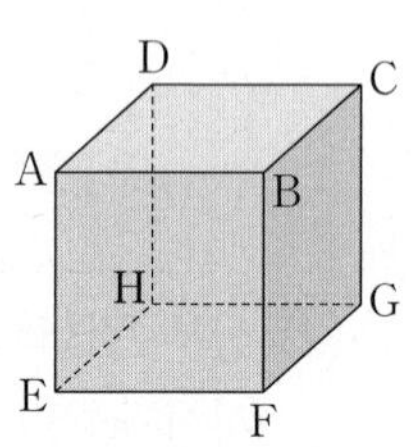

(1) 두 직선 AB와 DH
(2) 두 직선 BE와 FG

개념 04 삼수선의 정리

4-1 평면 α 위에 있지 않은 점 P, 평면 α 위의 점 O를 지나지 않는 평면 α 위의 직선 l, 직선 l 위의 점 H에 대하여 다음 삼수선의 정리가 성립함을 보이시오.

$\overline{PO}\perp\alpha$, $\overline{PH}\perp l$이면 $\overline{OH}\perp l$

4-2 평면 α 위에 있지 않은 점 P, 평면 α 위의 점 O를 지나지 않는 평면 α 위의 직선 l, 직선 l 위의 점 H에 대하여 다음 삼수선의 정리가 성립함을 보이시오.

$\overline{PH}\perp l$, $\overline{OH}\perp l$, $\overline{PO}\perp\overline{OH}$이면 $\overline{PO}\perp\alpha$

개념 05 이면각

5-1 오른쪽 그림과 같은 정육면체에서 두 평면 ABCD와 AFGD가 이루는 각의 크기를 구하시오.

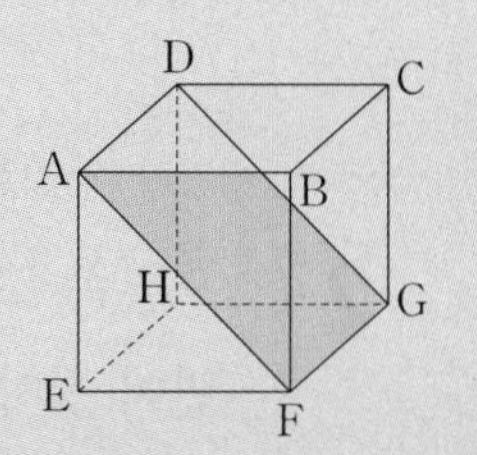

5-2 오른쪽 그림과 같이 한 모서리의 길이가 2인 정육면체에서 두 평면 CHF와 FGH가 이루는 각의 크기를 θ라 할 때, $\cos\theta$의 값을 구하시오.

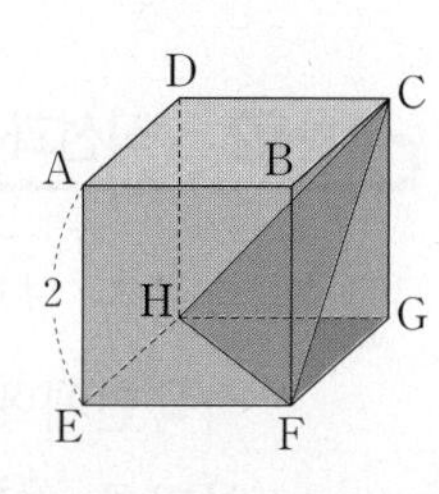

개념 06 정사영

6-1 오른쪽 그림과 같은 정육면체에서 다음을 구하시오.

(1) 선분 BD의 평면 BFGC 위로의 정사영

(2) 선분 DE의 평면 EFGH 위로의 정사영

(3) 삼각형 BDE의 평면 CDHG 위로의 정사영

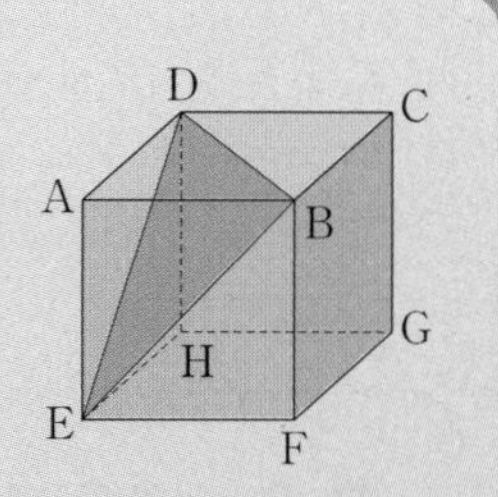

6-2 오른쪽 그림과 같은 삼각기둥에서 점 G가 선분 CF 위의 점일 때, 다음을 구하시오.

(1) 점 C의 평면 DEF 위로의 정사영

(2) 선분 DE의 평면 ABC 위로의 정사영

(3) 삼각형 ABG의 평면 DEF 위로의 정사영

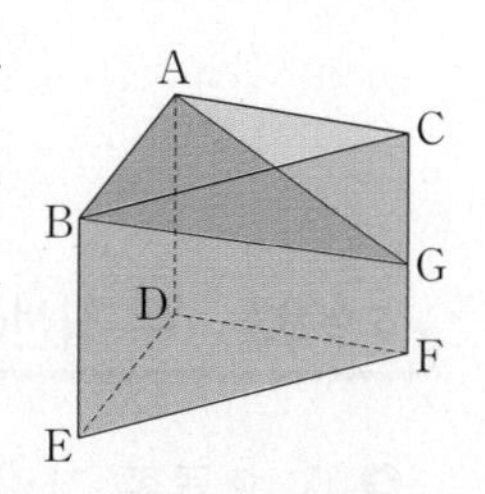

기출 기초 테스트

유형 01 평면의 결정조건

(천재, 교학, 금성, 동아, 미래엔, 비상, 좋은책, 지학 유사)

1-1 오른쪽 그림과 같은 직육면체에서 점 A, B, C, D, F 중 직선 EG와 점 H에 의하여 결정되는 평면 위의 점을 말하시오.

1-2 오른쪽 그림과 같은 직육면체에서 점 C, D, E, F, G 중 직선 AB와 점 H에 의하여 결정되는 평면 위의 점을 말하시오.

유형 02 직선과 평면의 위치 관계

(천재, 교학, 동아, 미래엔, 비상, 좋은책, 지학 유사)

2-1 오른쪽 그림과 같은 직육면체에서 각 모서리를 연장한 직선 중 평면 EFGH와 수직인 직선을 모두 말하시오.

2-2 오른쪽 그림과 같이 밑면이 정사각형인 사각기둥에서

$\overline{BD}\perp$(평면 AGC)

임을 보이시오.

유형 03 두 직선이 이루는 각

(천재, 교학, 금성, 동아, 좋은책, 지학 유사)

3-1 오른쪽 그림과 같은 정팔면체에서 두 직선 AC와 BE가 이루는 각의 크기를 구하시오.

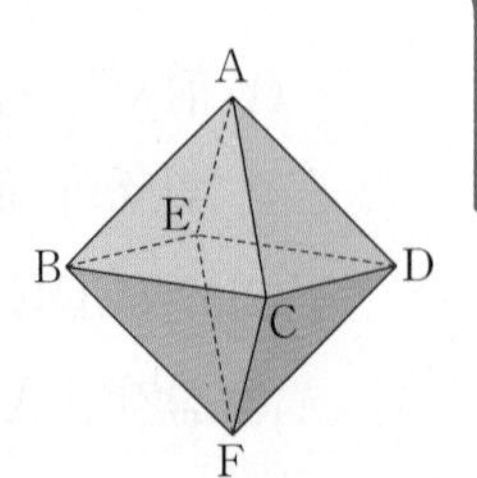

3-2 오른쪽 그림은 세 쌍의 평행한 평면으로 둘러싸인 육면체이다. 이때 두 직선 AB와 EH가 이루는 각의 크기를 구하시오.

유형 04 삼수선의 정리

(천재, 교학, 금성, 동아, 미래엔, 비상, 좋은책, 지학 유사)

4-1 오른쪽 그림에서 세 선분 OA, OB, OC는 서로 수직으로 만나고, 그 길이가 모두 2이다. 점 C에서 선분 AB에 내린 수선의 발을 H라 할 때, 다음을 구하시오.

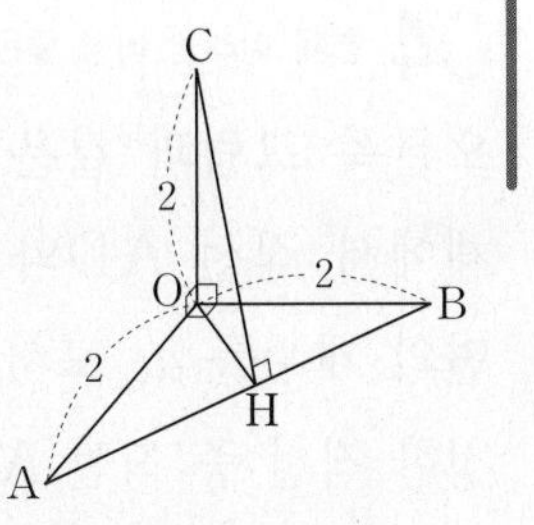

(1) 선분 OH의 길이

(2) 선분 CH의 길이

4-2 오른쪽 그림과 같이 $\overline{AD}\perp\overline{DH}$, $\overline{DH}\perp\overline{BC}$, $\overline{BC}\perp\overline{AH}$ 이고, $\overline{AD}=4$, $\overline{BD}=4\sqrt{3}$, $\overline{CD}=8$인 사면체에서 두 선분 AB와 AC의 길이를 각각 구하시오.

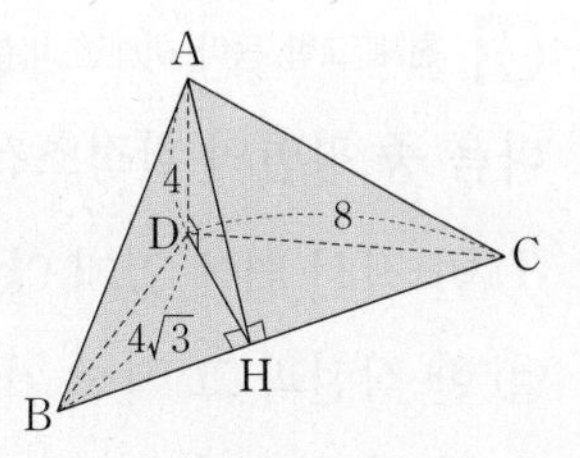

유형 05 이면각

(천재, 금성, 동아, 좋은책, 지학 유사)

5-1 한 모서리의 길이가 2인 정사면체에서 두 면이 이루는 각의 크기를 θ라 할 때, $\cos\theta$의 값을 구하시오.

5-2 오른쪽 그림과 같이 $\overline{AD}=\overline{AE}=2$, $\overline{CD}=4$인 직육면체에서 두 평면 EFGH와 DEG가 이루는 각의 크기를 θ라 할 때, $\cos\theta$의 값을 구하시오.

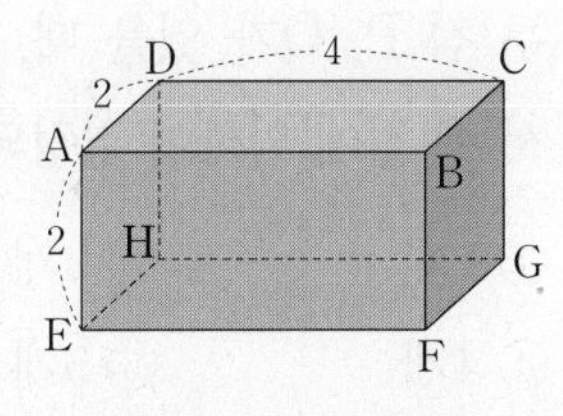

유형 06 정사영

(천재, 교학, 금성, 동아, 미래엔, 비상, 좋은책, 지학 유사)

6-1 선분 AB의 평면 α 위로의 정사영을 선분 A′B′이라 하자. $\overline{AB}=6$, $\overline{A'B'}=3\sqrt{3}$일 때, 직선 AB와 평면 α가 이루는 각의 크기를 구하시오.

6-2 선분 AB의 평면 α 위로의 정사영을 선분 A′B′이라 하자. $\overline{A'B'}=8$이고, 직선 AB와 평면 α가 이루는 각의 크기가 45°일 때, 선분 AB의 길이를 구하시오.

교과서 기본 테스트

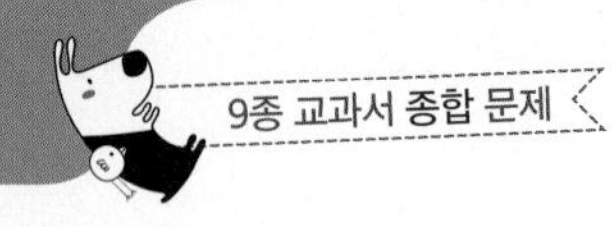

01 천재, 교학, 동아, 미래엔, 비상, 좋은책 유사 >>> 출제율 95%

다음 중 평면의 결정조건이 아닌 것은?

① 한 직선 위에 있지 않은 세 점
② 한 직선과 그 직선 위에 있지 않은 한 점
③ 한 점에서 만나는 두 직선
④ 꼬인 위치에 있는 두 직선
⑤ 평행한 두 직선

02 천재, 동아, 미래엔, 비상, 좋은책, 지학 유사 >>> 출제율 95%

오른쪽 그림과 같이 한 평면 위에 두 점 A, B가 있고 평면 밖에 두 점 P, Q가 있을 때, 이 중에서 세 점에 의하여 결정되는 평면은 모두 몇 개인가?

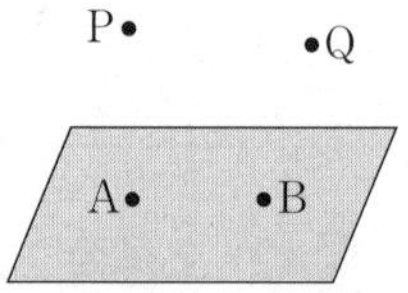

① 1개 ② 2개 ③ 3개
④ 4개 ⑤ 5개

03 천재, 동아, 미래엔, 비상, 좋은책, 지학 유사 >>> 출제율 95%

오른쪽 그림과 같은 정육면체에서 모서리 CD와 꼬인 위치에 있지 않은 모서리는?

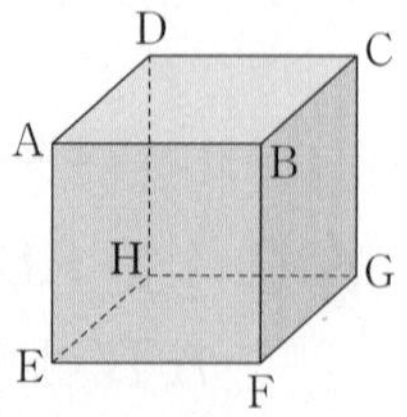

① 모서리 AE ② 모서리 BF
③ 모서리 EF ④ 모서리 EH
⑤ 모서리 FG

04 천재, 미래엔, 비상, 좋은책, 지학 유사 >>> 출제율 95%

오른쪽 그림과 같은 직육면체에서 직선 AD와 수직인 면의 개수를 a, 모서리를 연장한 직선 중 직선 AD와 꼬인 위치에 있는 것의 개수를 b라 할 때, $a+b$의 값을 구하시오.

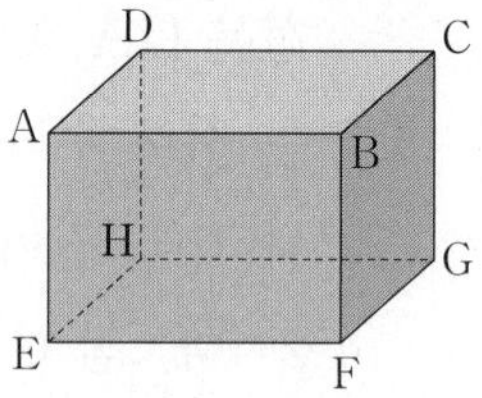

05 천재, 교학, 미래엔, 비상, 좋은책, 지학 유사 >>> 출제율 95%

다음 중에서 옳은 것만을 있는 대로 고른 것은?

ㄱ. 두 직선 l, m이 평행할 때, l을 포함하고 m을 포함하지 않는 평면 α는 m과 평행하다.
ㄴ. 직선 l과 평면 α가 평행할 때, l을 포함하는 평면 β와 평면 α의 교선 m은 l과 평행하다.
ㄷ. 서로 다른 세 직선 l, m, n에 대하여 $l \perp m$, $l \perp n$이면 m과 n은 서로 평행하다.
ㄹ. 두 직선 l, m과 평면 α에 대하여 $l /\!/ \alpha$, $m /\!/ \alpha$이면 $l /\!/ m$이다.

① ㄱ, ㄴ ② ㄱ, ㄷ ③ ㄴ, ㄹ
④ ㄱ, ㄴ, ㄷ ⑤ ㄱ, ㄴ, ㄹ

06 천재, 미래엔, 비상 유사

출제율 68%

오른쪽 그림과 같은 정육면체에서 두 직선 AC와 BG가 이루는 각의 크기는?

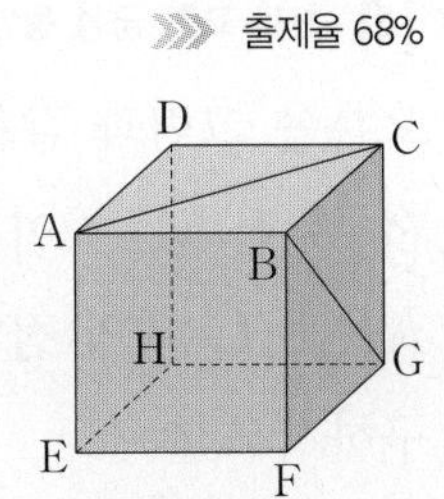

① 30°　② 45°

③ 60°　④ 75°

⑤ 90°

07 천재, 금성, 동아, 좋은책, 지학 유사

출제율 80%

오른쪽 그림과 같이 한 모서리의 길이가 2인 정육면체에서 모서리 BF의 중점을 M이라 하고, 두 직선 DM과 CF가 이루는 각의 크기를 θ라 할 때, $\cos\theta$의 값을 구하시오.

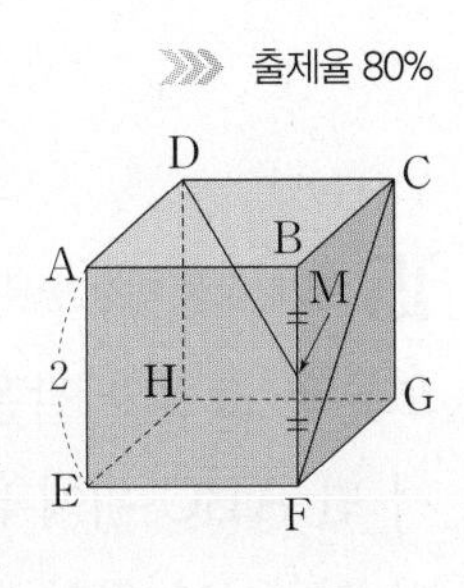

08 천재, 교학, 비상, 좋은책 유사

출제율 95%

오른쪽 그림과 같이 평면 α 위에 있지 않은 점 P에서 평면 α에 내린 수선의 발을 O, 점 O에서 평면 α 위의 직선 AB에 내린 수선의 발을 Q라 하자. $\overline{OP}=3$, $\overline{OQ}=2$, $\overline{AP}=5$일 때, $\overline{AQ}$의 길이를 구하시오.

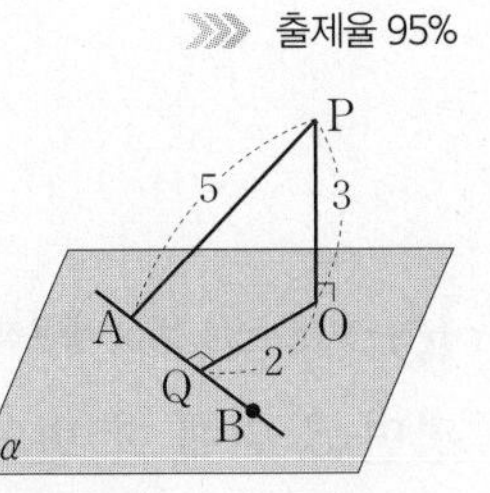

09 천재, 비상, 좋은책, 지학 유사

출제율 68%

오른쪽 그림과 같이 평면 α 위에 있지 않은 점 P에서 평면 α에 내린 수선의 발을 O, 점 P에서 평면 α 위의 직선 AB에 내린 수선의 발을 Q라 하자. $\overline{OP}=4$, $\overline{PQ}=5$, $\overline{BQ}=2$일 때, 두 점 O와 B 사이의 거리는?

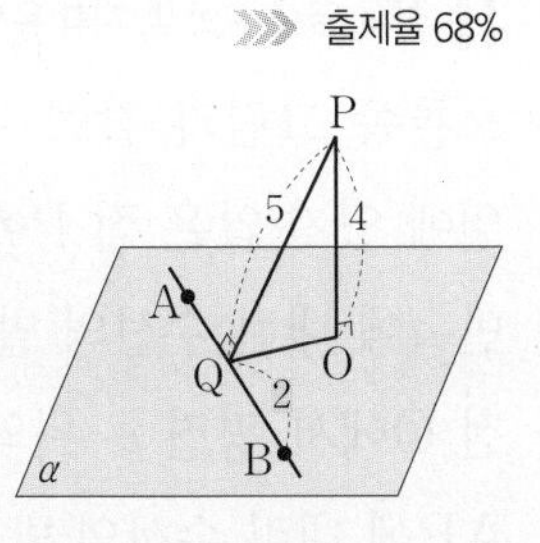

① 3　② $\sqrt{10}$　③ $\sqrt{11}$

④ $2\sqrt{3}$　⑤ $\sqrt{13}$

10 천재, 교학, 비상, 좋은책 유사

출제율 95%

다음 그림과 같은 직육면체에서 $\overline{AD}=1$, $\overline{AE}=2$, $\overline{CD}=3$이고, 점 D에서 선분 EG에 내린 수선의 발을 I라 할 때, 다음을 구하시오.

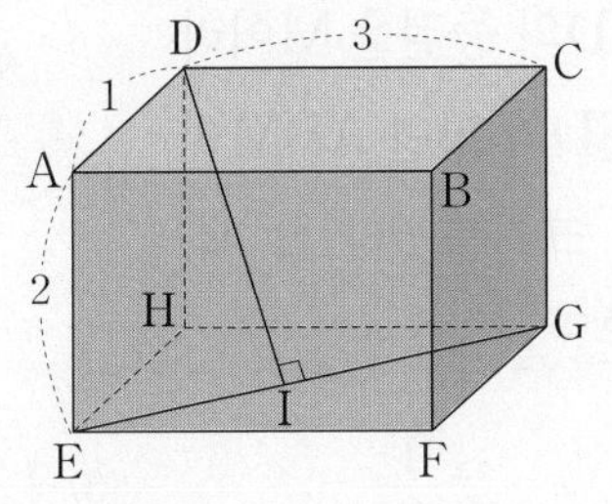

(1) 선분 HI의 길이

(2) 선분 DI의 길이

11 천재, 금성, 좋은책, 지학 유사 ≫ 출제율 80%

오른쪽 그림과 같이 평면 α 위에 있지 않은 점 P에서 평면 α에 내린 수선의 발을 O, 점 O에서 평면 α 위의 직선 AB에 내린 수선의 발을 H라 하자. $\angle\text{PHO}=60^\circ$, $\angle\text{PAO}=45^\circ$, $\overline{\text{OH}}=1$일 때, 삼각형 PAH의 넓이를 구하시오.

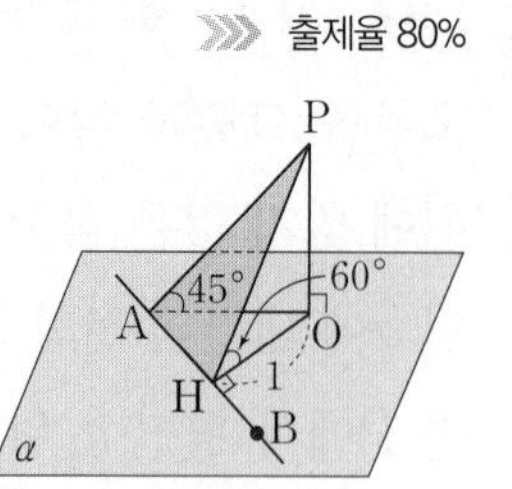

12 천재, 교학, 동아, 미래엔, 비상, 좋은책 유사 ≫ 출제율 78%

오른쪽 그림과 같은 정육면체에서 대각선 DF와 평면 EFGH가 이루는 각의 크기를 θ라 할 때, $\sin\theta+\cos\theta$의 값을 구하시오.

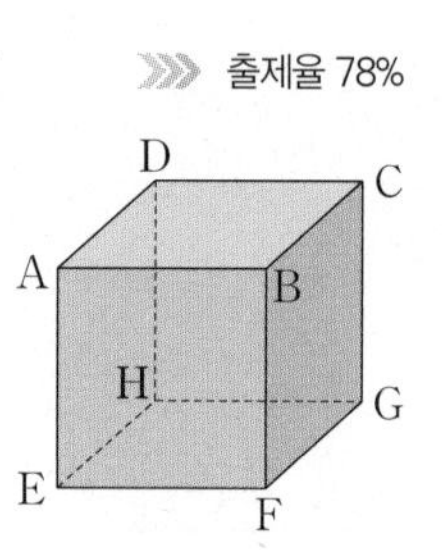

13 천재, 동아, 비상, 좋은책, 지학 유사 ≫ 출제율 95%

오른쪽 그림과 같은 정사면체에서 모서리 CD의 중점을 M이라 하고, 선분 CD와 평면 ABM이 이루는 각의 크기를 θ라 할 때, $\cos\theta$의 값은?

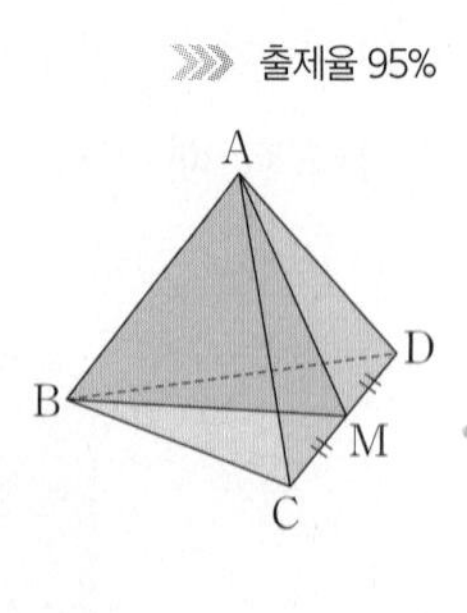

① 0 ② $\frac{1}{2}$ ③ $\frac{\sqrt{2}}{2}$ ④ $\frac{\sqrt{3}}{2}$ ⑤ 1

14 천재, 교학, 금성, 동아, 비상, 좋은책 유사 ≫ 출제율 78%

오른쪽 그림과 같은 정육면체에서 두 점 M, N이 각각 두 선분 AE, FG 위의 점일 때, 다음을 구하시오.

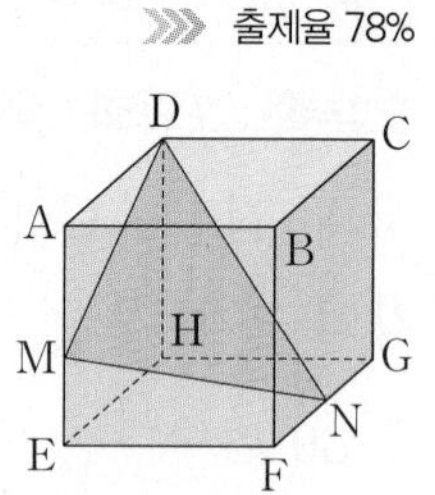

(1) 선분 DN의 평면 DHGC 위로의 정사영

(2) 삼각형 DMN의 평면 EFGH 위로의 정사영

15 천재, 금성, 비상, 좋은책, 지학 유사 ≫ 출제율 65%

오른쪽 그림과 같은 정사면체에서 면 ABC 위에 넓이가 6인 원이 있다. 이 원의 평면 BCD 위로의 정사영의 넓이를 구하시오.

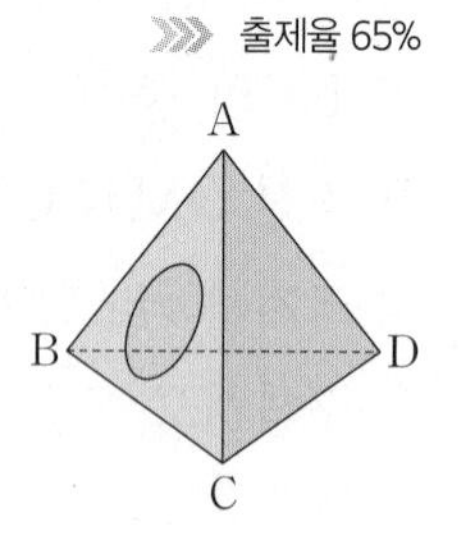

16 천재, 금성, 비상, 좋은책, 지학 유사 ≫ 출제율 65%

평면 β 위에 한 변의 길이가 4인 정삼각형이 있다. 이 정삼각형의 평면 α 위로의 정사영의 넓이가 6일 때, 두 평면 α, β가 이루는 각의 크기를 구하시오.

17 천재, 동아, 미래엔, 비상, 좋은책, 지학 유사 ⋙ 출제율 95%

한 변의 길이가 3인 정사각형을 밑면으로 하는 사각기둥을 밑면과 45°의 각을 이루는 평면으로 자를 때 생기는 단면의 넓이는?

① $6\sqrt{3}$ ② $9\sqrt{2}$ ③ $9\sqrt{3}$
④ 18 ⑤ $9\sqrt{6}$

18 천재, 미래엔, 비상, 좋은책, 지학 유사 ⋙ 출제율 83%

한 변의 길이가 1인 정삼각형 ABC를 포함하는 평면과 60°의 각을 이루는 평면을 α라 하자. 이때 삼각형 ABC의 평면 α 위로의 정사영의 넓이는?

① $\frac{\sqrt{3}}{8}$ ② $\frac{\sqrt{6}}{8}$ ③ $\frac{3}{8}$
④ $\frac{\sqrt{3}}{2}$ ⑤ $\frac{1}{2}$

19 천재, 동아, 미래엔, 비상, 좋은책 유사 ⋙ 출제율 70%

밑면의 반지름의 길이가 4인 원기둥을 밑면과 θ의 각을 이루는 평면으로 자를 때 생기는 단면의 넓이가 32π였다. 이때 $\cos\theta$의 값을 구하시오.

과정을 평가하는 서술형입니다.

[20~22] 다음 문제의 풀이 과정을 자세히 쓰시오.

20 천재, 좋은책, 지학 유사 ⋙ 출제율 80%

오른쪽 그림과 같이 한 모서리의 길이가 6인 정사면체의 꼭짓점 A에서 평면 BCD에 내린 수선의 발을 H라 할 때, 선분 AH의 길이를 구하고, 그 풀이 과정을 쓰시오.

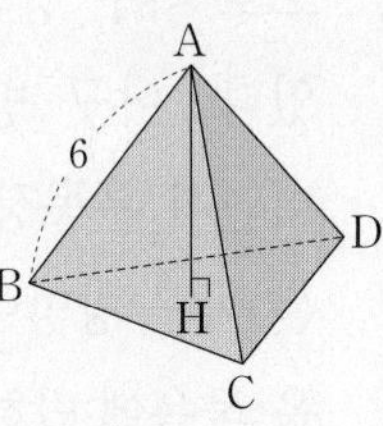

21 천재, 미래엔, 비상, 좋은책, 지학 유사 ⋙ 출제율 75%

오른쪽 그림과 같이 한 모서리의 길이가 4인 정육면체에서 모서리 FG의 중점을 M, 꼭짓점 D에서 선분 EM에 내린 수선의 발을 I라 할 때, 선분 DI의 길이를 구하고, 그 풀이 과정을 쓰시오.

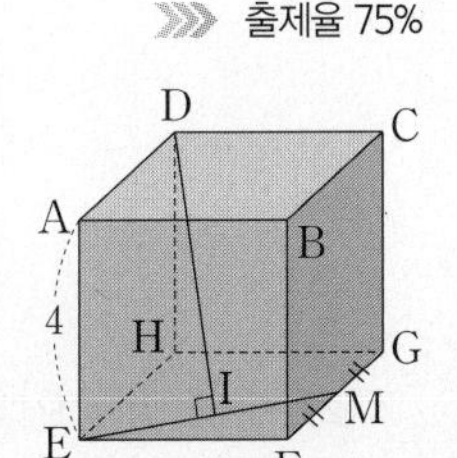

22 천재, 미래엔, 비상 유사 ⋙ 출제율 95%

오른쪽 그림과 같이 모든 모서리의 길이가 2인 정사각뿔의 꼭짓점 A에서 평면 BCDE에 내린 수선의 발을 H라 할 때, 평면 HBC의 평면 ABC 위로의 정사영의 넓이를 구하고, 그 풀이 과정을 쓰시오.

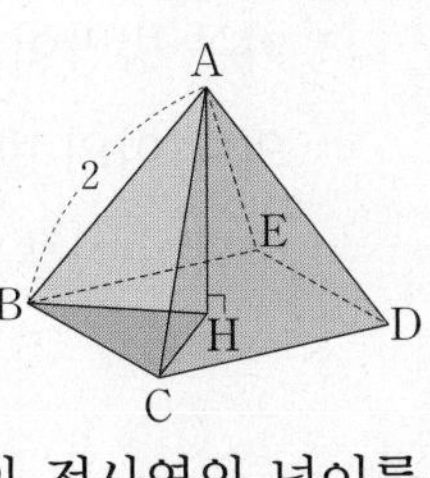

창의력·융합형·서술형·코딩

1

오른쪽 그림과 같이 빛이 운동장 바닥에 수직인 방향으로 야구 방망이를 비추고 있다. 야구 방망이를 움직이면서 운동장 바닥에 생기는 야구 방망이의 그림자를 관찰하려고 한다. 다음 물음에 답하시오.

(1) 야구 방망이의 그림자의 길이가 최대인 경우 야구 방망이와 운동장 바닥 사이의 위치 관계를 말하시오.

(2) 야구 방망이의 양 끝 점의 그림자가 겹치는 경우 야구 방망이와 운동장 바닥 사이의 위치 관계를 말하시오.

(3) 야구 방망이의 그림자의 길이가 야구 방망이의 길이의 반이 될 때, 야구 방망이와 운동장 바닥이 이루는 각의 크기를 구하시오.

2

밑면의 지름의 길이가 6 cm이고 높이가 10 cm인 원기둥 모양의 그릇에 높이가 6 cm가 되도록 물을 채웠다. 이 그릇을 물이 흘러내리기 직전까지 기울일 때, 다음 물음에 답하시오.

(단, 그릇의 두께는 생각하지 않는다.)

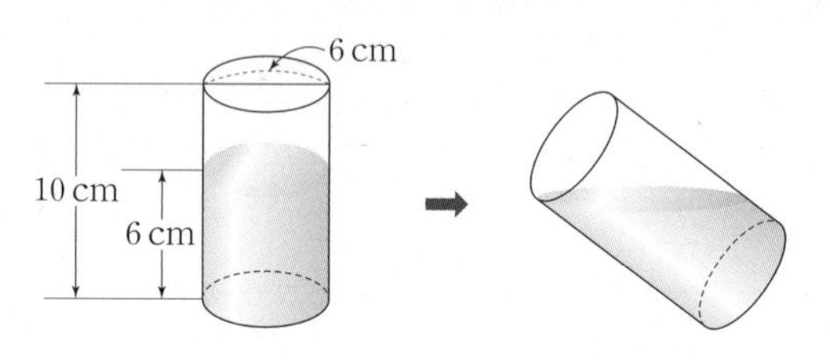

(1) 물이 흘러내리기 직전의 지면과 그릇의 밑면이 이루는 각의 크기를 θ라 할 때, $\cos\theta$의 값을 구하시오.

(2) 물이 흘러내리기 직전의 수면의 넓이를 구하시오.

3

오른쪽 그림은 지면에 세워져 있는 가로등 OP와 직선 도로 l을 나타낸 것이다. 직선 도로 l 위를 움직이는 자동차의 위치를 점 Q라 할 때, 다음 물음에 답하시오.

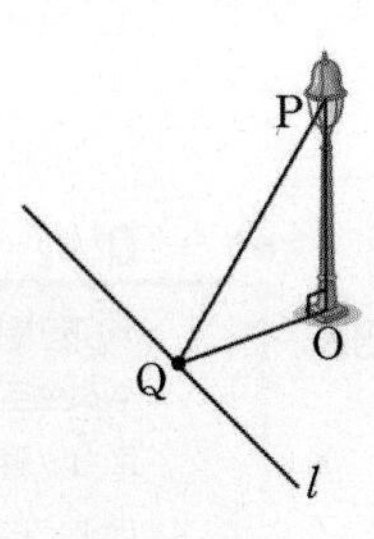

(1) 선분 PQ의 길이를 $\overline{OP}$와 $\overline{OQ}$를 이용하여 나타내시오.

(2) (1)의 식을 이용하여 선분 PQ의 길이가 최소일 때, 점 Q의 위치를 구하시오.

4

오른쪽 그림은 건물과 그 건물의 직선 진입로 및 이 진입로와 수직인 한 직선 도로를 나타낸 것이다. 직선 도로의 한 지점을 A, 직선 도로와 진입로의 교차 지점을 B, 건물의 입구를 C, 건물 옥상의 한 지점을 D라 하자. 이때 선분 DC는 지면과 수직이고, $\overline{AB}=390\text{ m}$, $\overline{BC}=200\text{ m}$, $\tan(\angle DAB)=\frac{4}{3}$일 때, 다음 물음에 답하시오.

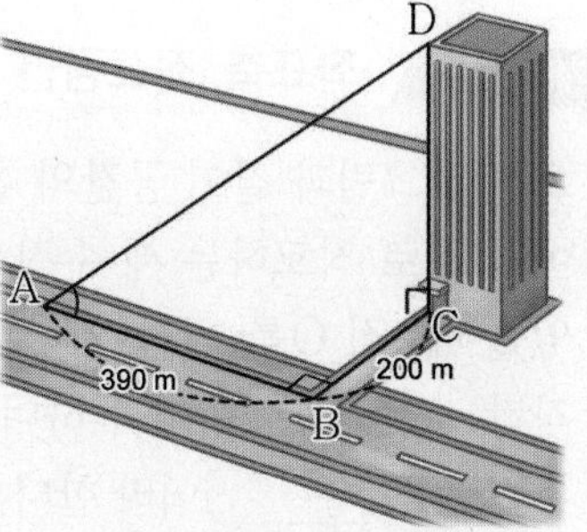

(1) 삼각형 ABD가 직각삼각형임을 설명하시오.

(2) 선분 BD의 길이를 구하시오.

(3) 선분 CD의 길이를 구하시오.

공간좌표

개념 01 좌표축, 좌표평면

오른쪽 그림과 같이 공간의 한 점 O에서 서로 직교하는 세 수직선을 그었을 때, 점 O를 원점, 세 수직선을 각각 x축, y축, z축이라 하며, 이 세 수직선을 (❶)이라 한다.

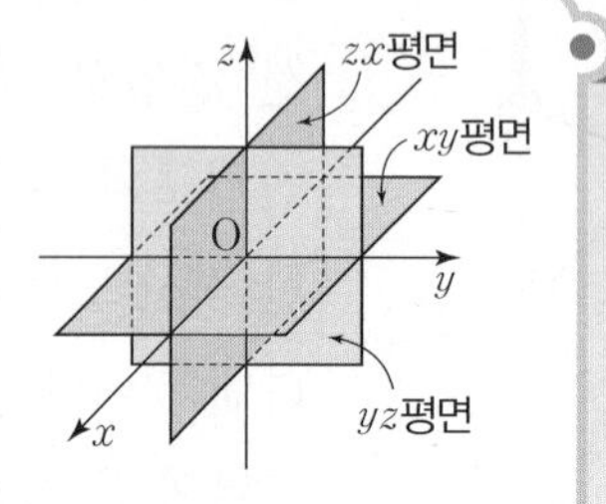

또 x축과 y축을 포함하는 평면을 xy평면, y축과 z축을 포함하는 평면을 (❷)평면, z축과 x축을 포함하는 평면을 zx평면이라 하며, 이 세 평면을 (❸)이라 한다.

답 | ❶ 좌표축 ❷ yz ❸ 좌표평면

QUIZ

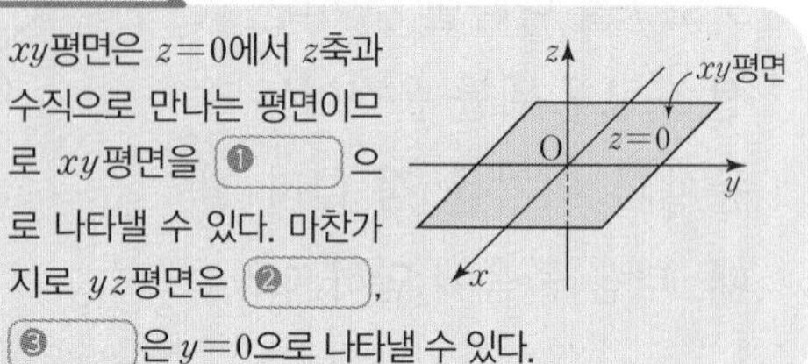

xy평면은 $z=0$에서 z축과 수직으로 만나는 평면이므로 xy평면을 (❶)으로 나타낼 수 있다. 마찬가지로 yz평면은 (❷), (❸)은 $y=0$으로 나타낼 수 있다.

정답 |

❶ $z=0$ ❷ $x=0$ ❸ zx평면

개념 02 공간좌표

오른쪽 그림과 같이 공간의 한 점 P와 세 실수의 순서쌍 (a, b, c)는 일대일로 대응한다. 이때 점 P에 대응하는 세 실수의 순서쌍 (a, b, c)를 점 P의 (❶) 또는 좌표라 하며, 세 실수 a, b, c를 각각 점 P의 x좌표, y좌표, z좌표라 하고, 기호로 다음과 같이 나타낸다.

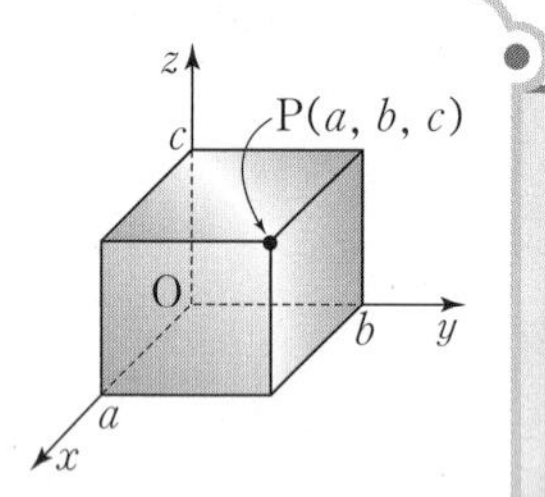

$$\mathrm{P}(a, b, c)$$

이와 같이 임의의 점 P의 좌표가 정해진 공간을 (❷)이라 한다.

참고 원점 O의 좌표는 (❸)이다.

답 | ❶ 공간좌표 ❷ 좌표공간 ❸ $(0, 0, 0)$

QUIZ

오른쪽 그림의 직육면체에서 꼭짓점 P의 좌표는 $(1, 2,$ (❶)$)$이고, 좌표평면 위의 세 꼭짓점 A, B, C의 좌표는 각각 $\mathrm{A}(1, 0,$ (❷)$)$, $\mathrm{B}(1,$ (❸)$, 0)$, $\mathrm{C}($(❹)$, 2, 3)$이다.

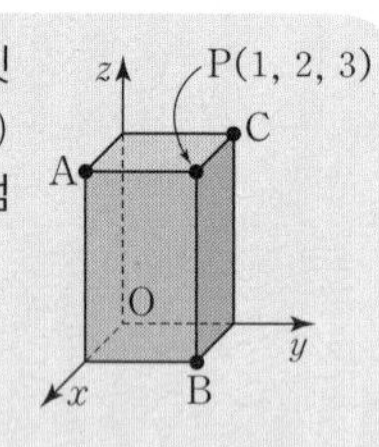

정답 |

❶ 3 ❷ 3 ❸ 2 ❹ 0

개념 03 좌표공간에서 두 점 사이의 거리

좌표공간에서 두 점 $\mathrm{A}(x_1, y_1, z_1)$, $\mathrm{B}(x_2, y_2, z_2)$ 사이의 거리는

$$\overline{\mathrm{AB}}=\sqrt{(x_2-x_1)^2+(\text{❶ }\square)^2+(z_2-z_1)^2}$$

특히 원점 $\mathrm{O}(0, 0, 0)$과 점 $\mathrm{A}(x_1, y_1, z_1)$ 사이의 거리는

$$\overline{\mathrm{OA}}=\sqrt{{x_1}^2+{y_1}^2+\text{❷ }\square}$$

예 두 점 $\mathrm{O}(0, 0, 0)$, $\mathrm{A}(1, -2, 3)$ 사이의 거리는

$$\overline{\mathrm{OA}}=\sqrt{1^2+(-2)^2+3^2}=\sqrt{14}$$

답 | ❶ y_2-y_1 ❷ ${z_1}^2$

QUIZ

두 점 $\mathrm{A}(-1, 2, 0)$, $\mathrm{B}(1, 1, 2)$에 대하여 □ 안에 알맞은 것을 써넣으시오.

두 점 A, B 사이의 거리는

$$\overline{\mathrm{AB}}=\sqrt{\{1-(-1)\}^2+(1-\text{❶ }\square)^2+(2-0)^2}$$

$$=\text{❷ }\square$$

정답 |

❶ 2 ❷ 3

개념 04 좌표공간에서 선분의 내분점과 외분점

좌표공간에서 두 점 $A(x_1, y_1, z_1)$, $B(x_2, y_2, z_2)$를 이은 선분 AB를

(1) $m : n\ (m>0, n>0)$으로 내분하는 점의 좌표는

$$\left(\frac{mx_2+nx_1}{m+n}, \frac{my_2+ny_1}{❶\ \square}, \frac{mz_2+nz_1}{m+n}\right)$$

(2) $m : n\ (m>0, n>0, m\neq n)$으로 외분하는 점의 좌표는

$$\left(\frac{mx_2-nx_1}{m-n}, \frac{❷\ \square}{m-n}, \frac{mz_2-nz_1}{m-n}\right)$$

특히 선분 AB의 중점의 좌표는

$$\left(❸\ \square, \frac{y_1+y_2}{2}, \frac{z_1+z_2}{2}\right)$$

답 | ❶ $m+n$ ❷ my_2-ny_1 ❸ $\frac{x_1+x_2}{2}$

QUIZ

두 점 $A(-1, 0, 1)$, $B(2, 6, 4)$에 대하여 선분 AB를 $2:1$로 내분하는 점 $P(x, y, z)$는

$x=\frac{2\times2+1\times(-1)}{2+1}=$ ❶ $\square$,

$y=\frac{2\times6+1\times0}{2+1}=$ ❷ $\square$,

$z=\frac{2\times4+1\times1}{2+1}=$ ❸ $\square$

이므로 점 P의 좌표는 ❹ $\square$ 이다.

정답 |

❶ 1 ❷ 4 ❸ 3 ❹ $(1, 4, 3)$

개념 05 구의 방정식

중심의 좌표가 (a, b, c)이고 반지름의 길이가 ❶ $\square$ 인 구의 방정식은

$$(x-a)^2+(y-b)^2+(z-c)^2=r^2$$

특히 중심이 ❷ $\square$ 이고 반지름의 길이가 r인 구의 방정식은

$$x^2+y^2+z^2=r^2$$

이다.

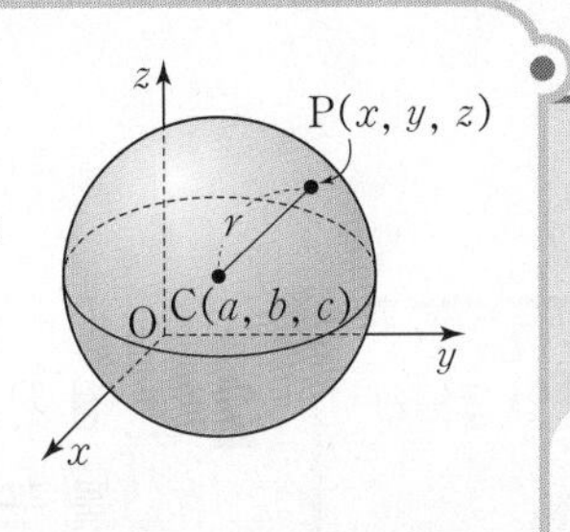

답 | ❶ r ❷ 원점

QUIZ

중심의 좌표가 $(1, 2, 3)$이고 반지름의 길이가 ❶ $\square$ 인 구의 방정식은

$(x-1)^2+(y-$ ❷ $\square$ $)^2+(z-3)^2=4$

이다.

정답 |

❶ 2 ❷ 2

개념 06 $x^2+y^2+z^2+Ax+By+Cz+D=0$

구의 방정식은

$$x^2+y^2+z^2+Ax+By+Cz+D=0 \quad \cdots\cdots ㉠$$

꼴로 나타낼 수 있고, 방정식 ㉠을 변형하면

$$\left(x+\frac{A}{2}\right)^2+\left(y+\frac{B}{2}\right)^2+\left(z+\frac{C}{2}\right)^2=\frac{A^2+B^2+C^2-4D}{4}$$

이므로 $A^2+B^2+C^2-4D$ ❶ $\square$ 0이면 방정식 ㉠은

❷ $\square$ 의 좌표가 $\left(-\frac{A}{2}, -\frac{B}{2}, -\frac{C}{2}\right)$,

❸ $\square$ 의 길이가 $\frac{\sqrt{A^2+B^2+C^2-4D}}{2}$

인 구를 나타낸다.

참고 $A^2+B^2+C^2-4D=0$이면 방정식 ㉠은 한 점을 나타낸다.

답 | ❶ $>$ ❷ 중심 ❸ 반지름

QUIZ

다음 $\square$ 안에 알맞은 것을 써넣으시오.

구의 방정식 $(x-a)^2+(y-b)^2+(z-c)^2=r^2$의 좌변을 전개하여 정리하면

$x^2+y^2+z^2-$ ❶ $\square$ $-2by-2cz+a^2+b^2+c^2-r^2=0$

이때

$A=-2a, B=-2b, C=$ ❷ $\square$,

$D=a^2+b^2+c^2-r^2$

이라 하면 구의 방정식은

$x^2+y^2+z^2+Ax+By+Cz+$ ❸ $\square$ $=0$

꼴로 나타낼 수 있다.

정답 |

❶ $2ax$ ❷ $-2c$ ❸ D

교과서 개념 확인 테스트

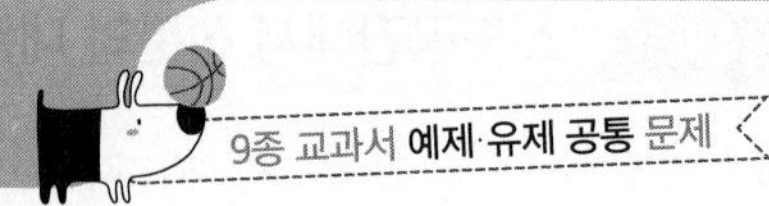

개념 01 공간좌표

1-1 오른쪽 그림과 같은 직육면체에서 세 점 P, Q, R의 좌표를 각각 구하시오.

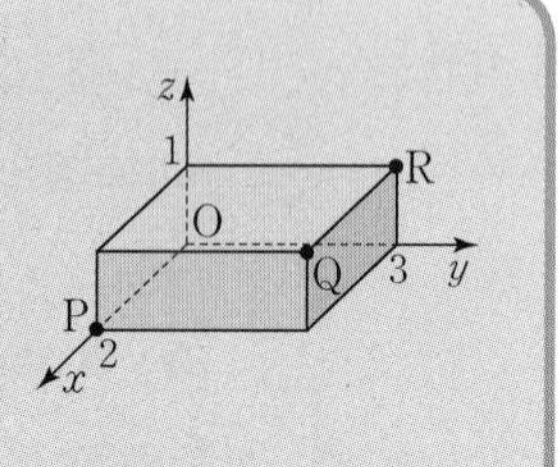

1-2 오른쪽 그림과 같은 직육면체에서 세 점 P, Q, R의 좌표를 각각 구하시오.

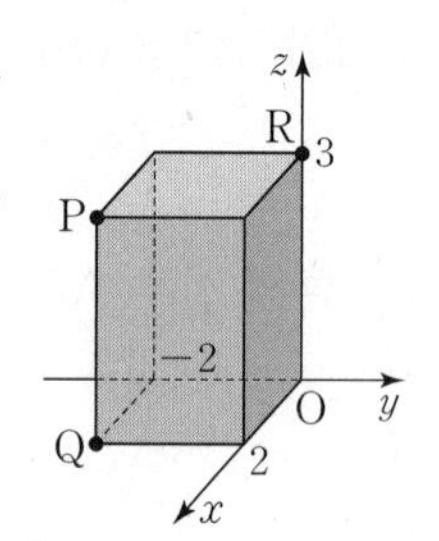

개념 02 공간좌표

2-1 점 P$(2,\ 3,\ -1)$에 대하여 다음 점의 좌표를 구하시오.

(1) 점 P에서 xy평면에 내린 수선의 발

(2) 점 P에서 z축에 내린 수선의 발

2-2 점 P$(1,\ -3,\ 2)$에 대하여 다음 점의 좌표를 구하시오.

(1) 점 P에서 zx평면에 내린 수선의 발

(2) 점 P에서 y축에 내린 수선의 발

개념 03 두 점 사이의 거리

3-1 다음 두 점 사이의 거리를 구하시오.

(1) A$(1, 1, -4)$, B$(-1, 3, -3)$

(2) O$(0, 0, 0)$, A$(3, 5, -4)$

3-2 다음 두 점 사이의 거리를 구하시오.

(1) A$(3, 1, -4)$, B$(-1, -2, -4)$

(2) A$(2, 2, 1)$, B$(-1, 2, 0)$

개념 04 선분의 내분점과 외분점

4-1 두 점 $A(0, 1, 2)$, $B(3, -2, 2)$에 대하여 다음 점의 좌표를 구하시오.

(1) 선분 AB를 $2:1$로 내분하는 점 P

(2) 선분 AB를 $2:1$로 외분하는 점 Q

4-2 두 점 $A(2, 4, 7)$, $B(-3, -6, 2)$에 대하여 다음 점의 좌표를 구하시오.

(1) 선분 AB를 $3:2$로 내분하는 점 P

(2) 선분 AB를 $3:2$로 외분하는 점 Q

개념 05 구의 방정식

5-1 다음 구의 방정식을 구하시오.

(1) 중심의 좌표가 $(3, -2, -4)$이고 반지름의 길이가 4인 구

(2) 중심의 좌표가 $(2, -1, 2)$이고 원점을 지나는 구

5-2 다음 구의 방정식을 구하시오.

(1) 중심의 좌표가 $(-2, 3, 0)$이고 반지름의 길이가 1인 구

(2) 중심의 좌표가 $(-1, 2, -3)$이고 점 $(1, 0, 1)$을 지나는 구

개념 06 구의 방정식

6-1 방정식 $x^2+y^2+z^2+6x-2y-4z+10=0$이 나타내는 구의 중심의 좌표와 반지름의 길이를 각각 구하시오.

6-2 방정식 $x^2+y^2+z^2-2x-6y+9=0$이 나타내는 구의 중심의 좌표와 반지름의 길이를 각각 구하시오.

기출 기초 테스트

9종 교과서 중요 문제

유형 01 공간좌표

(천재, 교학, 금성, 동아, 미래엔, 비상, 좋은책, 지학 유사)

1-1 점 $P(-1, 3, -5)$에 대하여 다음 점의 좌표를 구하시오.

(1) 점 P에서 yz평면에 내린 수선의 발

(2) 점 P를 x축에 대하여 대칭이동한 점

1-2 점 $P(-1, 2, 3)$에 대하여 다음 점의 좌표를 구하시오.

(1) 점 P에서 x축에 내린 수선의 발

(2) 점 P를 xy평면에 대하여 대칭이동한 점

유형 02 두 점 사이의 거리

(천재, 교학, 금성, 동아, 미래엔, 비상, 좋은책, 지학 유사)

2-1 다음 두 점 사이의 거리를 구하시오.

(1) $A(1, 2, 4)$, $B(2, 1, 3)$

(2) $A(-1, 2, 3)$, $B(-4, -2, 3)$

2-2 다음 두 점 사이의 거리를 구하시오.

(1) $A(0, 2, 4)$, $B(2, 0, 2)$

(2) $A(-5, -1, 5)$, $B(-4, -2, 5)$

유형 03 두 점 사이의 거리

(천재, 교학, 금성, 동아, 좋은책, 지학 유사)

3-1 두 점 $A(1, 2, 3)$, $B(5, -2, a)$에 대하여 $\overline{AB}=6$일 때, 상수 a의 값을 모두 구하시오.

3-2 두 점 $A(-1, 2, -5)$, $B(3, -1, a)$에 대하여 $\overline{AB}=5\sqrt{2}$일 때, 음수 a의 값을 구하시오.

유형 04 두 점 사이의 거리

(천재, 교학, 금성, 동아, 미래엔, 비상, 좋은책, 지학 유사)

4-1 점 $(3,\ 1,\ -2)$에서 거리가 3인 x축 위의 점의 좌표를 모두 구하시오.

4-2 점 $(-2,\ 1,\ 4)$에서 거리가 $2\sqrt{6}$인 y축 위의 점의 좌표를 모두 구하시오.

유형 05 두 점 사이의 거리

(천재, 금성, 동아, 좋은책, 지학 유사)

5-1 두 점 $\mathrm{A}(2,\ -4,\ 3)$, $\mathrm{B}(-1,\ 2,\ 0)$에서 같은 거리에 있는 x축 위의 점 P의 좌표를 구하시오.

5-2 두 점 $\mathrm{A}(3,\ -1,\ 2)$, $\mathrm{B}(2,\ 3,\ 5)$에서 같은 거리에 있는 y축 위의 점 P의 좌표를 구하시오.

유형 06 두 점 사이의 거리

(천재, 교학, 금성, 동아, 미래엔, 비상, 좋은책, 지학 유사)

6-1 점 $\mathrm{P}(1,\ 2,\ 3)$과 xy평면에 대하여 대칭인 점을 Q, 점 P와 z축에 대하여 대칭인 점을 R라 할 때, 선분 QR의 길이를 구하시오.

6-2 점 $\mathrm{P}(-2,\ 2,\ 1)$과 x축에 대하여 대칭인 점을 Q, 점 P와 yz평면에 대하여 대칭인 점을 R라 할 때, 선분 QR의 길이를 구하시오.

STEP 2 기출 기초 테스트

유형 07 선분의 내분점과 외분점

(천재, 교학, 금성, 동아, 미래엔, 비상, 좋은책, 지학 유사)

7-1 두 점 $A(2, 3, -6)$, $B(-1, 3, -3)$에 대하여 선분 AB를 $2:1$로 내분하는 점을 P, $2:1$로 외분하는 점을 Q라 할 때, 선분 PQ의 중점의 좌표를 구하시오.

7-2 두 점 $A(2, 5, 3)$, $B(-4, -1, 3)$에 대하여 선분 AB를 $1:2$로 내분하는 점을 P, $3:1$로 외분하는 점을 Q라 할 때, 선분 PQ의 중점의 좌표를 구하시오.

유형 08 선분의 중점의 활용

(천재, 교학, 금성, 동아, 미래엔, 비상, 좋은책, 지학 유사)

8-1 네 점 $A(4, 3, -3)$, $B(-1, 2, 4)$, $C(-3, 5, 8)$, $D(a, b, c)$를 꼭짓점으로 하는 평행사변형 ABCD가 있다. 이때 $a+b+c$의 값을 구하시오.

8-2 평행사변형 ABCD에서 $A(1, 4, 2)$, $B(2, 5, -1)$이고, 두 대각선의 교점의 좌표가 $(1, 3, -2)$일 때, 선분 AD의 길이를 구하시오.

유형 09 삼각형의 무게중심

(천재, 교학, 금성, 동아, 좋은책, 지학 유사)

9-1 세 점 $A(-1, 0, 2)$, $B(1, 1, 0)$, $C(3, -1, 4)$를 꼭짓점으로 하는 삼각형 ABC의 무게중심 G의 좌표가 (a, b, c)일 때, $a+b+c$의 값을 구하시오.

9-2 세 점 $A(2, 5, 3)$, $B(0, -1, 5)$, $C(a, b, c)$를 꼭짓점으로 하는 삼각형 ABC의 무게중심 G의 좌표가 $(1, 2, 3)$일 때, abc의 값을 구하시오.

유형 10 구의 방정식

(천재, 교학, 금성, 동아, 미래엔, 비상, 좋은책, 지학 유사)

10-1 두 점 A$(1, -4, 9)$, B$(5, 2, -3)$을 지름의 양 끝 점으로 하는 구의 중심의 좌표와 반지름의 길이를 구하시오.

10-2 두 점 A$(1, 1, 0)$, B$(3, -1, 4)$를 지름의 양 끝 점으로 하는 구의 방정식을 구하시오.

유형 11 구의 방정식

(천재, 교학, 금성, 동아, 미래엔, 비상, 좋은책, 지학 유사)

11-1 구 $x^2+y^2+z^2+2x+4y-14z+10=0$의 중심과 원점 사이의 거리를 구하시오.

11-2 구 $x^2+y^2+z^2-4x-8y+6z+k=0$이 z축과 접할 때, 실수 k의 값을 구하시오.

유형 12 구의 방정식

(천재, 교학, 금성, 동아, 미래엔, 비상, 좋은책, 지학 유사)

12-1 네 점 $(0, 0, 0)$, $(0, 0, -2)$, $(0, 1, -1)$, $(2, 1, 1)$을 지나는 구의 방정식을 구하시오.

12-2 네 점 $(0, 0, 0)$, $(1, 0, -1)$, $(-1, 2, 1)$, $(1, 3, 0)$을 지나는 구의 방정식을 구하시오.

교과서 기본 테스트

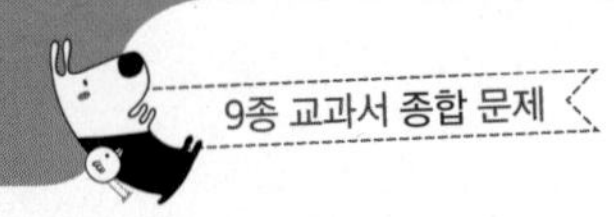

01 천재, 교학, 동아, 미래엔, 비상, 좋은책 유사 ⋙ 출제율 95%

점 $\mathrm{P}(3,\ 5,\ -4)$와 xy평면에 대하여 대칭인 점의 좌표는?

① $(-3,\ -5,\ -4)$ ② $(-3,\ -5,\ 4)$
③ $(-3,\ 5,\ -4)$ ④ $(3,\ -5,\ 4)$
⑤ $(3,\ 5,\ 4)$

02 천재, 동아, 미래엔, 비상, 좋은책, 지학 유사 ⋙ 출제율 95%

점 $(2,\ 3,\ -4)$와 yz평면에 대하여 대칭인 점을 P, 점 $(4,\ -1,\ 2)$와 원점에 대하여 대칭인 점을 Q라 할 때, 선분 PQ의 중점의 좌표를 구하시오.

03 천재, 미래엔, 비상, 좋은책, 지학 유사 ⋙ 출제율 95%

점 $\mathrm{P}(-1,\ 2,\ 3)$과 점 $\mathrm{A}(3,\ 1,\ 4)$에 대하여 대칭인 점을 $\mathrm{Q}(a,\ b,\ c)$라 할 때, $a+b+c$의 값을 구하시오.

04 천재, 교학, 미래엔, 비상, 좋은책, 지학 유사 ⋙ 출제율 95%

점 $\mathrm{P}(2,\ 3,\ 1)$의 zx평면 위로의 정사영을 점 $\mathrm{P}'(a,\ b,\ c)$라 할 때, $a+b+c$의 값을 구하시오.

05 천재, 금성, 동아, 좋은책, 지학 유사 ⋙ 출제율 68%

점 $\mathrm{A}(3,\ -2,\ 1)$에서 xy평면, yz평면에 내린 수선의 발을 각각 M, N이라 할 때, 선분 MN의 길이는?

① $\sqrt{10}$ ② $\sqrt{11}$ ③ $\sqrt{13}$
④ $\sqrt{14}$ ⑤ $\sqrt{15}$

06 천재, 미래엔, 비상 유사 ⋙ 출제율 68%

두 점 $\mathrm{A}(1,\ -1,\ -1)$, $\mathrm{B}(-1,\ 2,\ 2)$에서 같은 거리에 있는 z축 위의 점 P의 좌표는?

① $\left(0,\ 0,\ \frac{1}{3}\right)$ ② $\left(0,\ 0,\ \frac{1}{2}\right)$ ③ $\left(0,\ 0,\ \frac{2}{3}\right)$
④ $(0,\ 0,\ 1)$ ⑤ $(0,\ 0,\ 2)$

07 천재, 비상, 좋은책, 지학 유사 출제율 68%

세 점 A$(3, 0, 0)$, B$(0, 4, 0)$, C$(0, 0, 4)$를 꼭짓점으로 하는 삼각형 ABC의 넓이는?

① $\sqrt{17}$ ② $\sqrt{34}$ ③ $2\sqrt{17}$
④ $2\sqrt{34}$ ⑤ $3\sqrt{34}$

08 천재, 동아, 미래엔, 비상, 좋은책, 지학 유사 출제율 95%

세 점 O$(0, 0, 0)$, A$(1, 2, 1)$, B$(-1, 0, 1)$에서 같은 거리에 있는 yz평면 위의 점 P의 좌표는?

① $(0, 0, 1)$ ② $(0, 1, 0)$ ③ $(0, 1, 1)$
④ $(0, 1, 2)$ ⑤ $(0, 2, 1)$

09 천재, 동아, 미래엔, 비상, 좋은책 유사 출제율 75%

두 점 A$(1, 0, 1)$, B$(-2, 0, 2)$와 x축 위의 점 P에 대하여 $\overline{\text{AP}}+\overline{\text{PB}}$의 최솟값을 구하시오.

10 천재, 금성, 동아, 좋은책, 지학 유사 출제율 78%

두 점 A$(5, 1, 4)$, B$(2, -2, 1)$에 대하여 선분 AB를 $2:1$로 내분하는 점을 P, $4:3$으로 외분하는 점을 Q라 할 때, 선분 PQ의 길이는?

① $2\sqrt{3}$ ② $4\sqrt{3}$ ③ $6\sqrt{3}$
④ $8\sqrt{3}$ ⑤ $10\sqrt{3}$

11 천재, 동아, 비상, 좋은책, 지학 유사 출제율 95%

두 점 A$(1, 4, -3)$, B$(-2, 4, 3)$에 대하여 선분 AB를 $1:2$로 내분하는 점을 P, $2:1$로 외분하는 점을 Q라 할 때, 선분 PQ의 중점의 좌표가 (a, b, c)이다. 이때 $a+b+c$의 값은?

① 4 ② $\frac{9}{2}$ ③ 5
④ $\frac{11}{2}$ ⑤ 6

12 천재, 교학, 비상, 좋은책 유사 출제율 95%

네 점 A$(2, -1, 1)$, B$(-3, 2, 1)$, C$(-4, 5, 6)$, D(a, b, c)를 꼭짓점으로 하는 평행사변형 ABCD가 있다. 이때 $a+b+c$의 값을 구하시오.

13 천재, 교학, 비상, 좋은책, 지학 유사 ⋙ 출제율 95%

네 점 O$(0, 0, 0)$, A$(-1, -2, 1)$, B$(2, 3, a)$, C$(b, c, -3)$에 대하여 사각형 OABC가 평행사변형일 때, $a+b+c$의 값은?

① 5 ② 6 ③ 7
④ 8 ⑤ 9

14 천재, 교학, 금성, 동아, 좋은책, 지학 유사 ⋙ 출제율 80%

세 점 A$(a, 0, 2)$, B$(5, b, 3)$, C$(1, -2, c)$를 꼭짓점으로 하는 삼각형 ABC의 무게중심 G의 좌표가 $(1, -2, 2)$일 때, abc의 값은?

① -12 ② -7 ③ -6
④ 7 ⑤ 12

15 천재, 금성, 좋은책, 지학 유사 ⋙ 출제율 80%

세 점 A$(2, 5, 3)$, B$(0, -1, 5)$, C$(1, 5, 4)$를 꼭짓점으로 하는 삼각형 ABC의 무게중심에서 xy평면, yz평면, zx평면에 내린 수선의 발을 각각 P, Q, R라 할 때, 삼각형 PQR의 무게중심의 좌표를 구하시오.

16 천재, 교학, 금성, 동아, 비상, 좋은책 유사 ⋙ 출제율 78%

중심의 좌표가 $(-4, 1, -3)$이고, yz평면에 접하는 구의 방정식은?

① $x^2+y^2+z^2+8x-2y+6z+8=0$
② $x^2+y^2+z^2+8x-2y+6z-8=0$
③ $x^2+y^2+z^2+8x-2y+6z+10=0$
④ $x^2+y^2+z^2+8x-2y+6z-10=0$
⑤ $x^2+y^2+z^2+8x-2y+6z+42=0$

17 천재, 금성, 비상, 좋은책, 지학 유사 ⋙ 출제율 65%

중심의 좌표가 $(1, 4, 0)$이고 구 $(x-3)^2+y^2+(z+4)^2=4$에 외접하는 구의 반지름의 길이는?

① 1 ② 2 ③ 3
④ 4 ⑤ 5

18 천재, 금성, 미래엔, 비상, 좋은책, 지학 유사 ⋙ 출제율 95%

구 $x^2+y^2+z^2-2x+2y-8=0$과 yz평면이 만나서 생기는 도형의 길이는?

① 3π ② 6π ③ 8π
④ 9π ⑤ 10π

19 천재, 동아, 미래엔, 비상, 좋은책, 지학 유사 ⋙ 출제율 95%

점 $(2, 4, 2)$를 지나고, xy평면, yz평면, zx평면에 동시에 접하는 두 구 중에서 작은 구의 반지름의 길이는?

① 2 ② $\sqrt{5}$ ③ 3
④ $\sqrt{10}$ ⑤ 4

20 천재, 미래엔, 비상, 좋은책, 지학 유사 ⋙ 출제율 83%

점 $A(3, 2, 1)$에서 구
$x^2+y^2+z^2-2x+6y-4z=0$에 그은 접선의 길이를 구하시오.

21 천재, 동아, 미래엔, 비상, 좋은책 유사 ⋙ 출제율 70%

두 구 $x^2+y^2+z^2-2x+2y-47=0$,
$x^2+y^2+z^2-14x-10y-6z+58=0$이 만나서 생기는 원의 반지름의 길이는?

① $\frac{\sqrt{11}}{6}$ ② $\frac{\sqrt{11}}{3}$ ③ $\frac{7\sqrt{11}}{6}$
④ $\frac{7\sqrt{11}}{3}$ ⑤ $\frac{7\sqrt{11}}{2}$

과정을 평가하는 서술형입니다.

[22~24] 다음 문제의 풀이 과정을 자세히 쓰시오.

22 천재, 좋은책, 지학 유사 ⋙ 출제율 80%

두 점 $A(1, 4, -3)$, $B(2, 1, -5)$와 x축 위의 점 C를 세 꼭짓점으로 하는 삼각형 ABC가 선분 BC를 빗변으로 하는 직각삼각형일 때, 점 C의 좌표를 구하고, 그 풀이 과정을 쓰시오.

23 천재, 미래엔, 비상, 좋은책, 지학 유사 ⋙ 출제율 75%

두 점 $A(-1, 3, 2)$, $B(1, 5, -4)$에 대하여 선분 AB가 xy평면에 의하여 $m : n$으로 내분될 때, 두 양수 m, n에 대하여 $\frac{n}{m}$의 값을 구하고, 그 풀이 과정을 쓰시오.

24 천재, 미래엔, 비상, 좋은책 유사 ⋙ 출제율 95%

구 $(x-2)^2+(y+1)^2+(z-4)^2=25$와 xy평면과의 교선은 원이다. 점 $A(-1, 3, 2)$와 이 원 위의 점 P 사이의 거리의 최솟값을 구하고, 그 풀이 과정을 쓰시오.

창의력·융합형·서술형·코딩

1

아래 그림과 같은 정글짐의 각 모서리의 길이가 1일 때, 다음 물음에 답하시오.

(1) 좌표축을 임의로 설정하여 정글짐을 좌표공간에서 나타내고, 두 지점 A, B의 좌표를 구하시오.

(2) (1)에서 구한 좌표를 이용하여 두 지점 A, B 사이의 거리를 구하시오.

2

아래 그림과 같은 정사각뿔 모양의 피라미드 모형의 꼭짓점 A에서 밑면에 내린 수선의 발을 M이라 하자. 선분 AM을 2 : 1로 내분하는 점 P의 위치에 왕의 묘실이 있다고 할 때, 다음 물음에 답하시오.

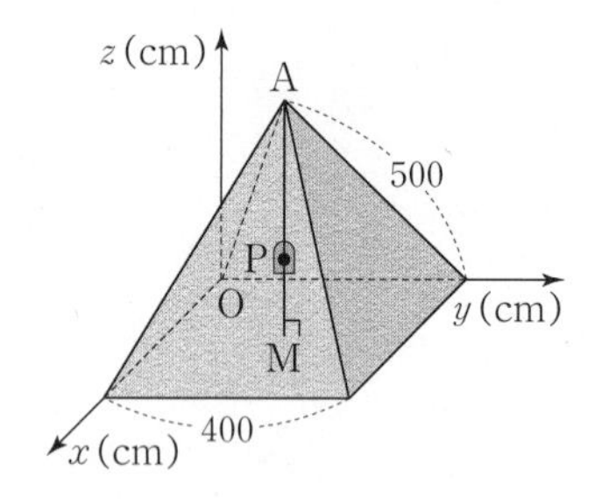

(1) 점 M의 좌표를 구하시오.

(2) 점 A의 좌표를 구하시오.

(3) 점 P의 좌표를 구하시오.

3

오른쪽 그림과 같이 반지름의 길이가 같은 구 4개를 서로 접하도록 쌓아 놓았다. 각 구의 중심을 연결한 도형은 정사면체이고, 첫 번째 층에 놓인 세 구의 중심의 좌표가 각각 $(0, -3, 0)$, $(3\sqrt{3}, 0, 0)$, $(0, 3, 0)$일 때, 다음 물음에 답하시오.

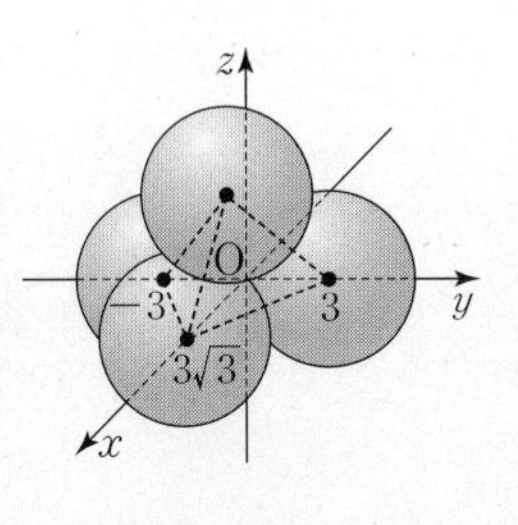

(1) 구의 반지름의 길이를 구하시오.

(2) 두 번째 층에 놓인 구의 중심의 좌표를 구하시오.

(3) 두 번째 층에 놓인 구의 방정식을 구하시오.

4

아래 그림과 같이 점 $P(0, 0, 3)$에서 나온 빛에 의하여 구 $x^2+y^2+z^2-2z=0$의 그림자가 xy평면 위에 생길 때, 다음 물음에 답하시오.

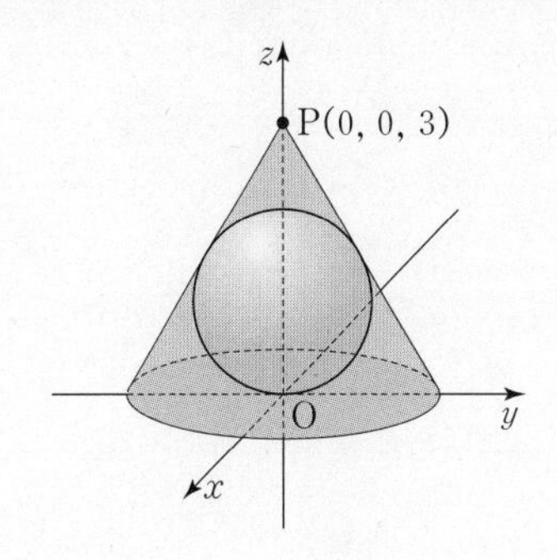

(1) 구의 반지름의 길이를 구하시오.

(2) 그림자 끝이 그리는 도형 위의 임의의 점 Q와 점 P 사이의 거리를 구하시오.

(3) 그림자의 넓이를 구하시오.

Memo.

교과서 다품

천재교육

교과서 다품

정답과 해설

넌♥ 잘할거야

기하

교과서 다:품

정답과 해설

I 이차곡선

01 이차곡선

STEP 1 교과서 개념 확인 테스트

본문 12~13쪽

1-1 (1) $y^2=12x$ (2) $x^2=-20y$

1-2 (1) $y^2=-16x$ (2) $x^2=8y$

2-1 $(y-2)^2=8(x+1)$

2-2 (1) $(y+1)^2=12(x-2)$ (2) $(x-2)^2=8(y+1)$

3-1 $\frac{x^2}{25}+\frac{y^2}{9}=1$

3-2 (1) $\frac{x^2}{16}+\frac{y^2}{12}=1$ (2) $\frac{x^2}{8}+\frac{y^2}{9}=1$

4-1 $\frac{(x-2)^2}{25}+\frac{(y+3)^2}{16}=1$

4-2 $\frac{(x+1)^2}{4}+\frac{(y-1)^2}{6}=1$

5-1 $\frac{x^2}{16}-\frac{y^2}{9}=1$

5-2 (1) $\frac{x^2}{4}-\frac{y^2}{12}=1$ (2) $\frac{x^2}{144}-\frac{y^2}{25}=-1$

6-1 $\frac{(x-4)^2}{36}-\frac{(y+1)^2}{25}=1$

6-2 $\frac{(x+3)^2}{9}-\frac{(y-2)^2}{7}=-1$

1-1 (1) $y^2=4px$에서 $p=3$이므로 구하는 포물선의 방정식은 $y^2=4\times3\times x$, 즉 $y^2=12x$
(2) $x^2=4py$에서 $p=-5$이므로 구하는 포물선의 방정식은 $x^2=4\times(-5)\times y$, 즉 $x^2=-20y$

1-2 (1) $y^2=4px$에서 $p=-4$이므로 구하는 포물선의 방정식은 $y^2=4\times(-4)\times x$, 즉 $y^2=-16x$
(2) $x^2=4py$에서 $p=2$이므로 구하는 포물선의 방정식은 $x^2=4\times2\times y$, 즉 $x^2=8y$

3-1 구하는 타원의 방정식을 $\frac{x^2}{a^2}+\frac{y^2}{b^2}=1\ (a>b>0)$이라 하면 $2a=10$에서 $a=5$
이때 $b^2=a^2-4^2=5^2-4^2=9$이므로
구하는 타원의 방정식은 $\frac{x^2}{25}+\frac{y^2}{9}=1$

3-2 (1) 구하는 타원의 방정식을 $\frac{x^2}{a^2}+\frac{y^2}{b^2}=1\ (a>b>0)$이라 하면 $2a=8$에서 $a=4$
이때 $b^2=a^2-2^2=4^2-2^2=12$이므로
구하는 타원의 방정식은 $\frac{x^2}{16}+\frac{y^2}{12}=1$
(2) 구하는 타원의 방정식을 $\frac{x^2}{a^2}+\frac{y^2}{b^2}=1\ (b>a>0)$이라 하면 $2b=6$에서 $b=3$
이때 $a^2=b^2-1^2=3^2-1^2=8$이므로
구하는 타원의 방정식은 $\frac{x^2}{8}+\frac{y^2}{9}=1$

5-1 구하는 쌍곡선의 방정식을
$\frac{x^2}{a^2}-\frac{y^2}{b^2}=1\ (a>0, b>0)$이라 하면
$2a=8$에서 $a=4$
이때 $b^2=5^2-a^2=5^2-4^2=9$이므로
구하는 쌍곡선의 방정식은 $\frac{x^2}{16}-\frac{y^2}{9}=1$

5-2 (1) 구하는 쌍곡선의 방정식을
$\frac{x^2}{a^2}-\frac{y^2}{b^2}=1\ (a>0, b>0)$이라 하면
$2a=4$에서 $a=2$
이때 $b^2=4^2-a^2=4^2-2^2=12$이므로
구하는 쌍곡선의 방정식은 $\frac{x^2}{4}-\frac{y^2}{12}=1$
(2) 구하는 쌍곡선의 방정식을
$\frac{x^2}{a^2}-\frac{y^2}{b^2}=-1\ (a>0, b>0)$이라 하면
$2b=10$에서 $b=5$
이때 $a^2=13^2-b^2=13^2-5^2=144$이므로
구하는 쌍곡선의 방정식은 $\frac{x^2}{144}-\frac{y^2}{25}=-1$

STEP 2 기출 기초 테스트

본문 14~17쪽

1-1 초점의 좌표: $(2, 0)$, 준선의 방정식: $x=-2$,
그래프는 풀이 참조

1-2 (1) 초점의 좌표: $(-1, 0)$, 준선의 방정식: $x=1$,
그래프는 풀이 참조
(2) 초점의 좌표: $(0, 3)$, 준선의 방정식: $y=-3$,
그래프는 풀이 참조

2-1 $(y-3)^2=4(x-2)$
꼭짓점의 좌표: $(2, 3)$, 초점의 좌표: $(3, 3)$,
준선의 방정식: $x=1$

2-2 (1) $(y-1)^2=-16(x+1)$
꼭짓점의 좌표: $(-1, 1)$, 초점의 좌표: $(-5, 1)$,
준선의 방정식: $x=3$
(2) $(x+1)^2=-8(y-1)$
꼭짓점의 좌표: $(-1, 1)$, 초점의 좌표: $(-1, -1)$,
준선의 방정식: $y=3$

3-1 $a=4, m=-2, n=1$ **3-2** $a=-4, b=9, n=-1$

4-1 초점의 좌표: $(0, -3)$, 준선의 방정식: $x=-4$

4-2 초점의 좌표: $(4,\ -3)$, 준선의 방정식: $y=1$

5-1 초점의 좌표: $(\sqrt{7},0)$, $(-\sqrt{7},0)$, 장축의 길이: 8,
단축의 길이: 6, 그래프는 풀이 참조

5-2 초점의 좌표: $(0,\sqrt{15})$, $(0,\ -\sqrt{15})$, 장축의 길이: 10,
단축의 길이: $2\sqrt{10}$, 그래프는 풀이 참조

6-1 $\dfrac{(x-2)^2}{25}+\dfrac{(y-1)^2}{16}=1$
꼭짓점의 좌표: $(7,1)$, $(-3,1)$, $(2,5)$, $(2,\ -3)$
초점의 좌표: $(5,1)$, $(-1,1)$
장축의 길이: 10, 단축의 길이: 8

6-2 (1) $\dfrac{(x-2)^2}{16}+\dfrac{(y+1)^2}{12}=1$
꼭짓점의 좌표: $(6,\ -1)$, $(-2,\ -1)$,
$(2,\ -1+2\sqrt{3})$, $(2,\ -1-2\sqrt{3})$
초점의 좌표: $(4,\ -1)$, $(0,\ -1)$
장축의 길이: 8, 단축의 길이: $4\sqrt{3}$
(2) $\dfrac{(x-2)^2}{9}+\dfrac{(y+1)^2}{25}=1$
꼭짓점의 좌표: $(5,\ -1)$, $(-1,\ -1)$, $(2,4)$, $(2,\ -6)$
초점의 좌표: $(2,3)$, $(2,\ -5)$
장축의 길이: 10, 단축의 길이: 6

7-1 (1) $m=1$, $n=2$
(2) 초점의 좌표: $(7,2)$, $(-5,2)$, 장축의 길이: 20

7-2 (1) $m=-2$, $n=3$
(2) 초점의 좌표: $(-2,3+\sqrt{5})$, $(-2,3-\sqrt{5})$
장축의 길이: 6

8-1 초점의 좌표: $(0,1+\sqrt{3})$, $(0,1-\sqrt{3})$
장축의 길이: 4, 단축의 길이: 2

8-2 초점의 좌표: $(1+\sqrt{5},0)$, $(1-\sqrt{5},0)$
장축의 길이: 6, 단축의 길이: 4

9-1 꼭짓점의 좌표: $(2,0)$, $(-2,0)$
초점의 좌표: $(\sqrt{7},0)$, $(-\sqrt{7},0)$
주축의 길이: 4, 그래프는 풀이 참조

9-2 꼭짓점의 좌표: $(0,2)$, $(0,\ -2)$
초점의 좌표: $(0,\sqrt{13})$, $(0,\ -\sqrt{13})$
주축의 길이: 4, 그래프는 풀이 참조

10-1 $\dfrac{(x-3)^2}{9}-\dfrac{(y-2)^2}{7}=1$
꼭짓점의 좌표: $(6,2)$, $(0,2)$
초점의 좌표: $(7,2)$, $(-1,2)$, 주축의 길이: 6

10-2 (1) $\dfrac{(x+1)^2}{16}-\dfrac{(y-2)^2}{20}=1$
꼭짓점의 좌표: $(3,2)$, $(-5,2)$
초점의 좌표: $(5,2)$, $(-7,2)$, 주축의 길이: 8
(2) $\dfrac{(x+1)^2}{45}-\dfrac{(y-2)^2}{36}=-1$
꼭짓점의 좌표: $(-1,8)$, $(-1,\ -4)$
초점의 좌표: $(-1,11)$, $(-1,\ -7)$
주축의 길이: 12

11-1 점근선의 방정식: $y=\pm\dfrac{3}{4}x$, 그래프는 풀이 참조

11-2 (1) 점근선의 방정식: $y=\pm\sqrt{3}x$, 그래프는 풀이 참조
(2) 점근선의 방정식: $y=\pm x$, 그래프는 풀이 참조

12-1 중심의 좌표: $(2,0)$
꼭짓점의 좌표: $(4,0)$, $(0,0)$
초점의 좌표: $(2+\sqrt{5},0)$, $(2-\sqrt{5},0)$
점근선의 방정식: $y=\pm\dfrac{1}{2}(x-2)$

12-2 중심의 좌표: $(0,1)$
꼭짓점의 좌표: $(0,7)$, $(0,\ -5)$
초점의 좌표: $(0,1+3\sqrt{5})$, $(0,1-3\sqrt{5})$
점근선의 방정식: $y=\pm 2x+1$

1-1 $y^2=8x=4\times2\times x$이므로
$p=2$
따라서 주어진 포물선의 초점의 좌표는 $(2,0)$
준선의 방정식은 $x=-2$
또 그래프는 오른쪽 그림과 같다.

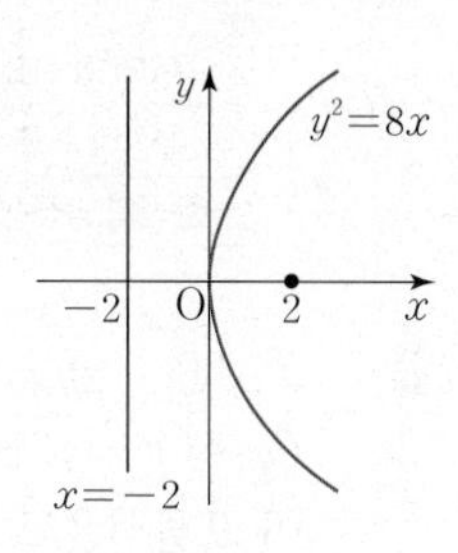

1-2 (1) $y^2=-4x=4\times(-1)\times x$
이므로 $p=-1$
따라서 주어진 포물선의 초점의 좌표는 $(-1,0)$
준선의 방정식은 $x=1$
또 그래프는 오른쪽 그림과 같다.

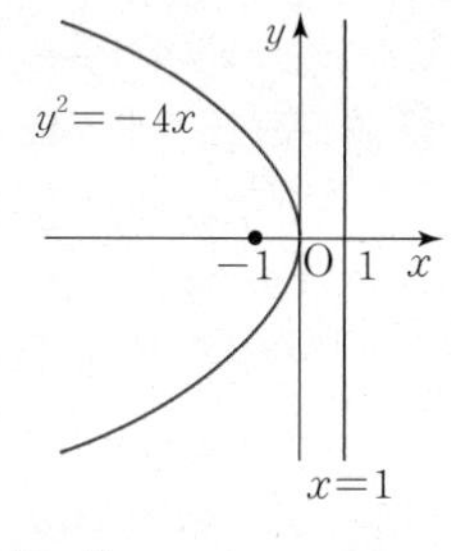

(2) $x^2=12y=4\times3\times y$이므로 $p=3$
따라서 주어진 포물선의 초점의 좌표는
$(0,3)$
준선의 방정식은
$y=-3$
또 그래프는 오른쪽 그림과 같다.

2-1 포물선 $y^2=4x$를 x축의 방향으로 2만큼, y축의 방향으로 3만큼 평행이동한 포물선의 방정식은
$(y-3)^2=4(x-2)$이다. 이때 꼭짓점, 초점의 좌표와 준선의 방정식은 다음과 같다.

	$y^2=4x$	$(y-3)^2=4(x-2)$
꼭짓점의 좌표	$(0,0)$	$(2,3)$
초점의 좌표	$(1,0)$	$(3,3)$
준선의 방정식	$x=-1$	$x=1$

참고 포물선을 평행이동하면 그 곡선도 포물선이다. 또 모양과 크기가 변하지 않으므로 포물선의 방향과 폭은 변하지 않는다.

2-2 (1) 포물선 $y^2=-16x$를 x축의 방향으로 -1만큼, y축의 방향으로 1만큼 평행이동한 포물선의 방정식은 $(y-1)^2=-16(x+1)$이다. 이때 꼭짓점, 초점의 좌표와 준선의 방정식은 다음과 같다.

	$y^2=-16x$	$(y-1)^2=-16(x+1)$
꼭짓점의 좌표	$(0, 0)$	$(-1, 1)$
초점의 좌표	$(-4, 0)$	$(-5, 1)$
준선의 방정식	$x=4$	$x=3$

(2) 포물선 $x^2=-8y$를 x축의 방향으로 -1만큼, y축의 방향으로 1만큼 평행이동한 포물선의 방정식은 $(x+1)^2=-8(y-1)$이다. 이때 꼭짓점, 초점의 좌표와 준선의 방정식은 다음과 같다.

	$x^2=-8y$	$(x+1)^2=-8(y-1)$
꼭짓점의 좌표	$(0, 0)$	$(-1, 1)$
초점의 좌표	$(0, -2)$	$(-1, -1)$
준선의 방정식	$y=2$	$y=3$

3-1 $y^2-4x-2y=7$에서
$(y-1)^2=4(x+2)$
이 포물선은 포물선 $y^2=4x$를 x축의 방향으로 -2만큼, y축의 방향으로 1만큼 평행이동한 것이므로
$a=4, m=-2, n=1$

3-2 포물선 $y^2=4x$를 x축의 방향으로 2만큼, y축의 방향으로 n만큼 평행이동한 포물선의 방정식은
$(y-n)^2=4(x-2)$
양변을 전개하면
$y^2-2ny+n^2=4x-8$
$y^2-4x-2ny+n^2+8=0$
이 식이 $y^2+ax+2y+b=0$과 같으므로
$a=-4, n=-1, b=(-1)^2+8=9$

4-1 $y^2-8x+6y-7=0$에서
$(y+3)^2=8(x+2)$
이 포물선은 포물선 $y^2=8x$를 x축의 방향으로 -2만큼, y축의 방향으로 -3만큼 평행이동한 것이므로 초점의 좌표는 $(0, -3)$, 준선의 방정식은 $x=-4$

4-2 $x^2-8x+8y+24=0$에서
$(x-4)^2=-8(y+1)$
이 포물선은 포물선 $x^2=-8y$를 x축의 방향으로 4만큼, y축의 방향으로 -1만큼 평행이동한 것이므로 초점의 좌표는 $(4, -3)$, 준선의 방정식은 $y=1$

5-1 $\frac{x^2}{16}+\frac{y^2}{9}=1$에서 $a^2=16, b^2=9$이므로
$c^2=a^2-b^2=16-9=7$
따라서 주어진 타원의 초점의 좌표는
$(\sqrt{7}, 0), (-\sqrt{7}, 0)$
장축의 길이는 $2a=8$
단축의 길이는 $2b=6$
또 그래프는 오른쪽 그림과 같다.

5-2 $\frac{x^2}{10}+\frac{y^2}{25}=1$에서 $a^2=10, b^2=25$이므로
$c^2=b^2-a^2=25-10=15$
따라서 주어진 타원의 초점의 좌표는
$(0, \sqrt{15}), (0, -\sqrt{15})$
장축의 길이는
$2b=10$
단축의 길이는
$2a=2\sqrt{10}$
또 그래프는 오른쪽 그림과 같다.

6-1 타원 $\frac{x^2}{25}+\frac{y^2}{16}=1$을 x축의 방향으로 2만큼, y축의 방향으로 1만큼 평행이동한 타원의 방정식은 $\frac{(x-2)^2}{25}+\frac{(y-1)^2}{16}=1$이다. 이때 꼭짓점, 초점의 좌표와 장축, 단축의 길이는 다음과 같다.

	$\frac{x^2}{25}+\frac{y^2}{16}=1$	$\frac{(x-2)^2}{25}+\frac{(y-1)^2}{16}=1$
꼭짓점의 좌표	$(5, 0), (-5, 0)$ $(0, 4), (0, -4)$	$(7, 1), (-3, 1)$ $(2, 5), (2, -3)$
초점의 좌표	$(3, 0), (-3, 0)$	$(5, 1), (-1, 1)$
장축의 길이	10	10
단축의 길이	8	8

참고 타원을 평행이동하면 그 곡선도 타원이다. 또 모양과 크기가 변하지 않으므로 타원의 장축과 단축의 길이는 변하지 않는다.

6-2 (1) 타원 $\frac{x^2}{16}+\frac{y^2}{12}=1$을 x축의 방향으로 2만큼, y축의 방향으로 -1만큼 평행이동한 타원의 방정식은 $\frac{(x-2)^2}{16}+\frac{(y+1)^2}{12}=1$이다. 이때 꼭짓점, 초점의 좌표와 장축, 단축의 길이는 다음과 같다.

	$\frac{x^2}{16}+\frac{y^2}{12}=1$	$\frac{(x-2)^2}{16}+\frac{(y+1)^2}{12}=1$
꼭짓점의 좌표	$(4, 0), (-4, 0)$ $(0, 2\sqrt{3})$, $(0, -2\sqrt{3})$	$(6, -1), (-2, -1)$ $(2, -1+2\sqrt{3})$, $(2, -1-2\sqrt{3})$
초점의 좌표	$(2, 0), (-2, 0)$	$(4, -1), (0, -1)$
장축의 길이	8	8
단축의 길이	$4\sqrt{3}$	$4\sqrt{3}$

(2) 타원 $\frac{x^2}{9}+\frac{y^2}{25}=1$을 x축의 방향으로 2만큼, y축의 방향으로 -1만큼 평행이동한 타원의 방정식은 $\frac{(x-2)^2}{9}+\frac{(y+1)^2}{25}=1$이다. 이때 꼭짓점, 초점의 좌표와 장축, 단축의 길이는 다음과 같다.

	$\frac{x^2}{9}+\frac{y^2}{25}=1$	$\frac{(x-2)^2}{9}+\frac{(y+1)^2}{25}=1$
꼭짓점의 좌표	$(3,0)$, $(-3,0)$ $(0,5)$, $(0,-5)$	$(5,-1)$, $(-1,-1)$ $(2,4)$, $(2,-6)$
초점의 좌표	$(0,4)$, $(0,-4)$	$(2,3)$, $(2,-5)$
장축의 길이	10	10
단축의 길이	6	6

7-1 (1) 타원 $\frac{(x-1)^2}{100}+\frac{(y-n)^2}{64}=1$은 타원 $\frac{x^2}{100}+\frac{y^2}{64}=1$을 x축의 방향으로 1만큼, y축의 방향으로 n만큼 평행이동한 것이다.

$\therefore m=1, n=2$

(2) $\frac{x^2}{100}+\frac{y^2}{64}=1$에서 $a^2=100$, $b^2=64$이므로

$c^2=a^2-b^2=100-64=36$

즉 위의 타원의 초점의 좌표는 $(6,0)$, $(-6,0)$이므로 주어진 타원의 초점의 좌표는 $(7,2)$, $(-5,2)$이다.

또 평행이동하여도 장축의 길이는 변하지 않으므로 주어진 타원의 장축의 길이는 $2\times10=20$이다.

7-2 (1) 타원 $\frac{(x+2)^2}{4}+\frac{(y-3)^2}{9}=1$은 타원 $\frac{x^2}{4}+\frac{y^2}{9}=1$을 x축의 방향으로 -2만큼, y축의 방향으로 3만큼 평행이동한 것이다.

$\therefore m=-2, n=3$

(2) $\frac{x^2}{4}+\frac{y^2}{9}=1$에서 $a^2=4$, $b^2=9$이므로

$c^2=b^2-a^2=9-4=5$

즉 위의 타원의 초점의 좌표는 $(0,\sqrt{5})$, $(0,-\sqrt{5})$이므로 주어진 타원의 초점의 좌표는 $(-2,3+\sqrt{5})$, $(-2,3-\sqrt{5})$이다.

또 평행이동하여도 장축의 길이는 변하지 않으므로 주어진 타원의 장축의 길이는 $2\times3=6$이다.

8-1 $4x^2+y^2-2y-3=0$에서 $4x^2+(y-1)^2=4$

$\therefore x^2+\frac{(y-1)^2}{4}=1$

이 타원은 타원 $x^2+\frac{y^2}{4}=1$을 y축의 방향으로 1만큼 평행이동한 것이므로 초점의 좌표와 장축, 단축의 길이는 다음과 같다.

	$x^2+\frac{y^2}{4}=1$	$x^2+\frac{(y-1)^2}{4}=1$
초점의 좌표	$(0,\sqrt{3})$, $(0,-\sqrt{3})$	$(0,1+\sqrt{3})$, $(0,1-\sqrt{3})$
장축의 길이	4	4
단축의 길이	2	2

8-2 $4x^2+9y^2-8x-32=0$에서 $4(x-1)^2+9y^2=36$

$\therefore \frac{(x-1)^2}{9}+\frac{y^2}{4}=1$

이 타원은 타원 $\frac{x^2}{9}+\frac{y^2}{4}=1$을 x축의 방향으로 1만큼 평행이동한 것이므로 초점의 좌표와 장축, 단축의 길이는 다음과 같다.

	$\frac{x^2}{9}+\frac{y^2}{4}=1$	$\frac{(x-1)^2}{9}+\frac{y^2}{4}=1$
초점의 좌표	$(\sqrt{5},0)$, $(-\sqrt{5},0)$	$(1+\sqrt{5},0)$, $(1-\sqrt{5},0)$
장축의 길이	6	6
단축의 길이	4	4

9-1 $\frac{x^2}{4}-\frac{y^2}{3}=1$에서 $a^2=4$, $b^2=3$이므로

$c^2=a^2+b^2=4+3=7$

따라서 주어진 쌍곡선의 꼭짓점의 좌표는 $(2,0)$, $(-2,0)$

초점의 좌표는 $(\sqrt{7},0)$, $(-\sqrt{7},0)$

주축의 길이는 $2a=4$

또 그래프는 오른쪽 그림과 같다.

9-2 $\frac{x^2}{9}-\frac{y^2}{4}=-1$에서 $a^2=9$, $b^2=4$이므로

$c^2=a^2+b^2=9+4=13$

따라서 주어진 쌍곡선의 꼭짓점의 좌표는 $(0,2)$, $(0,-2)$

초점의 좌표는 $(0,\sqrt{13})$, $(0,-\sqrt{13})$

주축의 길이는 $2b=4$

또 그래프는 오른쪽 그림과 같다.

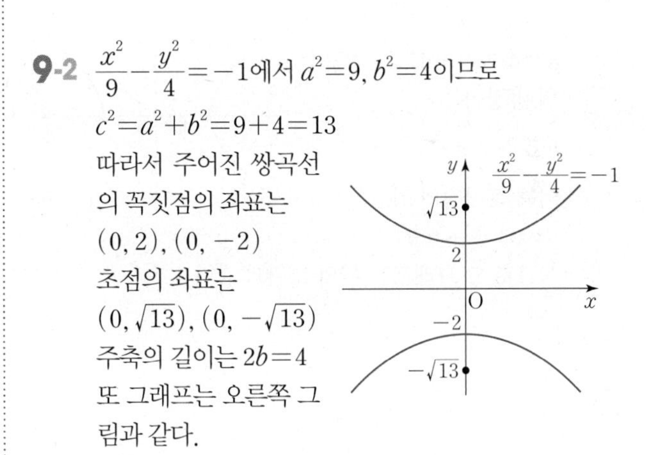

10-1 쌍곡선 $\frac{x^2}{9}-\frac{y^2}{7}=1$을 x축의 방향으로 3만큼, y축의 방향으로 2만큼 평행이동한 쌍곡선의 방정식은 $\frac{(x-3)^2}{9}-\frac{(y-2)^2}{7}=1$이다. 이때 꼭짓점, 초점의 좌표와 주축의 길이는 다음과 같다.

	$\frac{x^2}{9}-\frac{y^2}{7}=1$	$\frac{(x-3)^2}{9}-\frac{(y-2)^2}{7}=1$
꼭짓점의 좌표	$(3,0)$, $(-3,0)$	$(6,2)$, $(0,2)$
초점의 좌표	$(4,0)$, $(-4,0)$	$(7,2)$, $(-1,2)$
주축의 길이	6	6

참고 쌍곡선을 평행이동하면 그 곡선도 쌍곡선이다. 또 모양과 크기가 변하지 않으므로 쌍곡선의 주축의 길이는 변하지 않는다.

10-2 (1) 쌍곡선 $\frac{x^2}{16}-\frac{y^2}{20}=1$을 x축의 방향으로 -1만큼, y축의 방향으로 2만큼 평행이동한 쌍곡선의 방정식은 $\frac{(x+1)^2}{16}-\frac{(y-2)^2}{20}=1$이다. 이때 꼭짓점, 초점의 좌표와 주축의 길이는 다음과 같다.

	$\frac{x^2}{16}-\frac{y^2}{20}=1$	$\frac{(x+1)^2}{16}-\frac{(y-2)^2}{20}=1$
꼭짓점의 좌표	$(4, 0), (-4, 0)$	$(3, 2), (-5, 2)$
초점의 좌표	$(6, 0), (-6, 0)$	$(5, 2), (-7, 2)$
주축의 길이	8	8

(2) 쌍곡선 $\frac{x^2}{45}-\frac{y^2}{36}=-1$을 x축의 방향으로 -1만큼, y축의 방향으로 2만큼 평행이동한 쌍곡선의 방정식은 $\frac{(x+1)^2}{45}-\frac{(y-2)^2}{36}=-1$이다. 이때 꼭짓점, 초점의 좌표와 주축의 길이는 다음과 같다.

	$\frac{x^2}{45}-\frac{y^2}{36}=-1$	$\frac{(x+1)^2}{45}-\frac{(y-2)^2}{36}=-1$
꼭짓점의 좌표	$(0, 6), (0, -6)$	$(-1, 8), (-1, -4)$
초점의 좌표	$(0, 9), (0, -9)$	$(-1, 11), (-1, -7)$
주축의 길이	12	12

11-1 $\frac{x^2}{16}-\frac{y^2}{9}=1$에서

$a=4$, $b=3$이므로 점근선의 방정식은

$y=\pm\frac{3}{4}x$

이때 꼭짓점의 좌표는

$(4, 0), (-4, 0)$

이므로 그 그래프는 위의 그림과 같다.

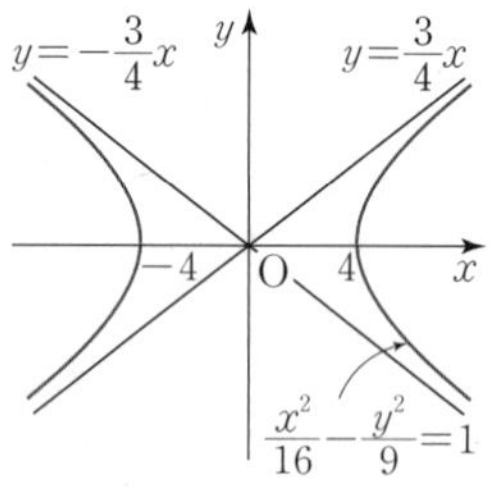

11-2 (1) $\frac{x^2}{4}-\frac{y^2}{12}=1$에서

$a=2$, $b=2\sqrt{3}$이므로 점근선의 방정식은

$y=\pm\sqrt{3}x$

이때 꼭짓점의 좌표는

$(2, 0), (-2, 0)$

이므로 그 그래프는 위의 그림과 같다.

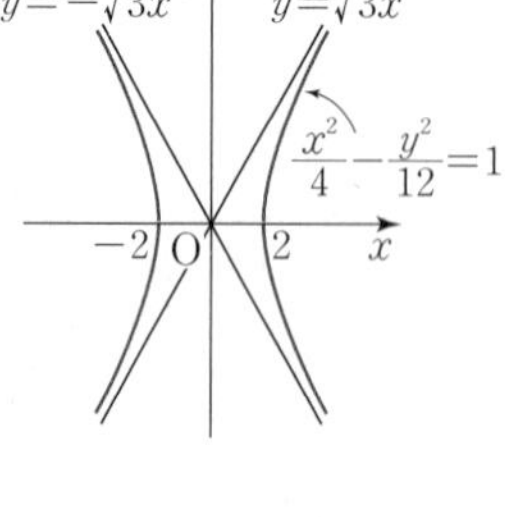

(2) $x^2-y^2=-1$에서

$a=1$, $b=1$이므로 점근선의 방정식은

$y=\pm x$

이때 꼭짓점의 좌표는

$(0, 1), (0, -1)$이므로

그 그래프는 위의 그림과 같다.

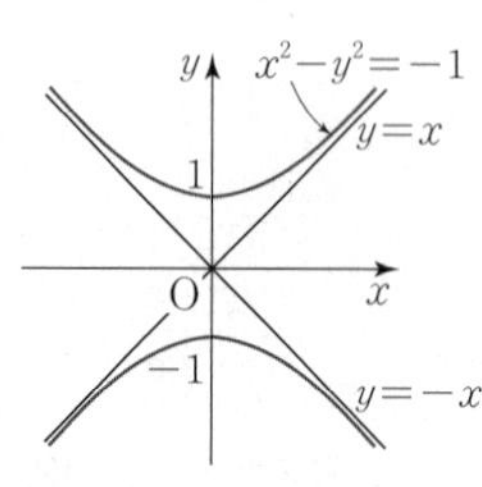

12-1 $x^2-4y^2-4x=0$에서 $(x-2)^2-4y^2=4$

$\therefore \frac{(x-2)^2}{4}-y^2=1$

이 쌍곡선은 쌍곡선 $\frac{x^2}{4}-y^2=1$을 x축의 방향으로 2만큼 평행이동한 것이므로 중심, 꼭짓점, 초점의 좌표와 점근선의 방정식은 다음과 같다.

	$\frac{x^2}{4}-y^2=1$	$\frac{(x-2)^2}{4}-y^2=1$
중심의 좌표	$(0, 0)$	$(2, 0)$
꼭짓점의 좌표	$(2, 0), (-2, 0)$	$(4, 0), (0, 0)$
초점의 좌표	$(\sqrt{5}, 0), (-\sqrt{5}, 0)$	$(2+\sqrt{5}, 0), (2-\sqrt{5}, 0)$
점근선의 방정식	$y=\pm\frac{1}{2}x$	$y=\pm\frac{1}{2}(x-2)$

12-2 $4x^2-y^2+2y+35=0$에서 $4x^2-(y-1)^2=-36$

$\therefore \frac{x^2}{9}-\frac{(y-1)^2}{36}=-1$

이 쌍곡선은 쌍곡선 $\frac{x^2}{9}-\frac{y^2}{36}=-1$을 y축의 방향으로 1만큼 평행이동한 것이므로 중심, 꼭짓점, 초점의 좌표와 점근선의 방정식은 다음과 같다.

	$\frac{x^2}{9}-\frac{y^2}{36}=-1$	$\frac{x^2}{9}-\frac{(y-1)^2}{36}=-1$
중심의 좌표	$(0, 0)$	$(0, 1)$
꼭짓점의 좌표	$(0, 6), (0, -6)$	$(0, 7), (0, -5)$
초점의 좌표	$(0, 3\sqrt{5}), (0, -3\sqrt{5})$	$(0, 1+3\sqrt{5}), (0, 1-3\sqrt{5})$
점근선의 방정식	$y=\pm 2x$	$y=\pm 2x+1$

STEP 3 교과서 기본 테스트

본문 18~21쪽

01 ③ **02** ⑤ **03** ① **04** ② **05** ④
06 ① **07** ③ **08** ④ **09** 11 **10** ②
11 16 **12** ⑤ **13** ④ **14** ③
15 $x^2-\frac{y^2}{4}=1$ **16** ⑤ **17** ② **18** 20
19 160 **20** 1 **21** $\frac{56}{3}$
22 초점의 좌표: $(-4, 3)$, 준선의 방정식: $x=2$
23 $2\sqrt{5}$ **24** $P(5, 4)$

01 $(y-2)^2=8x-8$에서 $(y-2)^2=8(x-1)$

이 포물선은 포물선 $y^2=8x$를 x축의 방향으로 1만큼, y축의 방향으로 2만큼 평행이동한 것이다.

이때 포물선 $y^2=8x=4\times 2\times x$의 초점의 좌표는 $(2, 0)$이므로 주어진 포물선의 초점의 좌표는 $(3, 2)$

02 $y^2=4px$에서 $p=3$이므로 구하는 포물선의 방정식은
$y^2=12x$ $\quad\therefore a=12$
포물선 $y^2=12x$의 초점은 x축 위에 있으므로 $b=0$
또 준선의 방정식은 $x=-3$이므로 $c=-3$
$\therefore a+b+c=12+0+(-3)=9$

03 초점의 좌표가 $(-5, 0)$이고 준선의 방정식이 $x=5$인 포물선의 방정식은 $y^2=4\times(-5)\times x$, 즉
$y^2=-20x$
이 포물선이 점 $(a, 10)$을 지나므로
$10^2=-20a$
$\therefore a=-5$

04 포물선 위의 임의의 점 P의 좌표를 (x, y), 포물선의 초점 $(4, 0)$을 F, 점 P에서 직선 $x=0$에 내린 수선의 발을 H라 하면 포물선의 정의에 의하여
$\overline{PF}=\overline{PH}$이므로 $\sqrt{(x-4)^2+y^2}=|x-0|$
양변을 제곱하면
$(x-4)^2+y^2=x^2$
$-8x+16+y^2=0$
$\therefore y^2=8(x-2)$

다른 풀이

포물선의 꼭짓점에서 초점 $(4, 0)$에 이르는 거리와 준선 $x=0$에 이르는 거리는 같으므로 꼭짓점의 좌표는 $(2, 0)$이다.
이때 주어진 포물선의 준선 $x=0$이 y축에 평행하므로 구하는 포물선의 방정식을
$y^2=4p(x-2)$ $\quad\cdots\cdots$ ㉠
로 놓을 수 있다.
포물선 ㉠은 포물선 $y^2=4px$를 x축의 방향으로 2만큼 평행이동한 것이므로 포물선 ㉠의 초점의 좌표는 $(p+2, 0)$이다.
즉 $p+2=4$에서 $p=2$
따라서 구하는 포물선의 방정식은
$y^2=4\times2\times(x-2)$
$\therefore y^2=8(x-2)$

05 $y^2=12x=4\times3\times x$이므로
$p=3$
즉 초점의 좌표는 $(3, 0)$, 준선의 방정식은 $x=-3$
오른쪽 그림과 같이 포물선 위의 임의의 점 P의 좌표를 (a, b), 포물선의 초점을 F, 점 P에서 직선 $x=-3$에 내린 수선의 발을 H라 하면 포물선의 정의에 의하여
$\overline{PH}=\overline{PF}=7$

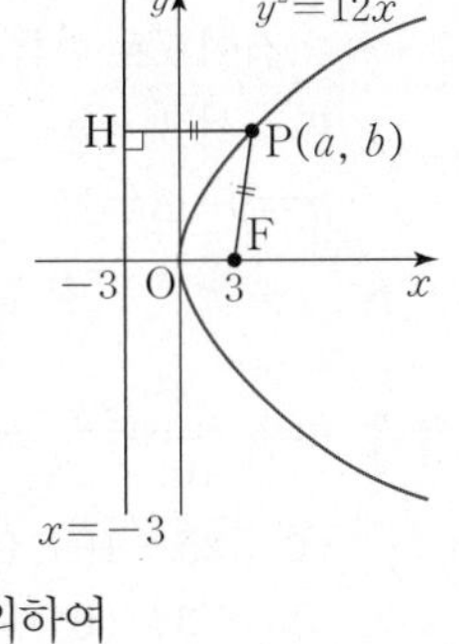

이때 $\overline{PH}=|a-(-3)|$이므로
$|a+3|=7$
$\therefore a=4\ (\because a\geq0)$

06 포물선 $(y-2)^2=16(x+1)$은 포물선 $y^2=16x$를 x축의 방향으로 -1만큼, y축의 방향으로 2만큼 평행이동한 것이다. 포물선 $y^2=16x=4\times4\times x$의 초점의 좌표는 $(4, 0)$이므로 포물선 $(y-2)^2=16(x+1)$의 초점의 좌표는 $(3, 2)$이다.
이때 포물선 $(y-2)^2=16(x+1)$을 x축의 방향으로 a만큼, y축의 방향으로 b만큼 평행이동한 포물선의 초점의 좌표는 $(3+a, 2+b)$이고 이 점이 원점과 일치하므로
$3+a=0$, $2+b=0$에서 $a=-3$, $b=-2$
$\therefore a+b=-3+(-2)=-5$

07 두 점으로부터의 거리의 합이 일정한 점들의 집합은 타원이다.
구하는 타원의 방정식을 $\dfrac{x^2}{a^2}+\dfrac{y^2}{b^2}=1\ (a>b>0)$이라 하면 $2a=6$에서 $a=3$
이때 $b^2=a^2-2^2=3^2-2^2=5$이므로
구하는 타원의 방정식은 $\dfrac{x^2}{9}+\dfrac{y^2}{5}=1$

08 $4x^2+y^2=4$의 양변을 4로 나누면 $x^2+\dfrac{y^2}{4}=1$
ㄱ. 초점의 좌표는 $(0, \sqrt{4-1})$, $(0, -\sqrt{4-1})$,
즉 $(0, \sqrt{3})$, $(0, -\sqrt{3})$
ㄴ. 꼭짓점의 좌표는 $(\pm1, 0)$, $(0, \pm2)$
ㄷ. 장축의 길이는 $2b=2\times2=4$
ㄹ. 단축의 길이는 $2a=2\times1=2$
따라서 옳은 것은 ㄴ, ㄹ이다.

09 타원 $\dfrac{(x-1)^2}{a}+\dfrac{(y+3)^2}{7}=1$은 타원 $\dfrac{x^2}{a}+\dfrac{y^2}{7}=1$을 x축의 방향으로 1만큼, y축의 방향으로 -3만큼 평행이동한 것이다.
타원 $\dfrac{x^2}{a}+\dfrac{y^2}{7}=1$의 초점의 좌표는
$(\sqrt{a-7}, 0)$, $(-\sqrt{a-7}, 0)$이므로
타원 $\dfrac{(x-1)^2}{a}+\dfrac{(y+3)^2}{7}=1$의 초점의 좌표는
$(1+\sqrt{a-7}, -3)$, $(1-\sqrt{a-7}, -3)$
이때 주어진 타원의 두 초점의 좌표가
$(3, -3)$, $(-1, -3)$이므로
$1+\sqrt{a-7}=3$, $1-\sqrt{a-7}=-1$
$\sqrt{a-7}=2$, $a-7=4$
$\therefore a=11$

10 타원 $\frac{x^2}{8}+\frac{y^2}{2}=1$의 초점의 좌표는 $(\sqrt{8-2}, 0)$, $(-\sqrt{8-2}, 0)$, 즉 $\mathrm{F}(\sqrt{6}, 0)$, $\mathrm{F}'(-\sqrt{6}, 0)$이므로
$\overline{\mathrm{FF}'}=2\times\sqrt{6}=2\sqrt{6}$
따라서 삼각형 PF′F의 넓이는
$\frac{1}{2}\times2\sqrt{6}\times1=\sqrt{6}$

11 두 점 F, F′이 타원의 초점이고, 두 점 A, B가 타원 위의 점이므로 타원의 정의에 의하여
$\overline{\mathrm{AF}}+\overline{\mathrm{AF}'}=\overline{\mathrm{BF}}+\overline{\mathrm{BF}'}=$(장축의 길이)$=8$
따라서 삼각형 AF′B의 둘레의 길이는
$\overline{\mathrm{AF}'}+\overline{\mathrm{BF}'}+\overline{\mathrm{AB}}=\overline{\mathrm{AF}'}+\overline{\mathrm{BF}'}+(\overline{\mathrm{AF}}+\overline{\mathrm{BF}})$
$=(\overline{\mathrm{AF}}+\overline{\mathrm{AF}'})+(\overline{\mathrm{BF}}+\overline{\mathrm{BF}'})$
$=8+8=16$

12 $5x^2+9y^2-18y-36=0$에서 $5x^2+9(y-1)^2=45$
$\therefore \frac{x^2}{9}+\frac{(y-1)^2}{5}=1$
타원 $\frac{x^2}{9}+\frac{(y-1)^2}{5}=1$은 타원 $\frac{x^2}{9}+\frac{y^2}{5}=1$을 y축의 방향으로 1만큼 평행이동한 것이다.
타원 $\frac{x^2}{9}+\frac{y^2}{5}=1$의 초점의 좌표는
$(\sqrt{9-5}, 0)$, $(-\sqrt{9-5}, 0)$, 즉 $(2, 0)$, $(-2, 0)$
이고, 평행이동하여도 두 초점 사이의 거리는 변하지 않으므로 주어진 타원의 두 초점 사이의 거리는 $p=4$
또 평행이동하여도 장축, 단축의 길이는 변하지 않으므로 주어진 타원의 장축의 길이는 $q=2\times3=6$
단축의 길이는 $r=2\times\sqrt{5}=2\sqrt{5}$
$\therefore p+q+r=4+6+2\sqrt{5}$
$=10+2\sqrt{5}$

13 구하는 쌍곡선의 방정식을
$\frac{x^2}{a^2}-\frac{y^2}{b^2}=-1\ (a>0,\ b>0)$이라 하면 주축의 길이가 4이므로 $2b=4$에서 $b=2$
이때 $a^2=3^2-b^2=3^2-2^2=5$이므로
구하는 쌍곡선의 방정식은
$\frac{x^2}{5}-\frac{y^2}{4}=-1$

14 구하는 쌍곡선의 방정식을
$\frac{x^2}{a^2}-\frac{y^2}{b^2}=1\ (a>0,\ b>0)$이라 하면 초점의 좌표가 $(1, 0)$, $(-1, 0)$이므로
$a^2+b^2=1$ ...... ㉠
또 점근선의 방정식이 $y=x$, $y=-x$이므로 $\frac{b}{a}=1$
$\therefore a=b$ ...... ㉡
㉠, ㉡을 연립하여 풀면
$a^2=\frac{1}{2}$, $b^2=\frac{1}{2}$
따라서 구하는 쌍곡선의 방정식은
$2x^2-2y^2=1$

15 두 직선 $y=2x$, $y=-2x$를 점근선으로 하고 점 $(1, 0)$을 지나는 쌍곡선은 주축이 x축 위에 있으므로 구하는 쌍곡선의 방정식을
$\frac{x^2}{a^2}-\frac{y^2}{b^2}=1\ (a>0, b>0)$이라 하자.
점근선의 방정식이 $y=2x$, $y=-2x$이므로 $\frac{b}{a}=2$
$\therefore b=2a$ ...... ㉠
또 점 $(1, 0)$이 쌍곡선 위의 점이므로 $\frac{1}{a^2}=1$
$\therefore a=1\ (\because a>0)$
$a=1$을 ㉠에 대입하면 $b=2$
따라서 구하는 쌍곡선의 방정식은
$x^2-\frac{y^2}{4}=1$

16 점근선의 방정식이 $y=\pm\frac{b}{a}x$이므로 두 점근선이 서로 수직이려면 $\frac{b}{a}\times\left(-\frac{b}{a}\right)=-1$
$\therefore b^2=a^2$ ...... ㉠
또 쌍곡선 $\frac{x^2}{a^2}-\frac{y^2}{b^2}=1$이 점 $(3, 1)$을 지나므로
$\frac{3^2}{a^2}-\frac{1^2}{b^2}=1$ $\therefore \frac{9}{a^2}-\frac{1}{b^2}=1$ ...... ㉡
㉠, ㉡을 연립하여 풀면 $a^2=8$
$\therefore a=2\sqrt{2}\ (\because a>0)$
따라서 주축의 길이는
$2a=2\times2\sqrt{2}=4\sqrt{2}$

17 $y^2=-12x=4\times(-3)\times x$이므로 포물선의 초점의 좌표는 $(-3, 0)$이고, 이 점이 타원 $\frac{x^2}{a}+\frac{y^2}{3}=1$의 한 초점이므로 다른 한 초점의 좌표는 $(3, 0)$이다.
따라서 $3^2=a-3$이므로
$a=9+3=12$

18 타원 $\frac{x^2}{16}+\frac{y^2}{25}=1$의 초점의 좌표는
$(0, \sqrt{25-16})$, $(0, -\sqrt{25-16})$,
즉 $(0, 3)$, $(0, -3)$이므로 두 점 $\mathrm{A}(0, 3)$, $\mathrm{R}(0, -3)$은 모두 타원의 초점이다.

오른쪽 그림과 같이 두 점 P, Q를 잡으면 타원의 정의에 의하여

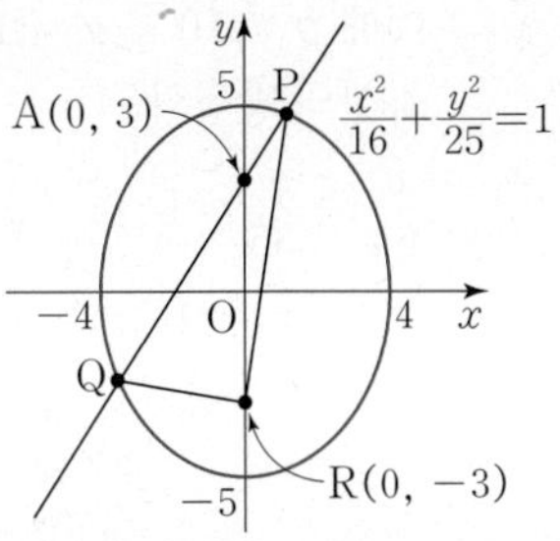

$\overline{PA}+\overline{PR}$
$=\overline{QA}+\overline{QR}$
$=$(장축의 길이)
$=10$

따라서 삼각형 PQR의 둘레의 길이는

$\overline{PQ}+\overline{QR}+\overline{PR}=(\overline{PA}+\overline{QA})+\overline{QR}+\overline{PR}$
$=(\overline{PA}+\overline{PR})+(\overline{QA}+\overline{QR})$
$=10+10=20$

19 쌍곡선 $\frac{x^2}{16}-\frac{y^2}{9}=1$의 초점의 좌표는

$(\sqrt{16+9}, 0), (-\sqrt{16+9}, 0)$,
즉 $F(5, 0), F'(-5, 0)$

$\therefore \overline{FF'}=10$

그런데 주축의 길이는 $2a=8$이므로 쌍곡선의 정의에 의하여 $|\overline{PF'}-\overline{PF}|=8$이다.

이때 삼각형 PF′F의 둘레의 길이가 30이므로

$\overline{PF'}+\overline{FF'}+\overline{PF}=30$에서

$\overline{PF'}+\overline{PF}=30-\overline{FF'}$
$=30-10$
$=20$

$\therefore |\overline{PF}^2-\overline{PF'}^2|=|\overline{PF}+\overline{PF'}|\times|\overline{PF}-\overline{PF'}|$
$=20\times8$
$=160$

20 쌍곡선 $\frac{x^2}{p}-\frac{(y-r)^2}{q}=-1$을 y축의 방향으로 $-r$만큼 평행이동한 것은 쌍곡선 $\frac{x^2}{p}-\frac{y^2}{q}=-1$이다.

이때 주축의 길이가 6이므로 $2\sqrt{q}=6$에서 $q=9$

또 두 초점의 좌표 $(0, 7), (0, -1)$을 y축의 방향으로 $-r$만큼 평행이동한 점의 좌표는 각각 $(0, 7-r)$, $(0, -1-r)$이다.

한편 쌍곡선 $\frac{x^2}{p}-\frac{y^2}{q}=-1$의 중심의 좌표, 즉 두 점 $(0, 7-r)$, $(0, -1-r)$의 중점의 좌표가 $(0, 0)$이므로

$\frac{(7-r)+(-1-r)}{2}=0, 3-r=0$

$\therefore r=3$

따라서 쌍곡선 $\frac{x^2}{p}-\frac{y^2}{q}=-1$의 두 초점의 좌표는 $(0, 4), (0, -4)$이므로

$4^2=p+9 \quad \therefore p=7$

$\therefore p-q+r=7-9+3$
$=1$

21 쌍곡선 $\frac{x^2}{9}-\frac{y^2}{7}=1$의 초점의 좌표는

$(\sqrt{9+7}, 0), (-\sqrt{9+7}, 0)$, 즉 $F(4, 0), F'(-4, 0)$

$\therefore \overline{FF'}=8$

또 점 F를 지나고 x축에 수직인 직선 $x=4$와 쌍곡선의 교점 A, B의 좌표는

$\frac{4^2}{9}-\frac{y^2}{7}=1$에서 $y=\pm\frac{7}{3}$이므로

$A\left(4, \frac{7}{3}\right), B\left(4, -\frac{7}{3}\right)$

$\therefore \overline{AB}=\frac{14}{3}$

따라서 삼각형 AF′B의 넓이는

$\frac{1}{2}\times\frac{14}{3}\times8=\frac{56}{3}$

22 포물선 $(y-3)^2=-12(x+1)$은 포물선 $y^2=-12x$를 x축의 방향으로 -1만큼, y축의 방향으로 3만큼 평행이동한 것이다.

따라서 포물선 $y^2=-12x=4\times(-3)\times x$의 초점의 좌표가 $(-3, 0)$이고, 준선의 방정식이 $x=3$이므로 주어진 포물선의 초점의 좌표는 $(-4, 3)$이고, 준선의 방정식은 $x=2$이다.

23 $4x^2+8y^2=32$에서 $\frac{x^2}{8}+\frac{y^2}{4}=1$의 초점의 좌표는

$(\sqrt{8-4}, 0), (-\sqrt{8-4}, 0)$, 즉 $(2, 0), (-2, 0)$

이 두 점을 초점으로 하고 단축의 길이가 2인 타원의 방정식을 $\frac{x^2}{a^2}+\frac{y^2}{b^2}=1\ (a>b>0)$이라 하면

$2b=2$에서 $b=1$

이때 $a^2=b^2+2^2=1^2+2^2=5$이므로 타원의 방정식은

$\frac{x^2}{5}+y^2=1$

따라서 구하는 장축의 길이는 $2\times\sqrt{5}=2\sqrt{5}$

24 쌍곡선 $\frac{x^2}{5}-\frac{y^2}{4}=1$의 초점의 좌표는

$(\sqrt{5+4}, 0), (-\sqrt{5+4}, 0)$, 즉 $F(3, 0), F'(-3, 0)$

$\therefore \overline{FF'}=6$

사각형 F′QFP의 넓이가 24이므로 삼각형 PF′F의 넓이는 $\frac{1}{2}\times24=12$이다.

이때 제1사분면에 있는 쌍곡선 위의 점 P의 좌표를 (p, q)라 하면 삼각형 PF′F의 넓이는

$\frac{1}{2}\times\overline{FF'}\times q=\frac{1}{2}\times6\times q=3q$

즉 $3q=12$에서 $q=4$

또 점 $P(p, 4)$가 주어진 쌍곡선 위의 점이므로

$\frac{p^2}{5}-\frac{4^2}{4}=1, p^2=25$

$\therefore p=5\ (\because p>0)$

따라서 구하는 점 P의 좌표는 $(5, 4)$이다.

창의력 · 융합형 · 서술형 · 코딩

본문 22~23쪽

1 (1) $y^2=64x$ (2) C

2 (1) $\frac{x^2}{225}+\frac{y^2}{625}=1$ (2) 40 cm

3 (1) $\frac{x^2}{64}-\frac{y^2}{36}=1$ (2) $\mathrm{P}(-12, 3\sqrt{5})$

4 (1) $\frac{x^2}{400}-\frac{y^2}{2100}=1$ (2) $30\sqrt{7}$

1 (1) A 지점을 원점으로 하면 초점인 P 지점의 좌표는 $(16, 0)$

$y^2=4px$에서 $p=16$이므로 구하는 포물선의 방정식은 $y^2=4\times16\times x$, 즉 $y^2=64x$

(2) 매점의 위치를 X라 하고, 점 X에서 준선에 내린 수선의 발을 H라 하면 포물선의 정의에 의하여 $\overline{\mathrm{HX}}=\overline{\mathrm{PX}}$이므로

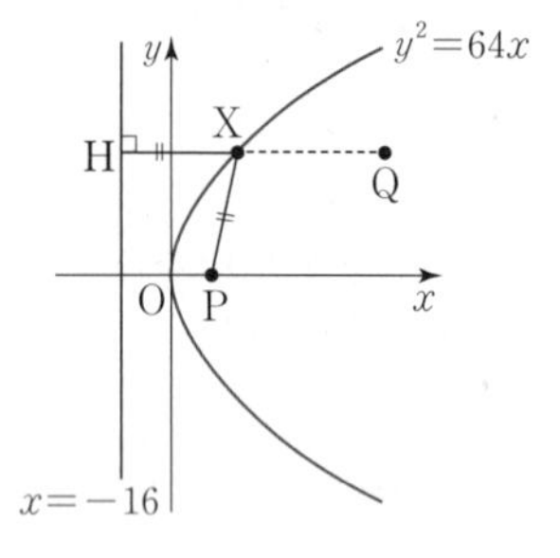

$\overline{\mathrm{PX}}+\overline{\mathrm{QX}}$
$=\overline{\mathrm{HX}}+\overline{\mathrm{QX}}$

즉 세 점 H, X, Q가 한 직선 위에 있어야 $\overline{\mathrm{PX}}+\overline{\mathrm{QX}}$의 값이 최소가 되므로 매점의 위치로 적절한 지점은 C이다.

2 (1) 장축의 길이가 50, 단축의 길이가 30인 타원의 방정식을 $\frac{x^2}{a^2}+\frac{y^2}{b^2}=1\ (b>a>0)$이라 하면

$2b=50$에서 $b=25$, $2a=30$에서 $a=15$

따라서 구하는 타원의 방정식은

$\frac{x^2}{225}+\frac{y^2}{625}=1$

(2) 충격파 발사 장치에서 결석까지의 거리는 타원의 두 초점 사이의 거리와 같다.

타원 $\frac{x^2}{225}+\frac{y^2}{625}=1$의 초점의 좌표는

$(0, \sqrt{625-225})$, $(0, -\sqrt{625-225})$,

즉 $(0, 20)$, $(0, -20)$

따라서 타원의 두 초점 사이의 거리는

$|20-(-20)|=40$

이므로 충격파 발사 장치에서 결석까지의 거리는 40 cm이다.

3 (1) 조난 지점을 P라 하면 점 P는 B 관측소보다 A 관측소에 16 km만큼 더 가까이 있으므로 두 점 $\mathrm{A}(-10, 0)$, $\mathrm{B}(10, 0)$을 초점으로 하고 두 초점으로부터의 거리의 차가 16인 쌍곡선 위의 점이다. 이 쌍곡선의 방정식을 $\frac{x^2}{a^2}-\frac{y^2}{b^2}=1\ (a>0, b>0)$이라 하면

$2a=16$에서 $a=8$

이때 $b^2=10^2-a^2=10^2-8^2=36$이므로 구하는 쌍곡선의 방정식은

$\frac{x^2}{64}-\frac{y^2}{36}=1$

(2)

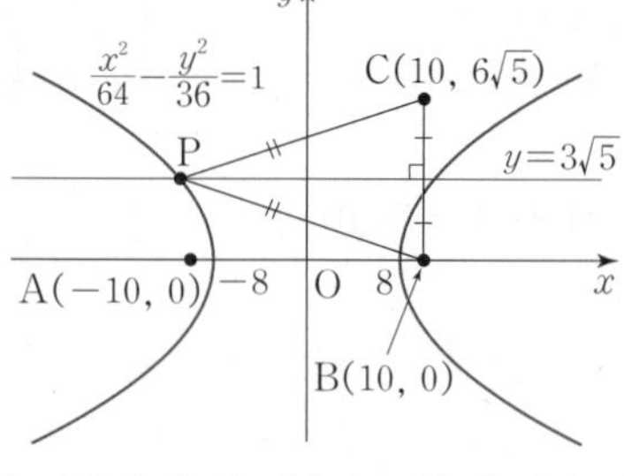

점 P는 B 관측소와 C 관측소로부터 같은 거리에 있으므로 두 점 $\mathrm{B}(10, 0)$, $\mathrm{C}(10, 6\sqrt{5})$의 수직이등분선 위에 있다. 이때 선분 BC의 수직이등분선의 방정식은 $y=3\sqrt{5}$이므로 점 P는 두 방정식 $\frac{x^2}{64}-\frac{y^2}{36}=1$과 $y=3\sqrt{5}$의 교점들 중 제2사분면에 위치한 점이다.

두 식을 연립하여 풀면

$\frac{x^2}{64}-\frac{(3\sqrt{5})^2}{36}=1$, $x^2=144$

$\therefore x=-12\ (\because x<0)$

따라서 조난 지점 P의 좌표는

$(-12, 3\sqrt{5})$

4 (1) 배와 두 기지 사이의 거리의 차가 항상 40 km로 일정하므로 배의 이동 경로를 나타내는 이차곡선은 쌍곡선이다.

두 기지 A, B가 100 km 떨어져 있으므로

$\mathrm{A}(-50, 0)$, $\mathrm{B}(50, 0)$

배의 위치를 P라 하면 점 P는 두 초점 A, B로부터의 거리의 차가 40인 쌍곡선 위의 점이다. 이 쌍곡선의 방정식을 $\frac{x^2}{a^2}-\frac{y^2}{b^2}=1\ (a>0, b>0)$이라 하면

$2a=40$에서 $a=20$

이때 $b^2=50^2-a^2=50^2-20^2=2100$이므로 구하는 쌍곡선의 방정식은

$\frac{x^2}{400}-\frac{y^2}{2100}=1$

(2) 점 $(-40, a)$는 쌍곡선 $\frac{x^2}{400}-\frac{y^2}{2100}=1$ 위의 점이므로

$\frac{(-40)^2}{400}-\frac{a^2}{2100}=1$

$a^2=6300$

$\therefore a=30\sqrt{7}\ (\because a>0)$

02 이차곡선과 직선

STEP 1 교과서 개념 확인 테스트 | 본문 26~27쪽

1-1 서로 다른 두 점에서 만난다.
1-2 (1) 한 점에서 만난다. (접한다.) (2) 만나지 않는다.
2-1 $y=2x+2$ **2-2** $y=3x-1$
3-1 $y=-x-1$ **3-2** $y=x+2$
4-1 $y=-2x\pm5$ **4-2** $y=x\pm3$
5-1 $y=-\frac{1}{2}x+2$ **5-2** $y=x+4$
6-1 (1) $y=x\pm1$ (2) $y=x-1$
6-2 (1) $y=-x\pm2$ (2) $y=-\frac{1}{4}x+\frac{3}{2}$

1-1 $y=x+2$를 $y^2=-4x$에 대입하면
$(x+2)^2=-4x$
$\therefore x^2+8x+4=0$
이 이차방정식의 판별식을 D라 하면
$\frac{D}{4}=4^2-1\times4=12>0$
따라서 주어진 포물선과 직선은 서로 다른 두 점에서 만난다.

1-2 (1) $y=-x-3$을 $4x^2+5y^2=20$에 대입하면
$4x^2+5(-x-3)^2=20$
$\therefore 9x^2+30x+25=0$
이 이차방정식의 판별식을 D라 하면
$\frac{D}{4}=15^2-9\times25=0$
따라서 주어진 타원과 직선은 한 점에서 만난다. (접한다.)
(2) $x+y=1$, 즉 $y=-x+1$을 $5x^2-3y^2=-15$에 대입하면
$5x^2-3(-x+1)^2=-15$
$\therefore x^2+3x+6=0$
이 이차방정식의 판별식을 D라 하면
$D=3^2-4\times1\times6=-15<0$
따라서 주어진 쌍곡선과 직선은 만나지 않는다.

2-1 $y^2=16x=4\times4\times x$에서 $p=4$이므로 기울기가 2인 접선의 방정식은
$y=2x+\frac{4}{2}$ $\therefore y=2x+2$

2-2 $y^2=-12x=4\times(-3)\times x$에서 $p=-3$이므로 기울기가 3인 접선의 방정식은
$y=3x+\frac{-3}{3}$ $\therefore y=3x-1$

3-1 $y^2=4x=4\times1\times x$에서 $p=1$이므로 포물선 $y^2=4x$ 위의 점 $(1, -2)$에서의 접선의 방정식은
$-2y=2\times1\times(x+1)$ $\therefore y=-x-1$

3-2 $x^2=-8y=4\times(-2)\times y$에서 $p=-2$이므로 포물선 $x^2=-8y$ 위의 점 $(-4, -2)$에서의 접선의 방정식은
$-4x=2\times(-2)\times\{y+(-2)\}$
$\therefore y=x+2$

4-1 타원 $\frac{x^2}{6}+y^2=1$에서 $a^2=6$, $b^2=1$이므로 기울기가 -2인 접선의 방정식은
$y=-2x\pm\sqrt{6\times(-2)^2+1}$
$\therefore y=-2x\pm5$

4-2 타원 $2x^2+4y^2=12$, 즉 $\frac{x^2}{6}+\frac{y^2}{3}=1$에서 $a^2=6$, $b^2=3$이므로 기울기가 1인 접선의 방정식은
$y=x\pm\sqrt{6\times1^2+3}$
$\therefore y=x\pm3$

5-1 타원 $\frac{x^2}{8}+\frac{y^2}{2}=1$ 위의 점 $(2, 1)$에서의 접선의 방정식은
$\frac{2\times x}{8}+\frac{1\times y}{2}=1$ $\therefore y=-\frac{1}{2}x+2$

5-2 타원 $3x^2+y^2=12$, 즉 $\frac{x^2}{4}+\frac{y^2}{12}=1$ 위의 점 $(-1, 3)$에서의 접선의 방정식은
$\frac{(-1)\times x}{4}+\frac{3\times y}{12}=1$ $\therefore y=x+4$

6-1 (1) 쌍곡선 $\frac{x^2}{4}-\frac{y^2}{3}=1$에서 $a^2=4$, $b^2=3$이므로 기울기가 1인 접선의 방정식은
$y=x\pm\sqrt{4\times1^2-3}$ $\therefore y=x\pm1$
(2) 쌍곡선 $\frac{x^2}{5}-\frac{y^2}{4}=1$ 위의 점 $(5, 4)$에서의 접선의 방정식은
$\frac{5\times x}{5}-\frac{4\times y}{4}=1$ $\therefore y=x-1$

6-2 (1) 쌍곡선 $7x^2-3y^2=-21$, 즉 $\frac{x^2}{3}-\frac{y^2}{7}=-1$에서 $a^2=3$, $b^2=7$이므로 기울기가 -1인 접선의 방정식은
$y=-x\pm\sqrt{7-3\times(-1)^2}$
$\therefore y=-x\pm2$
(2) 쌍곡선 $x^2-4y^2=-12$, 즉 $\frac{x^2}{12}-\frac{y^2}{3}=-1$ 위의 점 $(-2, 2)$에서의 접선의 방정식은
$\frac{(-2)\times x}{12}-\frac{2\times y}{3}=-1$
$\therefore y=-\frac{1}{4}x+\frac{3}{2}$

STEP 2 기출 기초 테스트 본문 28~29쪽

1-1 (1) $k>-1$ (2) $k=-1$ (3) $k<-1$
1-2 (1) 풀이 참조 (2) 풀이 참조
2-1 6 2-2 $2\sqrt{5}$
3-1 $y=2x+2$ 3-2 1
4-1 $y=2x\pm4$ 4-2 $y=3x\pm7$
5-1 $y=x-5$ 5-2 $y=2x-6$
6-1 $y=-x\pm2$ 6-2 $y=\frac{1}{2}x\pm3$

1-1 $y=-x+k$를 $y^2=4x$에 대입하면
$(-x+k)^2=4x$
$\therefore x^2-2(k+2)x+k^2=0$
이 이차방정식의 판별식을 D라 하면
$\frac{D}{4}=\{-(k+2)\}^2-1\times k^2=4k+4$
$=4(k+1)$
(1) 포물선과 직선이 서로 다른 두 점에서 만나려면
$\frac{D}{4}=4(k+1)>0$이어야 하므로 $k>-1$
(2) 포물선과 직선이 한 점에서 만나려면
$\frac{D}{4}=4(k+1)=0$이어야 하므로 $k=-1$
(3) 포물선과 직선이 만나지 않으려면
$\frac{D}{4}=4(k+1)<0$이어야 하므로 $k<-1$

1-2 (1) $y=-x+k$를 $x^2+\frac{y^2}{3}=1$에 대입하면
$x^2+\frac{(-x+k)^2}{3}=1$
$\therefore 4x^2-2kx+k^2-3=0$
이 이차방정식의 판별식을 D라 하면
$\frac{D}{4}=(-k)^2-4(k^2-3)=-3k^2+12$
$=-3(k+2)(k-2)$
따라서 주어진 타원과 직선의 위치 관계는 다음과 같다.
(i) $D>0$, 즉 $-3(k+2)(k-2)>0$에서
$-2<k<2$일 때, 서로 다른 두 점에서 만난다.
(ii) $D=0$, 즉 $-3(k+2)(k-2)=0$에서
$k=\pm2$일 때, 한 점에서 만난다. (접한다.)
(iii) $D<0$, 즉 $-3(k+2)(k-2)<0$에서
$k<-2$ 또는 $k>2$일 때, 만나지 않는다.
(2) $y=3x-2$를 $3x^2-y^2=k$에 대입하면
$3x^2-(3x-2)^2=k$
$\therefore 6x^2-12x+k+4=0$
이 이차방정식의 판별식을 D라 하면
$\frac{D}{4}=(-6)^2-6(k+4)=-6k+12$
$=-6(k-2)$
따라서 주어진 쌍곡선과 직선의 위치 관계는 다음과 같다.
(i) $D>0$, 즉 $-6(k-2)>0$에서 $k<2$일 때, 서로 다른 두 점에서 만난다.
(ii) $D=0$, 즉 $-6(k-2)=0$에서 $k=2$일 때, 한 점에서 만난다. (접한다.)
(iii) $D<0$, 즉 $-6(k-2)<0$에서 $k>2$일 때, 만나지 않는다.

2-1 $y^2=-4x=4\times(-1)\times x$에서 $p=-1$이므로 기울기가 $\frac{1}{3}$인 접선의 방정식은
$y=\frac{1}{3}x+\frac{-1}{\frac{1}{3}}$ $\therefore y=\frac{1}{3}x-3$
이때 직선 $y=\frac{1}{3}x-3$이 점 $(a, -1)$을 지나므로
$-1=\frac{1}{3}a-3$ $\therefore a=6$

2-2 $y^2=32x=4\times8\times x$에서 $p=8$이므로 기울기가 2인 접선의 방정식은
$y=2x+\frac{8}{2}$ $\therefore y=2x+4$
이때 직선 $y=2x+4$와 x축, y축이 만나는 두 점은 $\mathrm{A}(-2, 0)$, $\mathrm{B}(0, 4)$이므로
$\overline{\mathrm{AB}}=\sqrt{\{0-(-2)\}^2+(4-0)^2}=2\sqrt{5}$

3-1 $y^2=16x$에 $x=1$을 대입하면
$y^2=16$ $\therefore y=-4$ 또는 $y=4$
따라서 포물선 $y^2=16x$와 직선 $x=1$의 교점 중 제1사분면 위에 있는 교점의 좌표는 $(1, 4)$
$y^2=16x=4\times4\times x$에서 $p=4$이므로 포물선 $y^2=16x$ 위의 점 $(1, 4)$에서의 접선의 방정식은
$4y=2\times4\times(x+1)$
$\therefore y=2x+2$

3-2 $y^2=-8x=4\times(-2)\times x$에서 $p=-2$이므로 포물선 $y^2=-8x$ 위의 점 $(-2, 4)$에서의 접선의 방정식은
$4y=2\times(-2)\times\{x+(-2)\}$
$\therefore y=-x+2$
이때 직선 $y=-x+2$가 점 $(1, a)$를 지나므로
$a=-1+2=1$

4-1 타원 $4x^2+3y^2=12$, 즉 $\frac{x^2}{3}+\frac{y^2}{4}=1$에서
$a^2=3$, $b^2=4$

이때 타원 $\frac{x^2}{3}+\frac{y^2}{4}=1$에 접하고 직선 $y=2x+5$에 평행한 직선의 기울기는 2이므로 구하는 직선의 방정식은

$y=2x\pm\sqrt{3\times2^2+4}$

$\therefore y=2x\pm4$

4-2 타원 $\frac{x^2}{5}+\frac{y^2}{4}=1$에서 $a^2=5, b^2=4$

이때 타원 $\frac{x^2}{5}+\frac{y^2}{4}=1$에 접하고 직선 $y=-\frac{1}{3}x+2$에 수직인 직선의 기울기는 3이므로 구하는 직선의 방정식은

$y=3x\pm\sqrt{5\times3^2+4}$

$\therefore y=3x\pm7$

5-1

점 $(4, a)$가 타원 $x^2+4y^2=20$ 위의 점이므로

$4^2+4a^2=20, a^2=1 \qquad \therefore a=\pm1$

이때 점 $(4, -1)$에서의 접선의 기울기가 양수이므로 타원 $x^2+4y^2=20$, 즉 $\frac{x^2}{20}+\frac{y^2}{5}=1$ 위의 점 $(4, -1)$에서의 접선의 방정식은

$\frac{4\times x}{20}+\frac{(-1)\times y}{5}=1$

$\therefore y=x-5$

5-2 점 $(2, -2)$가 타원 $ax^2+y^2=12$ 위의 점이므로

$a\times2^2+(-2)^2=12, 4a=8 \qquad \therefore a=2$

따라서 타원 $2x^2+y^2=12$, 즉 $\frac{x^2}{6}+\frac{y^2}{12}=1$ 위의 점 $(2, -2)$에서의 접선의 방정식은

$\frac{2\times x}{6}+\frac{(-2)\times y}{12}=1$

$\therefore y=2x-6$

6-1 쌍곡선 $\frac{x^2}{13}-\frac{y^2}{9}=1$에서 $a^2=13, b^2=9$

이때 쌍곡선 $\frac{x^2}{13}-\frac{y^2}{9}=1$에 접하고 직선 $y=-x+3$에 평행한 직선의 기울기는 -1이므로 구하는 직선의 방정식은

$y=-x\pm\sqrt{13\times(-1)^2-9}$

$\therefore y=-x\pm2$

6-2 쌍곡선 $5x^2-2y^2=-20$, 즉 $\frac{x^2}{4}-\frac{y^2}{10}=-1$에서

$a^2=4, b^2=10$

이때 쌍곡선 $\frac{x^2}{4}-\frac{y^2}{10}=-1$에 접하고 직선 $y=-2x+1$에 수직인 직선의 기울기는 $\frac{1}{2}$이므로 구하는 직선의 방정식은

$y=\frac{1}{2}x\pm\sqrt{10-4\times\left(\frac{1}{2}\right)^2}$

$\therefore y=\frac{1}{2}x\pm3$

STEP 3 교과서 기본 테스트 | 본문 30~33쪽

01 ②	**02** $k<-4$ 또는 $k>4$	**03** ①	**04** ④
05 2	**06** ③	**07** ⑤	**08** $(2\sqrt{5}, 4\sqrt{5})$
09 ①	**10** ②	**11** ④	**12** $(-2, \sqrt{2})$
13 $y=\frac{3}{2}x\pm2$		**14** ⑤	**15** ③
16 ②			
17 $(0, 4)$	**18** 3	**19** ①	**20** 5
21 $\frac{25}{4}$			
22 $k>20$	**23** $\frac{\sqrt{2}}{4}$	**24** 3	

01 $y=x-k$를 $y^2=8x$에 대입하면

$(x-k)^2=8x$

$\therefore x^2-2(k+4)x+k^2=0$

이 이차방정식의 판별식을 D라 하면

$\frac{D}{4}=\{-(k+4)\}^2-1\times k^2=8k+16$

$=8(k+2)$

이때 포물선과 직선이 서로 다른 두 점에서 만나려면 $D>0$이어야 하므로

$8(k+2)>0 \qquad \therefore k>-2$

02 $y=2x-k$를 $4x^2+y^2=8$에 대입하면

$4x^2+(2x-k)^2=8$

$\therefore 8x^2-4kx+k^2-8=0$

이 이차방정식의 판별식을 D라 하면

$\frac{D}{4}=(-2k)^2-8\times(k^2-8)=-4k^2+64$

$=-4(k+4)(k-4)$

이때 타원과 직선이 만나지 않으려면 $D<0$이어야 하므로

$-4(k+4)(k-4)<0$

$\therefore k<-4$ 또는 $k>4$

03 $y=-x+3$을 $2x^2-y^2=k$에 대입하면

$2x^2-(-x+3)^2=k$

$\therefore x^2+6x-9-k=0$

이 이차방정식의 판별식을 D라 하면

$\frac{D}{4}=3^2-1\times(-9-k)=k+18$

이때 쌍곡선과 직선이 한 점에서 만나려면 $D=0$이어야 하므로

$k+18=0 \qquad \therefore k=-18$

04 $y^2=12x=4\times3\times x$이므로 초점의 좌표는 $(3, 0)$이다. 기울기가 1인 직선의 방정식을 $y=x+k$라 하고, 이 식을 $y^2=12x$에 대입하면

$(x+k)^2=12x \qquad \therefore x^2+2(k-6)x+k^2=0$

이 이차방정식의 판별식을 D라 하면

$\frac{D}{4}=(k-6)^2-1\times k^2=-12k+36$

$\quad =-12(k-3)$

이때 포물선과 직선이 접하려면 $D=0$이어야 하므로

$-12(k-3)=0 \qquad \therefore k=3$

따라서 접선 $y=x+3$, 즉 $x-y+3=0$과 점 $(3, 0)$ 사이의 거리는

$\frac{|3-0+3|}{\sqrt{1^2+(-1)^2}}=\frac{6}{\sqrt{2}}=3\sqrt{2}$

05 $y^2=-8x=4\times(-2)\times x$에서 $p=-2$이므로 기울기가 -1인 접선의 방정식은

$y=-x+\frac{-2}{-1} \qquad \therefore y=-x+2$

따라서 주어진 포물선에 접하고 기울기가 -1인 직선과 x축, y축으로 둘러싸인 부분의 넓이는 오른쪽 그림에서 색칠한 부분의 넓이이므로

$\frac{1}{2}\times2\times2=2$

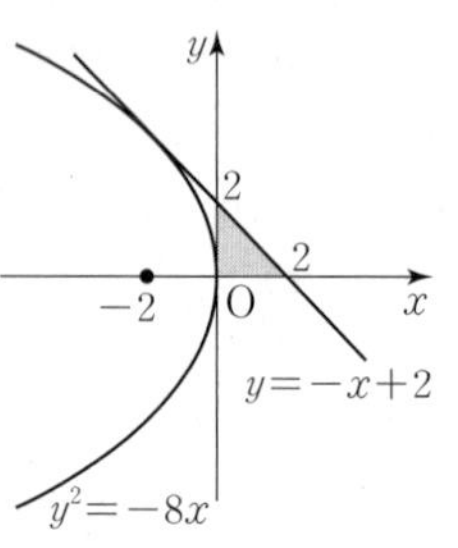

06 타원 $4x^2+5y^2=20$, 즉 $\frac{x^2}{5}+\frac{y^2}{4}=1$에서

$a^2=5, b^2=4$

x축의 양의 방향과 이루는 각의 크기가 $45°$인 직선의 기울기는 $\tan 45°=1$이므로 타원 $\frac{x^2}{5}+\frac{y^2}{4}=1$에 접하고 기울기가 1인 직선의 방정식은

$y=x\pm\sqrt{5\times1^2+4} \qquad \therefore y=x\pm3$

07 기울기가 $\sqrt{3}$인 직선의 방정식을 $y=\sqrt{3}x+k$라 하고, 이 식을 $x^2+3y^2=30$에 대입하면

$x^2+3(\sqrt{3}x+k)^2=30$

$\therefore 10x^2+6\sqrt{3}kx+3k^2-30=0$

이 이차방정식의 판별식을 D라 하면

$\frac{D}{4}=(3\sqrt{3}k)^2-10\times(3k^2-30)=-3k^2+300$

$\quad =-3(k+10)(k-10)$

이때 타원과 직선이 접하려면 $D=0$이어야 하므로

$-3(k+10)(k-10)=0 \qquad \therefore k=\pm10$

따라서 접선의 방정식은 $y=\sqrt{3}x+10$, $y=\sqrt{3}x-10$이고, 두 직선 사이의 거리는 직선 $y=\sqrt{3}x+10$ 위의 점 $(0, 10)$과 직선 $y=\sqrt{3}x-10$, 즉 $\sqrt{3}x-y-10=0$ 사이의 거리와 같으므로

$\frac{|\sqrt{3}\times0-10-10|}{\sqrt{(\sqrt{3})^2+(-1)^2}}=\frac{20}{2}=10$

08 쌍곡선 $\frac{x^2}{4}-\frac{y^2}{20}=1$ 위의 점 P의 좌표를 (a, b)라 하면

$\frac{a^2}{4}-\frac{b^2}{20}=1 \qquad \therefore 5a^2-b^2=20 \qquad \cdots\cdots$ ㉠

또 점 $P(a, b)$에서의 접선의 방정식은

$\frac{ax}{4}-\frac{by}{20}=1$, 즉 $y=\frac{5a}{b}x-\frac{20}{b}$

이때 접선의 기울기가 $\frac{5}{2}$이므로

$\frac{5a}{b}=\frac{5}{2} \qquad \therefore b=2a \qquad \cdots\cdots$ ㉡

㉡을 ㉠에 대입하여 정리하면

$5a^2-(2a)^2=20$, $a^2=20$

$\therefore a=2\sqrt{5}$ ($\because a>0$)

$a=2\sqrt{5}$를 ㉡에 대입하면 $b=4\sqrt{5}$

따라서 점 P의 좌표는 $(2\sqrt{5}, 4\sqrt{5})$이다.

09 $y^2=8x=4\times2\times x$에서 $p=2$이므로 포물선 $y^2=8x$ 위의 점 $(2, -4)$에서의 접선의 방정식은

$-4y=2\times2\times(x+2) \qquad \therefore y=-x-2$

한편 $x^2=ay=4\times\frac{a}{4}\times y$에서 $p=\frac{a}{4}$이므로 초점의 좌표는 $\left(0, \frac{a}{4}\right)$이고, 이 점을 직선 $y=-x-2$가 지나므로

$\frac{a}{4}=-2 \qquad \therefore a=-8$

10 $y^2=4x=4\times1\times x$에서 $p=1$이므로 초점의 좌표는 $(1, 0)$이다. 이때 초점을 지나면서 y축에 평행한 직선은 $x=1$이므로 이 직선과 주어진 포물선의 교점의 좌표를 $(1, a)$라 하면

$a^2=4$에서 $a=\pm2$

즉 $P(1, 2)$, $Q(1, -2)$라 하면 점 $P(1, 2)$에서의 접선의 방정식은

$2y=2\times1\times(x+1) \qquad \therefore y=x+1$

점 $Q(1, -2)$에서의 접선의 방정식은

$-2y=2\times1\times(x+1) \qquad \therefore y=-x-1$

따라서 두 접선 $y=x+1$, $y=-x-1$의 교점의 좌표는 $x+1=-x-1$, $2x=-2$에서 $x=-1$, $y=0$이므로 $(-1, 0)$이다.

11 점 (a, b)는 타원 $\frac{x^2}{16}+\frac{y^2}{9}=1$ 위의 점이므로

$\frac{a^2}{16}+\frac{b^2}{9}=1$ …… ㉠

또 점 (a, b)에서의 접선의 방정식은 $\frac{ax}{16}+\frac{by}{9}=1$이고, 이 직선의 x절편이 8이므로

$\frac{a\times8}{16}+\frac{b\times0}{9}=1$ $\therefore a=2$

$a=2$를 ㉠에 대입하면

$\frac{2^2}{16}+\frac{b^2}{9}=1$ $\therefore b^2=\frac{27}{4}$

$\therefore a^2b^2=2^2\times\frac{27}{4}=27$

12 타원 $\frac{x^2}{8}+\frac{y^2}{4}=1$ 위의 점 P의 좌표를 (a, b)라 하면

$\frac{a^2}{8}+\frac{b^2}{4}=1$ …… ㉠

또 점 $\mathrm{P}(a, b)$에서의 접선의 방정식은 $\frac{ax}{8}+\frac{by}{4}=1$이고, 이 직선의 y절편이 $2\sqrt{2}$이므로

$\frac{a\times0}{8}+\frac{b\times2\sqrt{2}}{4}=1$ $\therefore b=\sqrt{2}$

$b=\sqrt{2}$를 ㉠에 대입하면

$\frac{a^2}{8}+\frac{(\sqrt{2})^2}{4}=1$, $a^2=4$ $\therefore a=-2$ ($\because a<0$)

따라서 점 P의 좌표는 $(-2, \sqrt{2})$이다.

13 타원 $\frac{x^2}{18}+\frac{y^2}{8}=1$ 위의 점 $(3, 2)$에서의 접선의 방정식은 $\frac{3\times x}{18}+\frac{2\times y}{8}=1$ $\therefore y=-\frac{2}{3}x+4$

따라서 쌍곡선 $\frac{x^2}{4}-\frac{y^2}{5}=1$에 접하고 직선 $y=-\frac{2}{3}x+4$에 수직인 직선의 기울기는 $\frac{3}{2}$이므로 구하는 직선의 방정식은

$y=\frac{3}{2}x\pm\sqrt{4\times\left(\frac{3}{2}\right)^2-5}$ $\therefore y=\frac{3}{2}x\pm2$

14 쌍곡선 $4x^2-y^2=3$, 즉 $\frac{x^2}{\frac{3}{4}}-\frac{y^2}{3}=1$ 위의 점 $\mathrm{P}(1, -1)$에서의 접선의 방정식은

$\frac{1\times x}{\frac{3}{4}}-\frac{(-1)\times y}{3}=1$ $\therefore y=-4x+3$

따라서 점 $\mathrm{P}(1, -1)$을 지나고 직선 $y=-4x+3$에 수직인 직선의 기울기는 $\frac{1}{4}$이므로 구하는 직선의 방정식은

$y-(-1)=\frac{1}{4}(x-1)$

$\therefore y=\frac{1}{4}x-\frac{5}{4}$

15 $y^2=-8x=4\times(-2)\times x$에서 $p=-2$이다.

접점의 좌표를 (x_1, y_1)이라 하면 접선의 방정식은

$y_1y=2\times(-2)\times(x+x_1)$

이때 이 접선이 점 $(4, -2)$를 지나므로

$y_1\times(-2)=2\times(-2)\times(4+x_1)$

$y_1=2x_1+8$ …… ㉠

또 접점 (x_1, y_1)이 포물선 $y^2=-8x$ 위의 점이므로

$y_1^2=-8x_1$ …… ㉡

㉠을 ㉡에 대입하여 정리하면

$x_1^2+10x_1+16=0$, $(x_1+2)(x_1+8)=0$

$\therefore x_1=-2, y_1=4$ 또는 $x_1=-8, y_1=-8$

이때 점 $(-2, 4)$에서의 접선의 기울기가 음수이므로

$x_1=-2$, $y_1=4$

따라서 구하는 접선의 방정식은

$4\times y=2\times(-2)\times\{x+(-2)\}$

$\therefore y=-x+2$

16 $y^2=x=4\times\frac{1}{4}\times x$에서

$p=\frac{1}{4}$이므로 기울기가 m인 접선의 방정식은

$y=mx+\frac{1}{4m}$

이 접선이 점 $(a, 1)$을 지나므로

$1=ma+\frac{1}{4m}$

$\therefore 4am^2-4m+1=0$ …… ㉠

이차방정식 ㉠의 두 근을 m_1, m_2라 하면 m_1, m_2는 각각 두 접선의 기울기이고, 두 접선이 수직이므로

$m_1m_2=-1$

이차방정식 ㉠의 근과 계수의 관계에 의하여

$m_1m_2=\frac{1}{4a}=-1$

$\therefore a=-\frac{1}{4}$

다른 풀이

임의의 한 점 A에서 포물선에 그은 두 접선이 수직이면 점 A는 포물선의 준선 위에 있다.

포물선 $y^2=x$의 준선은 $x=-\frac{1}{4}$이고 점 $(a, 1)$에서 포물선에 그은 두 접선이 수직이므로 점 $(a, 1)$은 준선 위에 있다.

$\therefore a=-\frac{1}{4}$

17 타원 $4x^2+y^2=8$, 즉 $\frac{x^2}{2}+\frac{y^2}{8}=1$의 접점의 좌표를 (x_1, y_1)이라 하면 접선의 방정식은

$\frac{x_1x}{2}+\frac{y_1y}{8}=1$

이때 이 접선이 점 $(1, 6)$을 지나므로

$\frac{x_1\times1}{2}+\frac{y_1\times6}{8}=1$

$x_1=-\frac{3}{2}y_1+2$ ⋯⋯ ㉠

또 접점 (x_1, y_1)이 타원 $4x^2+y^2=8$ 위의 점이므로

$4x_1^2+y_1^2=8$ ⋯⋯ ㉡

㉠을 ㉡에 대입하여 정리하면

$5y_1^2-12y_1+4=0$, $(y_1-2)(5y_1-2)=0$

$\therefore x_1=-1, y_1=2$ 또는 $x_1=\frac{7}{5}, y_1=\frac{2}{5}$

이때 점 $(-1, 2)$에서의 접선의 기울기가 양수이므로

$x_1=-1, y_1=2$

즉 기울기가 양수인 접선의 방정식은

$\frac{(-1)\times x}{2}+\frac{2\times y}{8}=1$

$\therefore y=2x+4$

따라서 직선 $y=2x+4$와 y축이 만나는 점의 좌표는 $(0, 4)$이다.

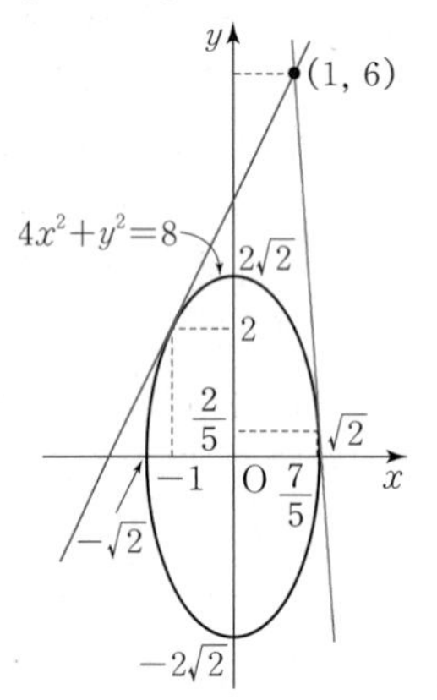

18 타원 $\frac{x^2}{3}+\frac{y^2}{6}=1$에서 $a^2=3$, $b^2=6$이므로 기울기가 1인 접선의 방정식은

$y=x\pm\sqrt{3\times1^2+6}$ $\therefore y=x\pm3$

이 접선이 제1사분면 위에 있는 점 $(2k, k)$를 지나므로

$k=2k\pm3$ $\therefore k=3\ (\because k>0)$

19 타원 $\frac{x^2}{4}+y^2=1$에서 $a^2=4$, $b^2=1$이므로 기울기가 m인 접선의 방정식은

$y=mx\pm\sqrt{4m^2+1}$

이 접선이 점 $(1, 3)$을 지나므로

$3=m\pm\sqrt{4m^2+1}$

$3-m=\pm\sqrt{4m^2+1}$

양변을 제곱하면

$(3-m)^2=4m^2+1$

$\therefore 3m^2+6m-8=0$

이 이차방정식의 두 근이 각각 두 접선의 기울기 m_1, m_2이므로 근과 계수의 관계에 의하여

$m_1+m_2=-\frac{6}{3}=-2$

20 쌍곡선 $3x^2-y^2=3$, 즉 $x^2-\frac{y^2}{3}=1$ 위의 점 (p, q)에서의 접선의 방정식은 $px-\frac{qy}{3}=1$

이때 이 접선이 점 $(1, 1)$을 지나므로

$p\times1-\frac{q\times1}{3}=1$, $3p-q=3$

$q=3p-3$ ⋯⋯ ㉠

또 접점 (p, q)가 쌍곡선 $3x^2-y^2=3$ 위의 점이므로

$3p^2-q^2=3$ ⋯⋯ ㉡

㉠을 ㉡에 대입하여 정리하면

$p^2-3p+2=0$, $(p-1)(p-2)=0$

$\therefore p=1, q=0$ 또는 $p=2, q=3$

그런데 p, q는 0이 아닌 상수이므로 $p=2$, $q=3$이다.

$\therefore p+q=2+3=5$

21 쌍곡선 $x^2-5y^2=5$, 즉 $\frac{x^2}{5}-y^2=1$의 접점의 좌표를 (x_1, y_1)이라 하면 접선의 방정식은

$\frac{x_1x}{5}-y_1y=1$

이때 이 접선이 점 $\mathrm{P}(0, 2)$를 지나므로

$\frac{x_1\times0}{5}-y_1\times2=1$

$y_1=-\frac{1}{2}$ ⋯⋯ ㉠

또 접점 (x_1, y_1)이 쌍곡선 $x^2-5y^2=5$ 위의 점이므로

$x_1^2-5y_1^2=5$ ⋯⋯ ㉡

㉠을 ㉡에 대입하면

$x_1^2-5\times\left(-\frac{1}{2}\right)^2=5$, $x_1^2=\frac{25}{4}$

$\therefore x_1=-\frac{5}{2}, y_1=-\frac{1}{2}$ 또는 $x_1=\frac{5}{2}, y_1=-\frac{1}{2}$

따라서 두 점 A, B의 좌표는

$\left(-\frac{5}{2}, -\frac{1}{2}\right)$, $\left(\frac{5}{2}, -\frac{1}{2}\right)$

이므로 오른쪽 그림에서

$\triangle\mathrm{PAB}=\frac{1}{2}\times5\times\frac{5}{2}$

$=\frac{25}{4}$

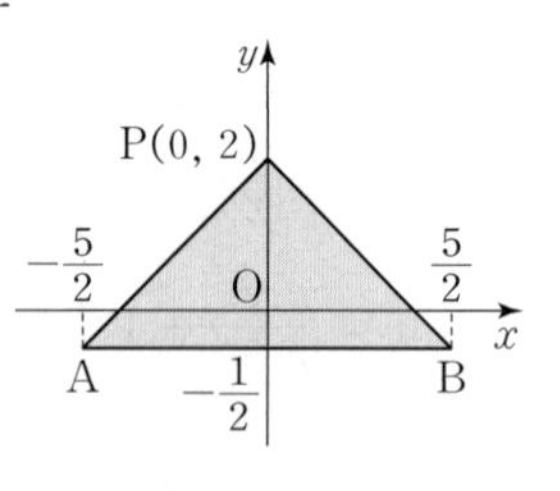

22 $y=x-5$를 $4x^2+y^2=k$에 대입하면

$4x^2+(x-5)^2=k$

$\therefore 5x^2-10x+25-k=0$

이 이차방정식의 판별식을 D라 하면

$\frac{D}{4}=(-5)^2-5\times(25-k)=5k-100$

$=5(k-20)$

이때 타원과 직선이 서로 다른 두 점에서 만나려면 $D>0$이어야 하므로

$5(k-20)>0$ $\therefore k>20$

23 포물선 $y^2=2x$ 위의 점과 직선 $y=-x-1$ 사이의 거리의 최솟값은 기울기가 -1인 포물선의 접선과 직선 $y=-x-1$ 사이의 거리와 같다.

$y^2=2x=4\times\frac{1}{2}\times x$에서 $p=\frac{1}{2}$이므로 기울기가 -1인 접선의 방정식은

$y=-x+\dfrac{\frac{1}{2}}{-1}$ $\quad\therefore y=-x-\frac{1}{2}$

따라서 직선 $y=-x-\frac{1}{2}$ 위의 점 $\left(0, -\frac{1}{2}\right)$과 직선 $y=-x-1$, 즉 $x+y+1=0$ 사이의 거리는

$$\frac{\left|0-\frac{1}{2}+1\right|}{\sqrt{1^2+1^2}}=\frac{\frac{1}{2}}{\sqrt{2}}=\frac{\sqrt{2}}{4}$$

24 쌍곡선 $\frac{x^2}{7}-\frac{y^2}{16}=-1$에서 $a^2=7$, $b^2=16$이므로 기울기가 m인 접선의 방정식은

$y=mx\pm\sqrt{16-7m^2}$

이 접선이 점 $F(p, 0)$을 지나므로

$0=pm\pm\sqrt{16-7m^2}$

$pm=\pm\sqrt{16-7m^2}$

양변을 제곱하면

$p^2m^2=16-7m^2$

$\therefore (p^2+7)m^2-16=0$ $\quad\cdots\cdots$ ㉠

이차방정식 ㉠의 두 근을 m_1, m_2라 하면 m_1, m_2는 각각 두 접선의 기울기이고, 두 접선이 서로 수직이므로

$m_1m_2=-1$

이차방정식 ㉠의 근과 계수의 관계에 의하여

$m_1m_2=\dfrac{-16}{p^2+7}=-1$

$p^2+7=16$, $p^2=9$

$\therefore p=3$ ($\because p>0$)

창의력 · 융합형 · 서술형 · 코딩

본문 34~35쪽

1 (1) $\frac{x^2}{2}+\frac{y^2}{4}=1$ (2) $\sqrt{2}$

2 (1) $\frac{x^2}{48}+\frac{y^2}{16}=1$ (2) $(6, -2)$ (3) $y=x-8$

3 (1) $l: y=\frac{1}{2}x+4$, $Q(-8, 0)$ (2) 풀이 참조

(3) $(2, 0)$, 초점의 좌표와 점 R의 좌표는 같다.

4 (1) $2x-3y=-5$ (2) $P(5, 5)$, $Q(-1, 1)$ (3) 5

1 (1) 호수의 둘레를 나타내는 타원의 방정식을 $\frac{x^2}{a^2}+\frac{y^2}{b^2}=1$ ($b>a>0$)이라 하면 장축의 길이가 4, 단축의 길이가 $2\sqrt{2}$이므로

$2a=2\sqrt{2}$, $2b=4$

$\therefore a=\sqrt{2}$, $b=2$

따라서 구하는 타원의 방정식은

$\dfrac{x^2}{(\sqrt{2})^2}+\dfrac{y^2}{2^2}=1$

$\therefore \frac{x^2}{2}+\frac{y^2}{4}=1$

(2) 타원 모양의 호수의 둘레와 도로가 접하는 지점의 좌표가 (m, n)이므로 타원 $\frac{x^2}{2}+\frac{y^2}{4}=1$ 위의 점 (m, n)에서의 접선의 방정식은

$\frac{mx}{2}+\frac{ny}{4}=1$ $\quad\cdots\cdots$ ㉠

$x=0$을 ㉠에 대입하면

$\frac{ny}{4}=1$ $\quad\therefore y=\frac{4}{n}$

$y=0$을 ㉠에 대입하면

$\frac{mx}{2}=1$ $\quad\therefore x=\frac{2}{m}$

이때 타원 모양의 호수의 둘레에 접하는 도로로 둘러싸인 부분은 두 대각선의 길이가 각각 $2\times\frac{2}{m}$, $2\times\frac{4}{n}$인 마름모이고, 그 넓이가 $8\sqrt{2}$이므로

$\frac{1}{2}\times\frac{4}{m}\times\frac{8}{n}=8\sqrt{2}$

$\therefore mn=\frac{16}{8\sqrt{2}}=\sqrt{2}$

2 (1) 타원의 방정식을 $\frac{x^2}{a^2}+\frac{y^2}{b^2}=1$ ($a>b>0$)이라 하면 장축의 길이가 $8\sqrt{3}$, 단축의 길이가 8이므로

$2a=8\sqrt{3}$, $2b=8$

$\therefore a=4\sqrt{3}$, $b=4$

따라서 구하는 타원의 방정식은

$\dfrac{x^2}{(4\sqrt{3})^2}+\dfrac{y^2}{4^2}=1$

$\therefore \frac{x^2}{48}+\frac{y^2}{16}=1$

(2) 타원 $\frac{x^2}{48}+\frac{y^2}{16}=1$ 위의 점 P의 y좌표가 -2이므로

$\frac{x^2}{48}+\frac{(-2)^2}{16}=1$, $x^2=36$

$\therefore x=6$ ($\because x>0$)

따라서 타원 위의 점 P의 좌표는 $(6, -2)$이다.

(3) 타원 $\frac{x^2}{48}+\frac{y^2}{16}=1$ 위의 점 $P(6, -2)$에서의 접선의 방정식은

$\frac{6\times x}{48}+\frac{(-2)\times y}{16}=1$

$\therefore y=x-8$

3 (1) $y^2=8x=4\times2\times x$에서 $p=2$이므로 포물선 $y^2=8x$ 위의 점 P(8, 8)에서의 접선의 방정식은

$8y=2\times2\times(x+8)$ $\therefore y=\frac{1}{2}x+4$

이때 점 Q는 직선 l과 x축의 교점이므로 $y=0$을 대입하면

$0=\frac{1}{2}x+4$ $\therefore x=-8$

따라서 점 Q의 좌표는 $(-8, 0)$이다.

(2) 오른쪽 그림과 같이 $\angle RPQ=\theta$라 하면 입사각과 반사각의 크기는 같으므로 $\angle PQR=\theta$이다.

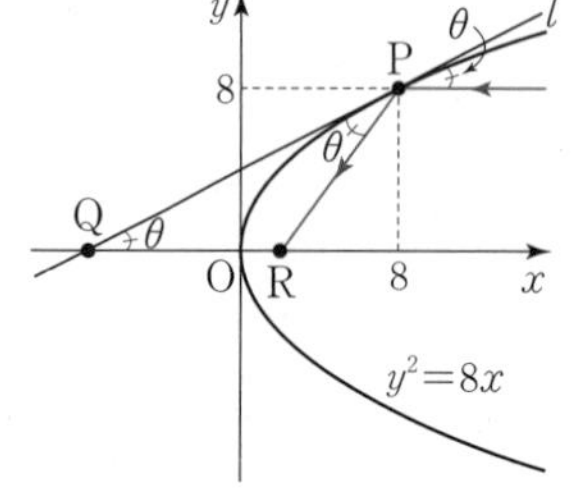

따라서 삼각형 PQR는 이등변삼각형이므로

$\overline{QR}=\overline{PR}$

이때 점 R의 좌표를 $(a, 0)$이라 하면

$\overline{QR}=\overline{PR}$에서 $\overline{QR}^2=\overline{PR}^2$이므로

$(a+8)^2=(a-8)^2+(-8)^2$, $32a=64$

$\therefore a=2$

따라서 점 R의 좌표는 $(2, 0)$이다.

(3) $y^2=8x=4\times2\times x$에서 $p=2$이므로 포물선 $y^2=8x$의 초점의 좌표는 $(2, 0)$이다.

따라서 포물선 $y^2=8x$의 초점의 좌표와 점 R의 좌표는 같다.

4 (1) 쌍곡선 $x^2-y^2=-5$, 즉 $\frac{x^2}{5}-\frac{y^2}{5}=-1$ 위의 점 $(2, 3)$에서의 접선의 방정식은

$\frac{2\times x}{5}-\frac{3\times y}{5}=-1$

$\therefore 2x-3y=-5$

(2) 쌍곡선 $\frac{x^2}{5}-\frac{y^2}{5}=-1$의 점근선의 방정식은 $y=x$, $y=-x$이다.

점 P는 직선 $2x-3y=-5$와 $y=x$의 교점이므로

$2x-3x=-5$, $x=5$ $\therefore P(5, 5)$

또 점 Q는 직선 $2x-3y=-5$와 $y=-x$의 교점이므로

$2x+3x=-5$, $x=-1$ $\therefore Q(-1, 1)$

(3) $\overline{OP}=5\sqrt{2}$, $\overline{OQ}=\sqrt{2}$이고, 두 점근선 $y=x$, $y=-x$가 서로 수직이므로 직각삼각형 OPQ의 넓이는

$\frac{1}{2}\times\overline{OP}\times\overline{OQ}=\frac{1}{2}\times5\sqrt{2}\times\sqrt{2}=5$

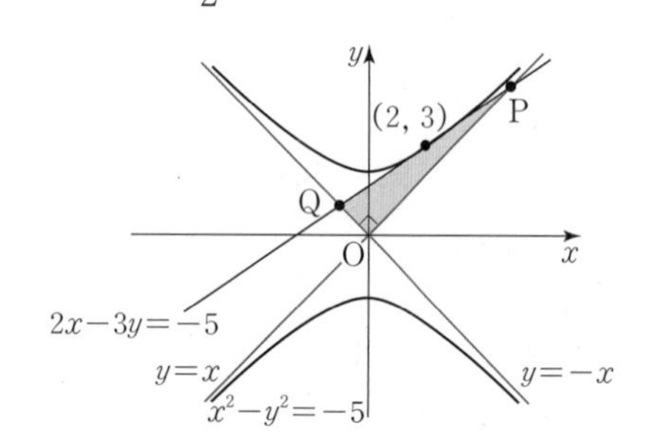

II 평면벡터

03 벡터의 연산

STEP 1 교과서 개념 확인 테스트

본문 40~41쪽

1-1 (1) 3 (2) 5	**1-2** (1) $\sqrt{3}$ (2) 2
2-1 (1) $\overrightarrow{CD}$ (2) $-\overrightarrow{ED}$	
2-2 (1) $\overrightarrow{FO}, \overrightarrow{OC}, \overrightarrow{ED}$ (2) $\overrightarrow{BC}, \overrightarrow{AO}, \overrightarrow{OD}, \overrightarrow{FE}$	
3-1 (1) $\overrightarrow{DA}$ (2) $\overrightarrow{CB}$	**3-2** (1) $\overrightarrow{CA}$ (2) $\vec{0}$
4-1 풀이 참조	**4-2** 풀이 참조
5-1 $5\vec{a}+2\vec{b}$	**5-2** (1) $3\vec{a}+\vec{b}$ (2) $-\vec{a}-\vec{b}$
6-1 15	**6-2** 6

1-1 (1) $|\overrightarrow{BA}|=\overline{BA}=\overline{CD}=3$

(2) $|\overrightarrow{BD}|=\overline{BD}=\sqrt{4^2+3^2}=5$

1-2 (1) 오른쪽 그림의 △ACF에서

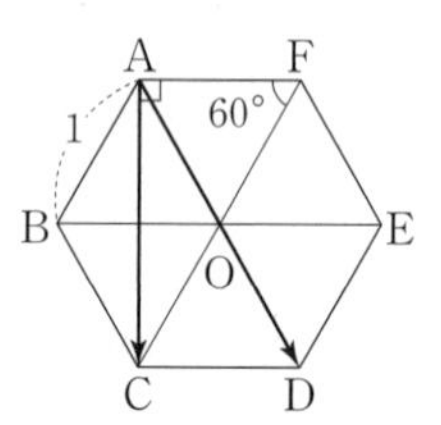

$|\overrightarrow{AC}|=\overline{FC}\times\sin60°$

이때 세 대각선의 교점을 O라 하면 $\overline{FO}=\overline{OC}=1$이므로 $\overline{FC}=2$

$\therefore |\overrightarrow{AC}|=2\times\frac{\sqrt{3}}{2}=\sqrt{3}$

(2) 위의 그림에서 $\overline{AO}=\overline{OD}=1$이므로

$\overline{AD}=2$ $\therefore |\overrightarrow{AD}|=2$

2-1 서로 같은 벡터는 시점의 위치에 관계없이 그 크기와 방향이 각각 같은 벡터이다.

(1) $\overrightarrow{AB}$와 서로 같은 벡터는 $\overrightarrow{CD}$이다.

(2) $\overrightarrow{BC}$와 서로 같은 벡터는 $-\overrightarrow{ED}$이다.

2-2 (1) $\overrightarrow{AB}$와 서로 같은 벡터는 $\overrightarrow{FO}, \overrightarrow{OC}, \overrightarrow{ED}$이다.

(2) $\overrightarrow{AD}$와 방향이 같은 벡터는 $\overrightarrow{BC}, \overrightarrow{AO}, \overrightarrow{OD}, \overrightarrow{FE}$이다.

3-1 (1) $\overrightarrow{CA}+\overrightarrow{DC}=\overrightarrow{DC}+\overrightarrow{CA}=\overrightarrow{DA}$

(2) $\overrightarrow{AB}+\overrightarrow{DA}+\overrightarrow{CD}=(\overrightarrow{DA}+\overrightarrow{AB})+\overrightarrow{CD}$
$=\overrightarrow{DB}+\overrightarrow{CD}$
$=\overrightarrow{CD}+\overrightarrow{DB}$
$=\overrightarrow{CB}$

3-2 (1) $\overrightarrow{BA}+\overrightarrow{CB}=\overrightarrow{CB}+\overrightarrow{BA}=\overrightarrow{CA}$

(2) $\overrightarrow{AB}+\overrightarrow{BC}+\overrightarrow{CD}+\overrightarrow{DA}$
$=(\overrightarrow{AB}+\overrightarrow{BC})+(\overrightarrow{CD}+\overrightarrow{DA})$
$=\overrightarrow{AC}+\overrightarrow{CA}$
$=\vec{0}$

4-1

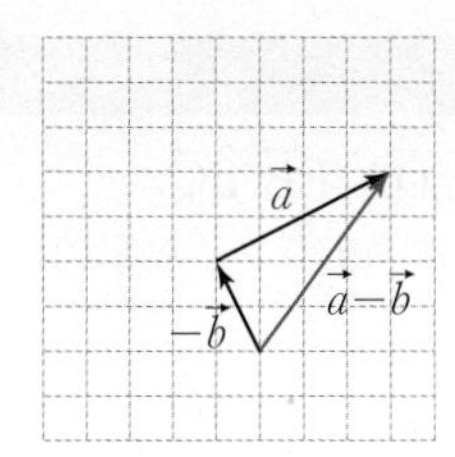

다른 풀이

평행사변형을 이용하여 $\vec{a}-\vec{b}$를 그림으로 나타내면 다음과 같다.

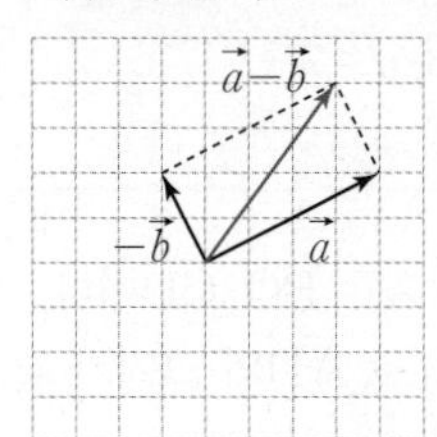

4-2 (1)

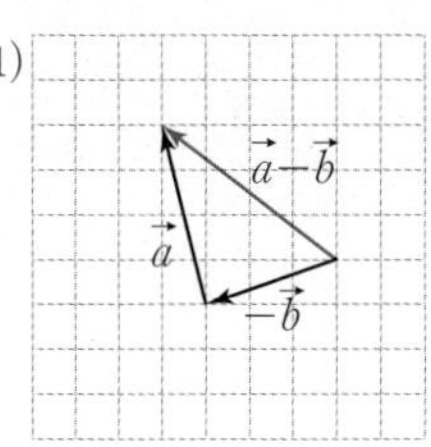

(2)

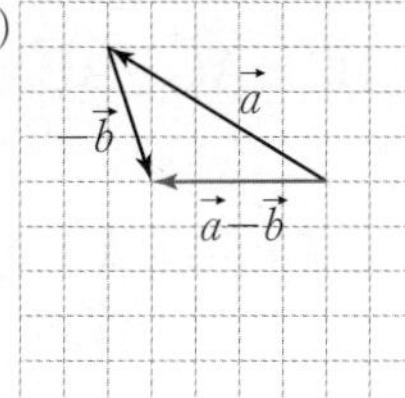

5-1 $2(\vec{a}+4\vec{b})-3(-\vec{a}+2\vec{b})$
$=2\vec{a}+8\vec{b}+3\vec{a}-6\vec{b}$
$=(2+3)\vec{a}+(8-6)\vec{b}$
$=5\vec{a}+2\vec{b}$

5-2 (1) $2(2\vec{a}-\vec{b})-(\vec{a}-3\vec{b})$
$=4\vec{a}-2\vec{b}-\vec{a}+3\vec{b}$
$=(4-1)\vec{a}+(-2+3)\vec{b}$
$=3\vec{a}+\vec{b}$
(2) $3(\vec{a}-\vec{b}+2\vec{c})-2(2\vec{a}-\vec{b}+3\vec{c})$
$=3\vec{a}-3\vec{b}+6\vec{c}-4\vec{a}+2\vec{b}-6\vec{c}$
$=(3-4)\vec{a}+(-3+2)\vec{b}+(6-6)\vec{c}$
$=-\vec{a}-\vec{b}$

6-1 두 벡터 $2\vec{a}-5\vec{b}$, $-6\vec{a}+m\vec{b}$가 서로 평행하므로
$-6\vec{a}+m\vec{b}=k(2\vec{a}-5\vec{b})$ (단, k는 0이 아닌 실수)
$-6\vec{a}+m\vec{b}=2k\vec{a}-5k\vec{b}$
두 벡터가 서로 같을 조건에 의하여
$-6=2k$, $m=-5k$
$\therefore k=-3$, $m=15$

6-2 두 벡터 $3\vec{a}-\vec{b}$와 $m\vec{a}-2\vec{b}$가 서로 평행하므로
$m\vec{a}-2\vec{b}=k(3\vec{a}-\vec{b})$ (단, k는 0이 아닌 실수)
$m\vec{a}-2\vec{b}=3k\vec{a}-k\vec{b}$
두 벡터가 서로 같을 조건에 의하여
$m=3k$, $-2=-k$
$\therefore k=2$, $m=6$

STEP 2 기출 기초 테스트

본문 42~43쪽

1-1 풀이 참조	**1-2** 풀이 참조
2-1 $\vec{a}-\vec{b}$	**2-2** $\vec{b}-\vec{a}$
3-1 2	**3-2** (1) 4 (2) 2
4-1 $3\vec{a}-\vec{b}$	**4-2** $7\vec{a}-2\vec{b}$
5-1 $2\vec{a}-3\vec{b}$	**5-2** (1) $\vec{a}-3\vec{b}$ (2) $-10\vec{a}+4\vec{b}$
6-1 풀이 참조	**6-2** 풀이 참조

1-1 $\overrightarrow{AB}+\overrightarrow{CD}=(\overrightarrow{AD}+\overrightarrow{DB})+(\overrightarrow{CB}+\overrightarrow{BD})$
$=\overrightarrow{AD}+\overrightarrow{CB}+(\overrightarrow{DB}+\overrightarrow{BD})$
$=\overrightarrow{AD}+\overrightarrow{CB}+\vec{0}$
$=\overrightarrow{AD}+\overrightarrow{CB}$
따라서 $\overrightarrow{AB}+\overrightarrow{CD}=\overrightarrow{AD}+\overrightarrow{CB}$가 성립한다.

1-2 $\vec{a}+\vec{b}+\vec{c}=\overrightarrow{AB}+\overrightarrow{BC}+\overrightarrow{CA}$
$=(\overrightarrow{AB}+\overrightarrow{BC})+\overrightarrow{CA}$
$=\overrightarrow{AC}+\overrightarrow{CA}$
$=\vec{0}$

2-1 $\overrightarrow{CD}=\overrightarrow{BA}=\overrightarrow{OA}-\overrightarrow{OB}=\vec{a}-\vec{b}$

2-2 $\overrightarrow{CD}=\overrightarrow{BE}=\overrightarrow{AE}-\overrightarrow{AB}=\vec{b}-\vec{a}$

3-1 $|\overrightarrow{AB}+\overrightarrow{BC}-\overrightarrow{CD}|=|(\overrightarrow{AB}+\overrightarrow{BC})-\overrightarrow{CD}|$
$=|\overrightarrow{AC}-\overrightarrow{CD}|$
$=|\overrightarrow{AC}+\overrightarrow{DC}|$
$=|\overrightarrow{FD}+\overrightarrow{DC}|$
$=|\overrightarrow{FC}|$

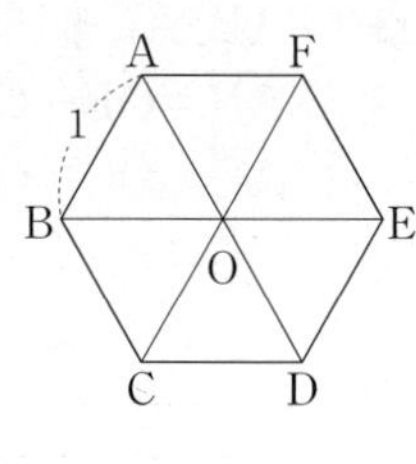

오른쪽 그림과 같이 세 대각선의 교점을 O라 하면
$\overline{FO}=\overline{OC}=1$이므로 $\overline{FC}=2$
$\therefore |\overrightarrow{FC}|=2$
$\therefore |\overrightarrow{AB}+\overrightarrow{BC}-\overrightarrow{CD}|=|\overrightarrow{FC}|$
$=2$

3-2 (1) $|\overrightarrow{AB}+\overrightarrow{AE}|=|\overrightarrow{AB}+\overrightarrow{BD}|=|\overrightarrow{AD}|$
오른쪽 그림과 같이 세 대각선의 교점을 O라 하면
$\overline{AO}=\overline{OD}=2$이므로
$\overline{AD}=2$
$\therefore |\overrightarrow{AD}|=4$
$\therefore |\overrightarrow{AB}+\overrightarrow{AE}|=|\overrightarrow{AD}|=4$ 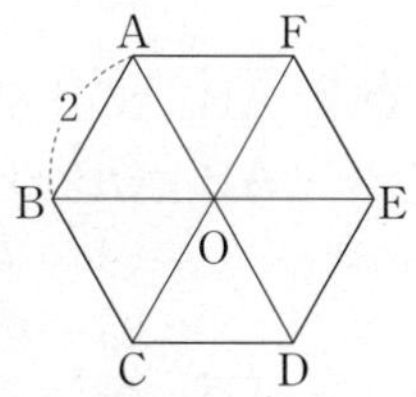
(2) $|\overrightarrow{AB}+\overrightarrow{CD}-\overrightarrow{ED}|=|\overrightarrow{AB}+(\overrightarrow{CD}+\overrightarrow{DE})|$
$=|\overrightarrow{AB}+\overrightarrow{CE}|$
$=|\overrightarrow{AB}+\overrightarrow{BF}|$
$=|\overrightarrow{AF}|$
이때 $\overline{AF}=2$이므로
$|\overrightarrow{AB}+\overrightarrow{CD}-\overrightarrow{ED}|=|\overrightarrow{AF}|=2$

4-1 $2(\vec{a}+2\vec{b})-(-\vec{a}+5\vec{b})$
$=2\vec{a}+4\vec{b}+\vec{a}-5\vec{b}$
$=(2+1)\vec{a}+(4-5)\vec{b}$
$=3\vec{a}-\vec{b}$

4-2 $2(\vec{a}+3\vec{b})-3(-\vec{a}+2\vec{b})+2(\vec{a}-\vec{b})$
$=2\vec{a}+6\vec{b}+3\vec{a}-6\vec{b}+2\vec{a}-2\vec{b}$
$=(2+3+2)\vec{a}+(6-6-2)\vec{b}$
$=7\vec{a}-2\vec{b}$

5-1 $\vec{a}+3\vec{b}+2\vec{x}=5\vec{a}-3\vec{b}$에서
$2\vec{x}=5\vec{a}-3\vec{b}-\vec{a}-3\vec{b}$
$=(5-1)\vec{a}+(-3-3)\vec{b}$
$=4\vec{a}-6\vec{b}$
$\therefore \vec{x}=2\vec{a}-3\vec{b}$

5-2 (1) $\vec{a}+2\vec{b}+3\vec{x}=4\vec{a}-7\vec{b}$에서
$3\vec{x}=4\vec{a}-7\vec{b}-\vec{a}-2\vec{b}$
$=(4-1)\vec{a}+(-7-2)\vec{b}$
$=3\vec{a}-9\vec{b}$
$\therefore \vec{x}=\vec{a}-3\vec{b}$
(2) $4\vec{a}+3\vec{x}=2(\vec{x}-3\vec{a}+2\vec{b})$에서
$4\vec{a}+3\vec{x}=2\vec{x}-6\vec{a}+4\vec{b}$
$3\vec{x}-2\vec{x}=-6\vec{a}+4\vec{b}-4\vec{a}$
$(3-2)\vec{x}=(-6-4)\vec{a}+4\vec{b}$
$\therefore \vec{x}=-10\vec{a}+4\vec{b}$

6-1 $\overrightarrow{AB}$, $\overrightarrow{AC}$를 각각 $\vec{a}$, $\vec{b}$로 나타내면
$\overrightarrow{AB}=\overrightarrow{OB}-\overrightarrow{OA}=2\vec{b}-\vec{a}$
$\overrightarrow{AC}=\overrightarrow{OC}-\overrightarrow{OA}$
$=(-\vec{a}+4\vec{b})-\vec{a}$
$=-2\vec{a}+4\vec{b}$
$=2(2\vec{b}-\vec{a})$
즉 $\overrightarrow{AC}=2\overrightarrow{AB}$
따라서 세 점 A, B, C는 한 직선 위에 있다.

6-2 $\overrightarrow{AB}$, $\overrightarrow{AC}$를 각각 $\vec{a}$, $\vec{b}$로 나타내면
$\overrightarrow{AB}=\overrightarrow{OB}-\overrightarrow{OA}$
$=(4\vec{a}-\vec{b})-(2\vec{a}+3\vec{b})$
$=2\vec{a}-4\vec{b}$
$\overrightarrow{AC}=\overrightarrow{OC}-\overrightarrow{OA}$
$=(-\vec{a}+9\vec{b})-(2\vec{a}+3\vec{b})$
$=-3\vec{a}+6\vec{b}$
$=-\frac{3}{2}(2\vec{a}-4\vec{b})$
즉 $\overrightarrow{AC}=-\frac{3}{2}\overrightarrow{AB}$
따라서 세 점 A, B, C는 한 직선 위에 있다.

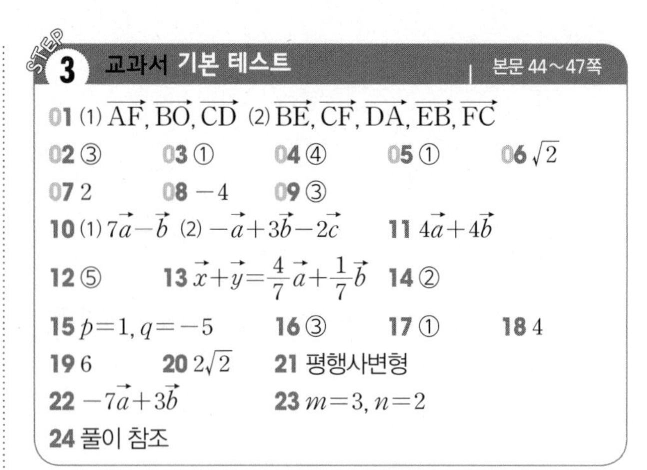
STEP 3 교과서 기본 테스트 | 본문 44~47쪽

01 (1) $\overrightarrow{AF}$, $\overrightarrow{BO}$, $\overrightarrow{CD}$ (2) $\overrightarrow{BE}$, $\overrightarrow{CF}$, $\overrightarrow{DA}$, $\overrightarrow{EB}$, $\overrightarrow{FC}$
02 ③ **03** ① **04** ④ **05** ① **06** $\sqrt{2}$
07 2 **08** -4 **09** ③
10 (1) $7\vec{a}-\vec{b}$ (2) $-\vec{a}+3\vec{b}-2\vec{c}$ **11** $4\vec{a}+4\vec{b}$
12 ⑤ **13** $\vec{x}+\vec{y}=\frac{4}{7}\vec{a}+\frac{1}{7}\vec{b}$ **14** ②
15 $p=1$, $q=-5$ **16** ③ **17** ① **18** 4
19 6 **20** $2\sqrt{2}$ **21** 평행사변형
22 $-7\vec{a}+3\vec{b}$ **23** $m=3$, $n=2$
24 풀이 참조

01 (1) $\overrightarrow{OE}$와 서로 같은 벡터는 $\overrightarrow{AF}$, $\overrightarrow{BO}$, $\overrightarrow{CD}$이다.
(2) $\overline{AD}=\overline{BE}=\overline{CF}=2$이므로 $\overrightarrow{AD}$와 크기가 같은 벡터는 $\overrightarrow{BE}$, $\overrightarrow{CF}$, $\overrightarrow{DA}$, $\overrightarrow{EB}$, $\overrightarrow{FC}$이다.

02 $\overrightarrow{BC}=\overrightarrow{AC}-\overrightarrow{AB}=\vec{b}-\vec{a}$

03 $-\vec{b}+\vec{c}=\overrightarrow{CA}+\overrightarrow{AD}$
$=\overrightarrow{CD}$
$=-\overrightarrow{AB}$
$=-\vec{a}$

04 ① $\overrightarrow{AO}=\overrightarrow{BC}=\vec{b}$
② $\overrightarrow{AC}=\overrightarrow{AB}+\overrightarrow{BC}=\vec{a}+\vec{b}$
③ $\overrightarrow{AD}=2\overrightarrow{AO}=2\overrightarrow{BC}=2\vec{b}$
④ $\overrightarrow{BO}=\overrightarrow{AO}-\overrightarrow{AB}=\overrightarrow{BC}-\overrightarrow{AB}=\vec{b}-\vec{a}$
⑤ $\overrightarrow{DE}=\overrightarrow{BA}=-\vec{a}$
따라서 옳지 않은 것은 ④이다.

05 오른쪽 그림과 같이 세 대각선의 교점을 O라 하면
$\overrightarrow{CE}=\overrightarrow{CF}+\overrightarrow{FE}$
$=2\overrightarrow{CO}+\overrightarrow{FE}$
$=2\overrightarrow{BA}+\overrightarrow{BC}$
$=-2\vec{a}+\vec{b}$

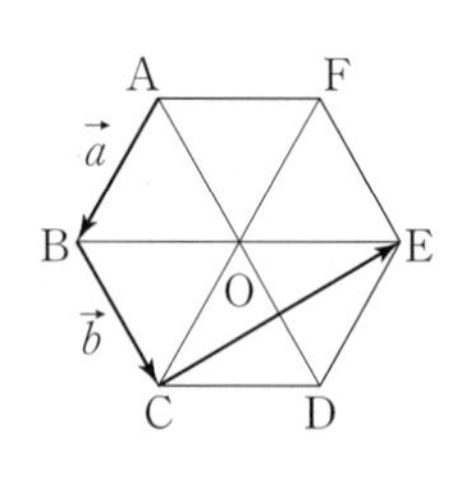

06 $|\overrightarrow{AB}+\overrightarrow{AC}+\overrightarrow{AD}|=|\overrightarrow{DC}+\overrightarrow{AC}+\overrightarrow{AD}|$
$=|(\overrightarrow{AD}+\overrightarrow{DC})+\overrightarrow{AC}|$
$=|\overrightarrow{AC}+\overrightarrow{AC}|$
$=2|\overrightarrow{AC}|$
$|\overrightarrow{AB}+\overrightarrow{AC}+\overrightarrow{AD}|=4$에서 $2|\overrightarrow{AC}|=4$
$\therefore |\overrightarrow{AC}|=2$
정사각형 ABCD의 한 변의 길이를 a라 하면
$\overline{AC}=\sqrt{a^2+a^2}=\sqrt{2}a$
이때 $\overline{AC}=2$이므로 $\sqrt{2}a=2$
$\therefore a=\sqrt{2}$
따라서 정사각형의 한 변의 길이는 $\sqrt{2}$이다.

07 $|\vec{c}-\vec{a}+\vec{b}|=|\overrightarrow{CD}-\overrightarrow{AB}+\overrightarrow{BC}|$

$=|(\overrightarrow{BC}+\overrightarrow{CD})-\overrightarrow{AB}|$

$=|\overrightarrow{BD}+\overrightarrow{BA}|$

$=|\overrightarrow{BD}+\overrightarrow{DE}|$

$=|\overrightarrow{BE}|$

오른쪽 그림과 같이 세 대각선의 교점을 O라 하면

$\overline{BO}=\overline{OE}=1$이므로 $\overline{BE}=2$

$\therefore |\overrightarrow{BE}|=2$

$\therefore |\vec{c}-\vec{a}+\vec{b}|=|\overrightarrow{BE}|=2$

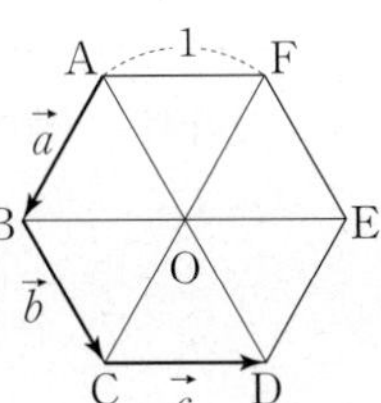

08 $\overrightarrow{DE}=-\vec{a}$, $\overrightarrow{CD}=\frac{1}{2}\overrightarrow{BE}$이므로

$\overrightarrow{BE}=\overrightarrow{BC}+\overrightarrow{CD}+\overrightarrow{DE}$

$=\vec{b}+\frac{1}{2}\overrightarrow{BE}-\vec{a}$

즉 $\frac{1}{2}\overrightarrow{BE}=\vec{b}-\vec{a}$에서 $\overrightarrow{BE}=-2\vec{a}+2\vec{b}$이므로

$m=-2, n=2$

$\therefore mn=-2\times2=-4$

09 ㄱ. $\overrightarrow{AB}+\vec{0}=\overrightarrow{AB}$

ㄴ. $\overrightarrow{CB}+\overrightarrow{CA}-\overrightarrow{BA}=\overrightarrow{CB}+(\overrightarrow{CA}+\overrightarrow{AB})$

$=\overrightarrow{CB}+\overrightarrow{CB}$

$=2\overrightarrow{CB}$

ㄷ. $\overrightarrow{AB}+\overrightarrow{BC}+\overrightarrow{CA}=(\overrightarrow{AB}+\overrightarrow{BC})+\overrightarrow{CA}$

$=\overrightarrow{AC}+\overrightarrow{CA}$

$=\vec{0}$

따라서 옳은 것은 ㄷ이다.

10 (1) $2(2\vec{a}+\vec{b})+3(\vec{a}-\vec{b})=4\vec{a}+2\vec{b}+3\vec{a}-3\vec{b}$

$=7\vec{a}-\vec{b}$

(2) $\frac{2}{3}(\vec{a}+5\vec{b}-\vec{c})-\frac{1}{3}(5\vec{a}+\vec{b}+4\vec{c})$

$=\frac{2}{3}\vec{a}+\frac{10}{3}\vec{b}-\frac{2}{3}\vec{c}-\frac{5}{3}\vec{a}-\frac{1}{3}\vec{b}-\frac{4}{3}\vec{c}$

$=-\vec{a}+3\vec{b}-2\vec{c}$

11 $2(\vec{a}-\vec{b})-3(\vec{a}-2\vec{b})+5\vec{a}$

$=2\vec{a}-2\vec{b}-3\vec{a}+6\vec{b}+5\vec{a}$

$=4\vec{a}+4\vec{b}$

12 $2(\vec{x}-\vec{y})+3\vec{y}=2\vec{x}-2\vec{y}+3\vec{y}$

$=2\vec{x}+\vec{y}$

$=2(3\vec{a}-2\vec{b}+\vec{c})+(2\vec{a}+\vec{b}-4\vec{c})$

$=6\vec{a}-4\vec{b}+2\vec{c}+2\vec{a}+\vec{b}-4\vec{c}$

$=8\vec{a}-3\vec{b}-2\vec{c}$

13 $\vec{x}+2\vec{y}=\vec{a}$ ...... ㉠

$3\vec{x}-\vec{y}=\vec{b}$ ...... ㉡

㉠$+2\times$㉡을 하면

$7\vec{x}=\vec{a}+2\vec{b}$

$\therefore \vec{x}=\frac{1}{7}\vec{a}+\frac{2}{7}\vec{b}$

위의 식을 ㉡에 대입하면

$\vec{y}=3\vec{x}-\vec{b}=3\left(\frac{1}{7}\vec{a}+\frac{2}{7}\vec{b}\right)-\vec{b}$

$=\frac{3}{7}\vec{a}-\frac{1}{7}\vec{b}$

$\therefore \vec{x}+\vec{y}=\left(\frac{1}{7}\vec{a}+\frac{2}{7}\vec{b}\right)+\left(\frac{3}{7}\vec{a}-\frac{1}{7}\vec{b}\right)$

$=\frac{4}{7}\vec{a}+\frac{1}{7}\vec{b}$

14 $3(\vec{x}+\vec{a}+2\vec{b})=2(\vec{b}-\vec{x})$에서

$3\vec{x}+3\vec{a}+6\vec{b}=2\vec{b}-2\vec{x}$

$5\vec{x}=-3\vec{a}-4\vec{b}$

$\therefore \vec{x}=-\frac{3}{5}\vec{a}-\frac{4}{5}\vec{b}$

15 $\overrightarrow{AB}=\overrightarrow{OB}-\overrightarrow{OA}$

$=(2\vec{a}-\vec{b})-(\vec{a}+4\vec{b})$

$=\vec{a}-5\vec{b}$

이때 $\overrightarrow{AB}=p\vec{a}+q\vec{b}$이므로

$p=1, q=-5$

16 $m\vec{a}+n\vec{b}=(n-m)\vec{a}+(m+1)\vec{b}$에서 두 벡터가 서로 같을 조건에 의하여

$m=n-m, n=m+1$

$\therefore 2m=n, n=m+1$

위의 두 식을 연립하여 풀면 $m=1, n=2$이므로

$m+n=1+2=3$

17 세 점 A, B, C가 한 직선 위에 있으려면

$\overrightarrow{AC}=k\overrightarrow{AB}\ (k\neq0)$인 실수 k가 존재해야 한다.

$\overrightarrow{AB}=\overrightarrow{OB}-\overrightarrow{OA}$

$=(2\vec{a}-\vec{b})-(\vec{a}+\vec{b})$

$=\vec{a}-2\vec{b}$

$\overrightarrow{AC}=\overrightarrow{OC}-\overrightarrow{OA}$

$=(6\vec{a}+m\vec{b})-(\vec{a}+\vec{b})$

$=5\vec{a}+(m-1)\vec{b}$

$\therefore 5\vec{a}+(m-1)\vec{b}=k\vec{a}-2k\vec{b}$

두 벡터가 서로 같을 조건에 의하여

$5=k, m-1=-2k$

$\therefore k=5, m=-9$

18 세 점 A, B, C가 한 직선 위에 있으려면

$\overrightarrow{AC}=k\overrightarrow{AB}\ (k\neq0)$인 실수 k가 존재해야 한다.

$\overrightarrow{AB}=\overrightarrow{OB}-\overrightarrow{OA}$

$=(\vec{a}-\vec{b})-(2\vec{a}+\vec{b})$

$=-\vec{a}-2\vec{b}$

$\overrightarrow{AC}=\overrightarrow{OC}-\overrightarrow{OA}$
$=(m\vec{a}+5\vec{b})-(2\vec{a}+\vec{b})$
$=(m-2)\vec{a}+4\vec{b}$
$\therefore (m-2)\vec{a}+4\vec{b}=-k\vec{a}-2k\vec{b}$
두 벡터가 서로 같을 조건에 의하여
$m-2=-k, 4=-2k$
$\therefore k=-2, m=4$

19 세 점 A, B, C가 한 직선 위에 있으려면
$\overrightarrow{AC}=k\overrightarrow{AB}\ (k\neq 0)$인 실수 k가 존재해야 한다.
$\overrightarrow{AB}=\overrightarrow{OB}-\overrightarrow{OA}$
$=2\vec{b}-(-3\vec{a})$
$=3\vec{a}+2\vec{b}$
$\overrightarrow{AC}=\overrightarrow{OC}-\overrightarrow{OA}$
$=m(\vec{a}+\vec{b})-(-3\vec{a})$
$=(m+3)\vec{a}+m\vec{b}$
$\therefore (m+3)\vec{a}+m\vec{b}=3k\vec{a}+2k\vec{b}$
두 벡터가 서로 같을 조건에 의하여
$m+3=3k, m=2k$
$\therefore k=3, m=6$

20 $\overrightarrow{AB}-\overrightarrow{AP}=\overrightarrow{PB}$이므로
$|\overrightarrow{AB}-\overrightarrow{AP}|=|\overrightarrow{PB}|=\overline{PB}$
$\overline{PB}$의 길이는 점 P가 점 D에 위치할 때 최대이므로
구하는 최댓값은
$\sqrt{2^2+2^2}=2\sqrt{2}$

21 $\overrightarrow{PA}+\overrightarrow{PC}=\overrightarrow{PB}+\overrightarrow{PD}$에서
$\overrightarrow{PA}-\overrightarrow{PB}=\overrightarrow{PD}-\overrightarrow{PC}$ $\quad\therefore \overrightarrow{BA}=\overrightarrow{CD}$
따라서 $\overline{BA}=\overline{CD}$, $\overline{BA}\,/\!/\,\overline{CD}$이므로 사각형 ABCD는 한 쌍의 대변이 평행하고 그 길이가 같다. 즉 사각형 ABCD는 평행사변형이다.

22 $3(\vec{a}+\vec{b}+\vec{x})=2(3\vec{b}-2\vec{a})+2\vec{x}$에서
$3\vec{a}+3\vec{b}+3\vec{x}=6\vec{b}-4\vec{a}+2\vec{x}$
$3\vec{x}-2\vec{x}=6\vec{b}-4\vec{a}-3\vec{a}-3\vec{b}$
$(3-2)\vec{x}=(-4-3)\vec{a}+(6-3)\vec{b}$
$\therefore \vec{x}=-7\vec{a}+3\vec{b}$

23 $3\vec{x}-\vec{y}=-\vec{a}$ ······ ㉠
$5\vec{x}-2\vec{y}=\vec{b}$ ······ ㉡
$2\times$㉠$-$㉡을 하면
$\vec{x}=-2\vec{a}-\vec{b}$
위의 식을 ㉠에 대입하여 정리하면
$\vec{y}=-5\vec{a}-3\vec{b}$
$\therefore \vec{x}-\vec{y}=(-2\vec{a}-\vec{b})-(-5\vec{a}-3\vec{b})$
$=3\vec{a}+2\vec{b}$
이때 $\vec{x}-\vec{y}=m\vec{a}+n\vec{b}$이므로
$m=3, n=2$

24 $\vec{p}+\vec{q}=(3\vec{a}+2\vec{b})+(2\vec{a}-\vec{b})=5\vec{a}+\vec{b}$
$2\vec{q}+\vec{r}=2(2\vec{a}-\vec{b})+(-9\vec{a}+\vec{b})$
$=-5\vec{a}-\vec{b}$
$=-(5\vec{a}+\vec{b})$
이때 $\vec{p}+\vec{q}=-(2\vec{q}+\vec{r})$이므로 $\vec{p}+\vec{q}=k(2\vec{q}+\vec{r})$를 만족시키는 0이 아닌 실수 k가 존재한다.
따라서 두 벡터 $\vec{p}+\vec{q}$, $2\vec{q}+\vec{r}$는 서로 평행하다.

창의력 · 융합형 · 서술형 · 코딩

본문 48~49쪽

1 (1) (가): 2, (나): 3 (2) 풀이 참조
2 (1) 북동쪽 (2) 10 km/h
3 (1) 풀이 참조 (2) 풀이 참조
4 (1) $2000\sqrt{2}$ N (2) 풀이 참조

1 (1) $\vec{c}=2\vec{a}+3\vec{b}$이므로 (가), (나)에 알맞은 수는 각각 2, 3이다.
(2) 다음 그림과 같이 서로 평행하지 않고 영벡터가 아닌 두 벡터 $\vec{a}$, $\vec{b}$에 대하여 $\vec{a}$, $\vec{b}$, $\vec{c}$의 시점을 일치시키면 $\vec{c}$를 두 벡터 $\vec{a}$, $\vec{b}$의 실수배의 합으로 나타낼 수 있다.

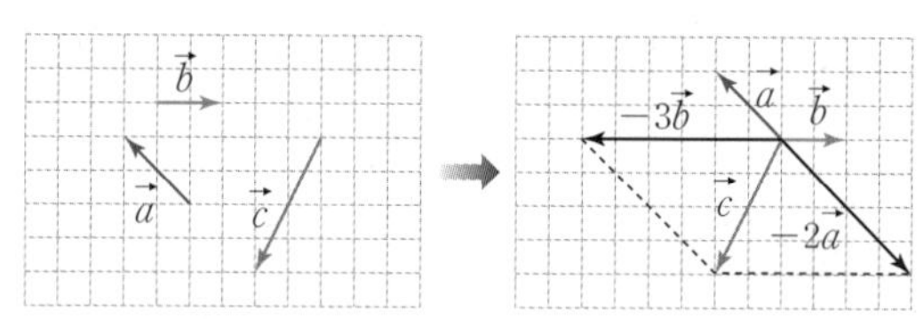

이때 $\vec{c}=-2\vec{a}-3\vec{b}$이다.

2 (1) 다음 그림과 같이 혜진이가 걸어가면서 민희를 바라볼 때, 민희는 북동쪽으로 움직이는 것처럼 보인다.

(2) 혜진이가 걸어가면서 민희를 바라볼 때 느끼는 민희의 속력은 오른쪽 그림에서 $|\overrightarrow{AB}|$

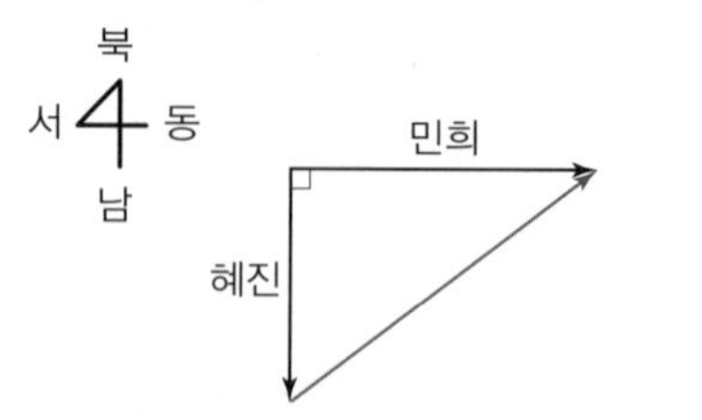

이때 t시간 동안 혜진이가 움직인 거리는 $6t$ km, 민희가 움직인 거리는 $8t$ km이므로
$|\overrightarrow{AB}|=\sqrt{|\overrightarrow{OA}|^2+|\overrightarrow{OB}|^2}$
$=\sqrt{(6t)^2+(8t)^2}=10t$ (km)
따라서 t시간 후의 혜진이와 민희 사이의 거리는 $10t$ km이므로 구하는 속력은 10 km/h이다.

3 (1) 자동차의 밖에서 바라볼 때, 자동차에서 쏜 공은 그대로 제자리에 멈추어 떨어진다.

(2) 자동차의 속도를 $\vec{a}$라 하고, 자동차가 달리는 반대 방향으로 쏜 공의 속도를 $\vec{b}$라 하면 $\vec{a}$와 $\vec{b}$는 크기는 같고 방향이 반대이므로 $\vec{a}+\vec{b}=\vec{0}$이다.

따라서 자동차에서 쏜 공은 자동차의 밖에서 바라볼 때, 그대로 제자리에 멈추어 떨어진다.

4 (1) 오른쪽 그림에서

$\overrightarrow{CA}+\overrightarrow{CB}=\overrightarrow{CD}$

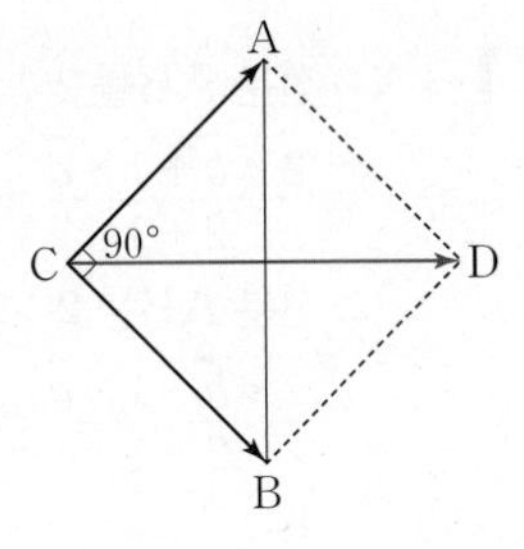

삼각형 ACB는 직각이등변삼각형이므로 $|\overrightarrow{CD}|$는 정사각형 ACBD의 대각선의 길이이다.

$\therefore |\overrightarrow{CD}|=\sqrt{2}\times2000$

$=2000\sqrt{2}\,(\text{N})$

따라서 배 C에 작용하는 힘의 크기는 $2000\sqrt{2}$ N이다.

(2) θ의 크기가 작아질수록 $|\overrightarrow{CD}|$는 커진다. 즉 배 C에 작용하는 힘의 크기가 커지므로 속력은 빨라진다. 한편 $\theta=180°$일 때는 두 배 A, B가 같은 크기의 힘으로 반대 방향으로 배 C를 끌기 때문에 배 C에 작용하는 힘의 크기는 0이므로 배 C는 움직이지 않는다.

04 평면벡터의 성분과 내적

STEP 1 교과서 개념 확인 테스트

본문 52~53쪽

1-1 $\frac{2}{3}\vec{a}+\frac{1}{3}\vec{b}$ **1-2** $-2\vec{a}+3\vec{b}$

2-1 (1) $\vec{a}=\vec{e_1}+3\vec{e_2}$, $\vec{b}=-2\vec{e_1}+\vec{e_2}$
(2) $\vec{a}=(1, 3)$, $\vec{b}=(-2, 1)$

2-2 (1) $\vec{a}=-3\vec{e_1}+2\vec{e_2}$, $\vec{b}=2\vec{e_1}+3\vec{e_2}$
(2) $\vec{a}=(-3, 2)$, $\vec{b}=(2, 3)$

3-1 (1) $(-6, 2)$ (2) $(5, 7)$

3-2 (1) $(2, -2)$ (2) $(-7, 4)$

4-1 (1) 20 (2) 10 (3) 0 **4-2** (1) $3\sqrt{3}$ (2) $3\sqrt{2}$ (3) -3

5-1 (1) 0 (2) -3 **5-2** (1) 7 (2) 4

6-1 -9 **6-2** 8

1-1 점 P는 선분 AB를 1 : 2로 내분하는 점이므로 그 위치벡터 $\vec{p}$는

$$\vec{p}=\frac{1\times\vec{b}+2\times\vec{a}}{1+2}=\frac{2}{3}\vec{a}+\frac{1}{3}\vec{b}$$

1-2 점 Q는 선분 AB를 3 : 2로 외분하는 점이므로 그 위치벡터 $\vec{q}$는

$$\vec{q}=\frac{3\times\vec{b}-2\times\vec{a}}{3-2}=-2\vec{a}+3\vec{b}$$

2-1 (1) $\vec{a}=\vec{e_1}+3\vec{e_2}$, $\vec{b}=-2\vec{e_1}+\vec{e_2}$

(2) $\vec{a}=\vec{e_1}+3\vec{e_2}$를 성분으로 나타내면 $(1, 3)$

$\vec{b}=-2\vec{e_1}+\vec{e_2}$를 성분으로 나타내면 $(-2, 1)$

2-2 (1) $\vec{a}=-3\vec{e_1}+2\vec{e_2}$

$\vec{b}$의 시점이 원점이 되도록 평행이동하면

$\vec{b}=2\vec{e_1}+3\vec{e_2}$

(2) $\vec{a}=-3\vec{e_1}+2\vec{e_2}$를 성분으로 나타내면 $(-3, 2)$

$\vec{b}=2\vec{e_1}+3\vec{e_2}$를 성분으로 나타내면 $(2, 3)$

3-1 (1) $-2\vec{a}=-2(3, -1)=(-6, 2)$

(2) $\vec{a}+2\vec{b}=(3, -1)+2(1, 4)$

$=(3, -1)+(2, 8)$

$=(5, 7)$

3-2 (1) $2\vec{a}+\vec{b}-3\vec{c}$

$=2(1, -2)+(3, 2)-3(1, 0)$

$=(2, -4)+(3, 2)+(-3, 0)$

$=(2, -2)$

(2) $2(\vec{a}-\vec{b})+3(\vec{c}-2\vec{a})$

$=-4\vec{a}-2\vec{b}+3\vec{c}$

$=-4(1, -2)-2(3, 2)+3(1, 0)$

$=(-4, 8)+(-6, -4)+(3, 0)$

$=(-7, 4)$

4-1 (1) $\vec{a}\cdot\vec{b}=|\vec{a}||\vec{b}|\cos 0°=4\times5\times1=20$

(2) $\vec{a}\cdot\vec{b}=|\vec{a}||\vec{b}|\cos 60°=4\times5\times\frac{1}{2}=10$

(3) $\vec{a}\cdot\vec{b}=|\vec{a}||\vec{b}|\cos 90°=4\times5\times0=0$

4-2 (1) $\vec{a}\cdot\vec{b}=|\vec{a}||\vec{b}|\cos 30°$

$=2\times3\times\frac{\sqrt{3}}{2}=3\sqrt{3}$

(2) $\vec{a}\cdot\vec{b}=|\vec{a}||\vec{b}|\cos 45°$

$=2\times3\times\frac{\sqrt{2}}{2}=3\sqrt{2}$

(3) $\vec{a}\cdot\vec{b}=-|\vec{a}||\vec{b}|\cos(180°-120°)$

$=-|\vec{a}||\vec{b}|\cos 60°$

$=-2\times3\times\frac{1}{2}=-3$

5-1 (1) $\vec{a}\cdot\vec{b}=2\times2+4\times(-1)=0$

(2) $\vec{a}\cdot\vec{b}=0\times4+(-3)\times1=-3$

5-2 (1) $\vec{a}\cdot\vec{b}=2\times5+3\times(-1)=7$

(2) $\vec{a}\cdot\vec{b}=1\times4+(-2)\times0=4$

6-1 $\vec{a}\perp\vec{b}$이므로 $\vec{a}\cdot\vec{b}=0$에서

$2\times x+3\times6=0,\ 2x=-18$

$\therefore x=-9$

6-2 $\vec{a}\perp\vec{b}$이므로 $\vec{a}\cdot\vec{b}=0$에서

$(-4)\times8+y\times4=0,\ 4y=32$

$\therefore y=8$

STEP 2 기출 기초 테스트

본문 54~57쪽

1-1 (1) $\frac{1}{3}\vec{a}+\frac{2}{3}\vec{b}$ (2) $-\vec{a}+2\vec{b}$

1-2 (1) $\frac{4}{9}\vec{a}+\frac{5}{9}\vec{b}$ (2) $-4\vec{a}+5\vec{b}$

2-1 (1) $2\vec{e_1}+\vec{e_2}$ (2) $3\vec{e_1}-2\vec{e_2}$ (3) $-4\vec{e_1}$ (4) $3\vec{e_2}$

2-2 (1) $(3, -4)$ (2) $(-1, 3)$ (3) $(5, 0)$ (4) $(0, -7)$

3-1 $\overrightarrow{AB}=(1, -2)$, $|\overrightarrow{AB}|=\sqrt{5}$

3-2 (1) $\overrightarrow{AB}=(1, 3)$, $|\overrightarrow{AB}|=\sqrt{10}$

(2) $\overrightarrow{AB}=(-4, 3)$, $|\overrightarrow{AB}|=5$

4-1 $x=2, y=3$

4-2 (1) $x=-3, y=4$ (2) $x=2, y=1$

5-1 (1) $(11, 2)$ (2) $(15, -18)$

5-2 (1) $(9, -2)$ (2) $(-6, 5)$

6-1 $2\vec{a}-\vec{b}$

6-2 (1) $3\vec{a}+2\vec{b}$ (2) $\vec{a}+2\vec{b}$

7-1 (1) -2 (2) 3

7-2 (1) -12 (2) 14

8-1 $2\sqrt{3}$

8-2 $\sqrt{5}$

9-1 (1) 15 (2) 12

9-2 (1) 2 (2) 7

10-1 $45°$

10-2 (1) $45°$ (2) $120°$

11-1 $(\sqrt{2}, -\sqrt{2})$ 또는 $(-\sqrt{2}, \sqrt{2})$

11-2 $(3, 4)$ 또는 $(-3, -4)$

12-1 $\frac{3}{2}$

12-2 $\frac{17}{7}$

1-1 (1) 선분 AB를 2 : 1로 내분하는 점의 위치벡터는

$\frac{2\times\vec{b}+1\times\vec{a}}{2+1}=\frac{1}{3}\vec{a}+\frac{2}{3}\vec{b}$

(2) 선분 AB를 2 : 1로 외분하는 점의 위치벡터는

$\frac{2\times\vec{b}-1\times\vec{a}}{2-1}=-\vec{a}+2\vec{b}$

1-2 (1) 선분 AB를 5 : 4로 내분하는 점의 위치벡터는

$\frac{5\times\vec{b}+4\times\vec{a}}{5+4}=\frac{4}{9}\vec{a}+\frac{5}{9}\vec{b}$

(2) 선분 AB를 5 : 4로 외분하는 점의 위치벡터는

$\frac{5\times\vec{b}-4\times\vec{a}}{5-4}=-4\vec{a}+5\vec{b}$

2-1 (1) $\vec{a}=(2, 1)=2(1, 0)+(0, 1)=2\vec{e_1}+\vec{e_2}$

(2) $\vec{b}=(3, -2)=3(1, 0)-2(0, 1)=3\vec{e_1}-2\vec{e_2}$

(3) $\vec{c}=(-4, 0)=-4(1, 0)=-4\vec{e_1}$

(4) $\vec{d}=(0, 3)=3(0, 1)=3\vec{e_2}$

2-2 (1) $\vec{a}=3\vec{e_1}-4\vec{e_2}=3(1, 0)-4(0, 1)=(3, -4)$

(2) $\vec{b}=-\vec{e_1}+3\vec{e_2}=-(1, 0)+3(0, 1)=(-1, 3)$

(3) $\vec{c}=5\vec{e_1}=5(1, 0)=(5, 0)$

(4) $\vec{d}=-7\vec{e_2}=-7(0, 1)=(0, -7)$

3-1 $\overrightarrow{AB}=\overrightarrow{OB}-\overrightarrow{OA}=(2, 1)-(1, 3)=(1, -2)$

$\therefore |\overrightarrow{AB}|=\sqrt{1^2+(-2)^2}=\sqrt{5}$

3-2 (1) $\overrightarrow{AB}=\overrightarrow{OB}-\overrightarrow{OA}=(2, 3)-(1, 0)=(1, 3)$

$\therefore |\overrightarrow{AB}|=\sqrt{1^2+3^2}=\sqrt{10}$

(2) $\overrightarrow{AB}=\overrightarrow{OB}-\overrightarrow{OA}=(0, 2)-(4, -1)=(-4, 3)$

$\therefore |\overrightarrow{AB}|=\sqrt{(-4)^2+3^2}=5$

4-1 $\vec{a}=\vec{b}$이므로 $(x+2, 5-y)=(7-y, -x+4)$에서

$x+2=7-y \quad \therefore x+y=5$ ⋯⋯ ㉠

$5-y=-x+4 \quad \therefore x-y=-1$ ⋯⋯ ㉡

㉠, ㉡을 연립하여 풀면 $x=2, y=3$

4-2 (1) $\vec{a}=\vec{b}$이므로 $(2x, 4)=(-6, y)$에서

$2x=-6,\ 4=y$

$\therefore x=-3, y=4$

(2) $\vec{a}=\vec{b}$이므로 $(2x-y, 3y)=(x+y, 2x-1)$에서
$2x-y=x+y \quad \therefore x-2y=0 \quad \cdots\cdots$ ㉠
$3y=2x-1 \quad \therefore 2x-3y=1 \quad \cdots\cdots$ ㉡
㉠, ㉡을 연립하여 풀면 $x=2, y=1$

5-1 (1) $2\vec{a}+\vec{b}=2(5, 2)+(1, -2)=(11, 2)$
(2) $4(\vec{a}+\vec{b})-3(\vec{a}-2\vec{b})=\vec{a}+10\vec{b}$
$=(5, 2)+10(1, -2)$
$=(15, -18)$

5-2 (1) $\vec{a}-2\vec{b}+3\vec{c}=(2, 1)-2(1, 0)+3(3, -1)$
$=(9, -2)$
(2) $2(\vec{a}+2\vec{b}-\vec{c})-(\vec{a}+2\vec{c})$
$=\vec{a}+4\vec{b}-4\vec{c}$
$=(2, 1)+4(1, 0)-4(3, -1)$
$=(-6, 5)$

6-1 $\vec{c}=k\vec{a}+l\vec{b}$라 하면
$(5, -6)=k(3, -2)+l(1, 2)$
$=(3k+l, -2k+2l)$
즉
$3k+l=5 \quad \cdots\cdots$ ㉠
$-2k+2l=-6 \quad \cdots\cdots$ ㉡
㉠, ㉡을 연립하여 풀면 $k=2, l=-1$이므로
$\vec{c}=2\vec{a}-\vec{b}$

6-2 (1) $\vec{c}=k\vec{a}+l\vec{b}$라 하면
$(3, 4)=k(-1, 2)+l(3, -1)$
$=(-k+3l, 2k-l)$
즉
$-k+3l=3 \quad \cdots\cdots$ ㉠
$2k-l=4 \quad \cdots\cdots$ ㉡
㉠, ㉡을 연립하여 풀면 $k=3, l=2$이므로
$\vec{c}=3\vec{a}+2\vec{b}$
(2) $\vec{d}=k\vec{a}+l\vec{b}$라 하면
$(5, 0)=k(-1, 2)+l(3, -1)$
$=(-k+3l, 2k-l)$
즉
$-k+3l=5 \quad \cdots\cdots$ ㉠
$2k-l=0 \quad \cdots\cdots$ ㉡
㉠, ㉡을 연립하여 풀면 $k=1, l=2$이므로
$\vec{d}=\vec{a}+2\vec{b}$

7-1 (1) $\vec{a}\cdot\vec{b}=2\times3+4\times(-2)=-2$
(2) $\vec{a}\cdot\vec{b}=0\times1+3\times1=3$

7-2 (1) $\vec{a}\cdot\vec{b}=(-2)\times3+3\times(-2)=-12$
(2) $\vec{a}\cdot\vec{b}=2\times1+(-3)\times(-4)=14$

8-1 $\vec{a}\cdot\vec{b}=|\vec{a}||\vec{b}|\cos60°=2\times1\times\frac{1}{2}=1$이므로
$|\vec{a}+2\vec{b}|^2=(\vec{a}+2\vec{b})\cdot(\vec{a}+2\vec{b})$
$=|\vec{a}|^2+4\vec{a}\cdot\vec{b}+4|\vec{b}|^2$
$=2^2+4\times1+4\times1^2$
$=4+4+4=12$
$\therefore |\vec{a}+2\vec{b}|=\sqrt{12}=2\sqrt{3}$

8-2 $\vec{a}\cdot\vec{b}=|\vec{a}||\vec{b}|\cos45°=\sqrt{2}\times3\times\frac{\sqrt{2}}{2}=3$이므로
$|2\vec{a}-\vec{b}|^2=(2\vec{a}-\vec{b})\cdot(2\vec{a}-\vec{b})$
$=4|\vec{a}|^2-4\vec{a}\cdot\vec{b}+|\vec{b}|^2$
$=4\times(\sqrt{2})^2-4\times3+3^2$
$=8-12+9=5$
$\therefore |2\vec{a}-\vec{b}|=\sqrt{5}$

9-1 (1) $|\vec{a}+\vec{b}|^2=(\vec{a}+\vec{b})\cdot(\vec{a}+\vec{b})$
$=|\vec{a}|^2+2\vec{a}\cdot\vec{b}+|\vec{b}|^2$
에서
$8^2=3^2+2\vec{a}\cdot\vec{b}+5^2$
$\therefore \vec{a}\cdot\vec{b}=15$
(2) $|\vec{a}-3\vec{b}|^2=(\vec{a}-3\vec{b})\cdot(\vec{a}-3\vec{b})$
$=|\vec{a}|^2-6\vec{a}\cdot\vec{b}+9|\vec{b}|^2$
$=3^2-6\times15+9\times5^2=144$
$\therefore |\vec{a}-3\vec{b}|=\sqrt{144}=12$

9-2 (1) $|\vec{a}+\vec{b}|^2=(\vec{a}+\vec{b})\cdot(\vec{a}+\vec{b})$
$=|\vec{a}|^2+2\vec{a}\cdot\vec{b}+|\vec{b}|^2$
에서
$3^2=1^2+2\vec{a}\cdot\vec{b}+2^2$
$\therefore \vec{a}\cdot\vec{b}=2$
(2) $|3\vec{a}+2\vec{b}|^2=(3\vec{a}+2\vec{b})\cdot(3\vec{a}+2\vec{b})$
$=9|\vec{a}|^2+12\vec{a}\cdot\vec{b}+4|\vec{b}|^2$
$=9\times1^2+12\times2+4\times2^2=49$
$\therefore |3\vec{a}+2\vec{b}|=\sqrt{49}=7$

10-1 $\vec{a}\cdot\vec{b}=2\times1+1\times3=5$
두 벡터가 이루는 각의 크기를 $\theta\ (0°\le\theta\le180°)$라 하면 $\vec{a}\cdot\vec{b}>0$이므로
$\cos\theta=\frac{5}{\sqrt{2^2+1^2}\sqrt{1^2+3^2}}=\frac{\sqrt{2}}{2}$
$\therefore \theta=45°$

10-2 (1) $\vec{a}\cdot\vec{b}=1\times(-2)+2\times6=10$
두 벡터가 이루는 각의 크기를 $\theta\ (0°\le\theta\le180°)$라 하면 $\vec{a}\cdot\vec{b}>0$이므로
$\cos\theta=\frac{10}{\sqrt{1^2+2^2}\sqrt{(-2)^2+6^2}}=\frac{\sqrt{2}}{2}$
$\therefore \theta=45°$

(2) $\vec{a}\cdot\vec{b}=0\times\sqrt{3}+1\times(-1)=-1$

두 벡터가 이루는 각의 크기를 $\theta\ (0^\circ\le\theta\le180^\circ)$라 하면 $\vec{a}\cdot\vec{b}<0$이므로

$$\cos(180^\circ-\theta)=-\frac{-1}{\sqrt{0^2+1^2}\sqrt{(\sqrt{3})^2+(-1)^2}}=\frac{1}{2}$$

따라서 $180^\circ-\theta=60^\circ$이므로 $\theta=120^\circ$

11-1 $\vec{b}=(x, y)$라 하면 두 벡터 $\vec{a}, \vec{b}$가 서로 수직이므로

$\vec{a}\cdot\vec{b}=1\times x+1\times y=0$에서

$x+y=0 \qquad \therefore y=-x \quad \cdots\cdots ㉠$

이때 $|\vec{b}|=2$이므로 $\sqrt{x^2+y^2}=2$에서

$x^2+y^2=4 \quad \cdots\cdots ㉡$

㉠을 ㉡에 대입하여 풀면

$x=\sqrt{2}, y=-\sqrt{2}$ 또는 $x=-\sqrt{2}, y=\sqrt{2}$

$\therefore \vec{b}=(\sqrt{2}, -\sqrt{2})$ 또는 $\vec{b}=(-\sqrt{2}, \sqrt{2})$

11-2 $\vec{b}=(x, y)$라 하면 두 벡터 $\vec{a}, \vec{b}$가 서로 수직이므로

$\vec{a}\cdot\vec{b}=(-4)\times x+3\times y=0$에서

$-4x+3y=0 \qquad \therefore y=\frac{4}{3}x \quad \cdots\cdots ㉠$

이때 $|\vec{b}|=5$이므로 $\sqrt{x^2+y^2}=5$에서

$x^2+y^2=25 \quad \cdots\cdots ㉡$

㉠을 ㉡에 대입하여 풀면

$x=3, y=4$ 또는 $x=-3, y=-4$

$\therefore \vec{b}=(3, 4)$ 또는 $\vec{b}=(-3, -4)$

12-1 두 벡터 $\vec{a}, \vec{b}$가 서로 수직이므로 $\vec{a}\cdot\vec{b}=0$에서

$1\times k+3\times(1-k)=0 \qquad \therefore k=\frac{3}{2}$

12-2 $2\vec{a}-3\vec{b}=2(-1, 1)-3(2, 1)=(-8, -1)$

$k\vec{a}+\vec{b}=k(-1, 1)+(2, 1)=(-k+2, k+1)$

이때 두 벡터 $2\vec{a}-3\vec{b}, k\vec{a}+\vec{b}$가 서로 수직이므로

$(2\vec{a}-3\vec{b})\cdot(k\vec{a}+\vec{b})=0$에서

$(-8)\times(-k+2)+(-1)\times(k+1)=0$

$\therefore k=\frac{17}{7}$

STEP 3 교과서 기본 테스트

본문 58~61쪽

01 $-4\vec{a}+3\vec{b}+\vec{c}$		02 ①	03 ②	
04 $x=-1, y=2$		05 ⑤	06 $2\vec{a}-4\vec{b}$	
07 ②	08 ③	09 ①		
10 $(-4, -3)$ 또는 $(4, 5)$			11 (1) 3 (2) -6	
12 ④	13 4	14 ①	15 (1) 8 (2) 1	
16 ②	17 $\frac{\sqrt{3}}{6}$	18 $12\sqrt{3}$	19 $\frac{6}{5}$	20 ①
21 ④	22 풀이 참조		23 $2\sqrt{22}$	24 $3\sqrt{13}$

01 $\overrightarrow{AB}-2\overrightarrow{BC}+3\overrightarrow{AC}$

$=(\overrightarrow{OB}-\overrightarrow{OA})-2(\overrightarrow{OC}-\overrightarrow{OB})+3(\overrightarrow{OC}-\overrightarrow{OA})$

$=-4\overrightarrow{OA}+3\overrightarrow{OB}+\overrightarrow{OC}$

$=-4\vec{a}+3\vec{b}+\vec{c}$

02 점 R는 선분 PQ를 1 : 4로 내분하는 점이므로

$\overrightarrow{OR}=\frac{1\times\vec{q}+4\times\vec{p}}{1+4}=\frac{4}{5}\vec{p}+\frac{1}{5}\vec{q}$

03 $-3\vec{a}+2\vec{b}-4\vec{c}$

$=-3(2, 3)+2(-2, -1)-4(1, -3)$

$=(-14, 1)$

04 $\vec{a}=\vec{b}$이므로 $(x+2, 5-y)=(3-y, -x+2)$에서

$x+2=3-y \qquad \therefore x+y=1 \quad \cdots\cdots ㉠$

$5-y=-x+2 \qquad \therefore x-y=-3 \quad \cdots\cdots ㉡$

㉠, ㉡을 연립하여 풀면 $x=-1, y=2$

05 점 D의 좌표를 (x, y)라 하면

$\overrightarrow{AB}=\overrightarrow{OB}-\overrightarrow{OA}=(0, 3)-(-2, 5)=(2, -2)$

$\overrightarrow{CD}=\overrightarrow{OD}-\overrightarrow{OC}=(x, y)-(3, 6)=(x-3, y-6)$

이때 $\overrightarrow{AB}=\overrightarrow{CD}$이므로 $(2, -2)=(x-3, y-6)$에서

$2=x-3, -2=y-6 \qquad \therefore x=5, y=4$

따라서 점 D의 좌표는 $(5, 4)$

06 $\vec{c}=k\vec{a}+l\vec{b}$라 하면

$(0, 10)=k(2, 1)+l(1, -2)$

$=(2k+l, k-2l)$

즉

$2k+l=0 \quad \cdots\cdots ㉠$

$k-2l=10 \quad \cdots\cdots ㉡$

㉠, ㉡을 연립하여 풀면 $k=2, l=-4$이므로

$\vec{c}=2\vec{a}-4\vec{b}$

07 $\vec{c}=k\vec{a}+l\vec{b}$라 하면

$(6, -1)=k(3, 2)+l(-1, 1)$

$=(3k-l, 2k+l)$

$3k-l=6 \quad \cdots\cdots ㉠$

$2k+l=-1 \quad \cdots\cdots ㉡$

㉠, ㉡을 연립하여 풀면 $k=1, l=-3$

$\therefore k+l=1+(-3)=-2$

08 $\overrightarrow{OA}=(1, 2), \overrightarrow{BA}=(-2, 6), \overrightarrow{MO}=(-x, -y)$이므로

$\overrightarrow{OA}+\overrightarrow{BA}+\overrightarrow{MO}=(1, 2)+(-2, 6)+(-x, -y)$

$=(-1-x, 8-y)$

이때 $\overrightarrow{OA}+\overrightarrow{BA}+\overrightarrow{MO}=\vec{0}$이므로

$-1-x=0, 8-y=0$에서 $x=-1, y=8$

$\therefore x+y=(-1)+8=7$

09 $-2\vec{a}+\vec{b}=-2(1, k)+(-2, 3)=(-4, -2k+3)$
$\vec{a}+2\vec{b}=(1, k)+2(-2, 3)=(-3, k+6)$
이때 $-2\vec{a}+\vec{b}\,/\!/\,\vec{a}+2\vec{b}$이므로
$\vec{a}+2\vec{b}=t(-2\vec{a}+\vec{b})$ (t는 0이 아닌 실수)라 하면
$(-3, k+6)=t(-4, -2k+3)$
$-3=-4t,\ k+6=-2kt+3t$
$\therefore t=\frac{3}{4}, k=-\frac{3}{2}$

10 꼭짓점 D의 좌표를 (x, y)라 하면
$\overrightarrow{AD}=(x, y-1), \overrightarrow{BC}=(6, 6)$
이때 $\overrightarrow{AD}\,/\!/\,\overrightarrow{BC}$이므로 $\overrightarrow{BC}=k\overrightarrow{AD}$ (k는 0이 아닌 실수) 라 하면 $(6, 6)=k(x, y-1)$
$6=kx,\ 6=ky-k$
$\therefore x=y-1$
또 $\overline{AD}=4\sqrt{2}$이므로 $\sqrt{x^2+(y-1)^2}=4\sqrt{2}$
양변을 제곱한 후 $x=y-1$을 대입하면
$2(y-1)^2=32,\ y^2-2y-15=0$
$(y+3)(y-5)=0 \qquad \therefore y=-3$ 또는 $y=5$
따라서 꼭짓점 D의 좌표는 $(-4, -3)$ 또는 $(4, 5)$

11 (1) $\vec{a}\cdot\vec{b}=5\times(-1)+(-2)\times(-4)=3$
(2) $\vec{a}\cdot\vec{b}=2\times(-3)+0\times(-2)=-6$

12 $\angle$ABC의 크기를 θ라 하면
$\overrightarrow{BA}\cdot\overrightarrow{BC}=|\overrightarrow{BA}||\overrightarrow{BC}|\cos\theta$
이때 $\cos\theta=\frac{|\overrightarrow{BA}|}{|\overrightarrow{BC}|}$이므로
$\overrightarrow{BA}\cdot\overrightarrow{BC}=|\overrightarrow{BA}|\times|\overrightarrow{BC}|\times\frac{|\overrightarrow{BA}|}{|\overrightarrow{BC}|}$
$=|\overrightarrow{BA}|^2$
$=3^2=9$

C, A, B, 4, 3, θ

13 두 벡터 $\vec{a}, \vec{b}$가 이루는 각의 크기가 $\angle\text{AOB}=60^\circ$이므로
$\vec{a}\cdot\vec{b}=|\vec{a}||\vec{b}|\cos 60^\circ=2\times4\times\frac{1}{2}=4$

14 $\vec{a}\cdot\vec{b}=-|\vec{a}||\vec{b}|\cos(180^\circ-150^\circ)$
$=-|\vec{a}||\vec{b}|\cos 30^\circ$
$=-2\sqrt{3}\times2\times\frac{\sqrt{3}}{2}$
$=-6$

15 (1) $\vec{a}\cdot(\vec{b}+2\vec{c})=\vec{a}\cdot\vec{b}+2\vec{a}\cdot\vec{c}$
$=2+2\times3$
$=8$
(2) $(2\vec{b}-\vec{c})\cdot\vec{a}=2\vec{b}\cdot\vec{a}-\vec{c}\cdot\vec{a}$
$=2\vec{a}\cdot\vec{b}-\vec{a}\cdot\vec{c}$
$=2\times2-3$
$=1$

16 $|\vec{a}+\vec{b}|=\sqrt{3}$의 양변을 제곱하면
$|\vec{a}|^2+2\vec{a}\cdot\vec{b}+|\vec{b}|^2=3$
$1^2+2\vec{a}\cdot\vec{b}+2^2=3$
$\therefore \vec{a}\cdot\vec{b}=-1$

17 $|\vec{a}+\vec{b}|=3$의 양변을 제곱하면
$|\vec{a}|^2+2\vec{a}\cdot\vec{b}+|\vec{b}|^2=9$
$(\sqrt{3})^2+2\vec{a}\cdot\vec{b}+2^2=9$
$\therefore \vec{a}\cdot\vec{b}=1$
이때 $\vec{a}\cdot\vec{b}=|\vec{a}||\vec{b}|\cos\theta$이고, $\vec{a}\cdot\vec{b}>0$이므로
$1=\sqrt{3}\times2\times\cos\theta$
$\therefore \cos\theta=\frac{\sqrt{3}}{6}$

18 $\vec{a}\cdot\vec{b}=-|\vec{a}||\vec{b}|\cos(180^\circ-120^\circ)$
$=-|\vec{a}||\vec{b}|\cos 60^\circ$
$=-4\times6\times\frac{1}{2}=-12$
이므로
$|3\vec{a}-2\vec{b}|^2=(3\vec{a}-2\vec{b})\cdot(3\vec{a}-2\vec{b})$
$=9|\vec{a}|^2-12\vec{a}\cdot\vec{b}+4|\vec{b}|^2$
$=9\times4^2-12\times(-12)+4\times6^2$
$=144+144+144=432$
$\therefore |3\vec{a}-2\vec{b}|=\sqrt{432}=12\sqrt{3}$

19 $5\overrightarrow{OP}=3\overrightarrow{OB}+2\overrightarrow{OA}$에서 $\overrightarrow{OP}=\frac{3\overrightarrow{OB}+2\overrightarrow{OA}}{5}$이므로
$\overrightarrow{OP}$는 선분 AB를 3 : 2로 내분하는 점 P의 위치벡터이다. 이때 $|\overrightarrow{AB}|=\sqrt{(\sqrt{3})^2+1^2}=2$이므로
$|\overrightarrow{AP}|=\frac{3}{5}|\overrightarrow{AB}|=\frac{3}{5}\times2=\frac{6}{5}$

20 $2\overrightarrow{PA}+\overrightarrow{PB}+\overrightarrow{PC}=\overrightarrow{AB}$에서
$2\overrightarrow{PA}+\overrightarrow{PB}+\overrightarrow{PC}=\overrightarrow{PB}-\overrightarrow{PA}$
$3\overrightarrow{PA}+\overrightarrow{PC}=\vec{0}$
즉 $\overrightarrow{PC}=-3\overrightarrow{PA}$이므로 세 점 A, P, C는 일직선 위에 있고, 점 P는 선분 AC를 1 : 3으로 내분하는 점이다. 따라서 삼각형 ABP의 넓이와 삼각형 BCP의 넓이의 비는 1 : 3이다.

A, P, B, C

21 $\angle$BOA의 크기를 θ라 하면
$\overrightarrow{OA}\cdot\overrightarrow{OB}=|\overrightarrow{OA}||\overrightarrow{OB}|\cos\theta$
$=4\times3\times\cos\theta$
$=12\cos\theta$
이때 $\overrightarrow{OA}\cdot\overrightarrow{OB}=6$이므로 $6=12\cos\theta$
$\therefore \cos\theta=\frac{1}{2}$
이때 $\sin^2\theta+\cos^2\theta=1$이므로 $\sin^2\theta=\frac{3}{4}$
$\therefore \sin\theta=\frac{\sqrt{3}}{2}$ ($\because 0^\circ\le\theta\le180^\circ$)

따라서 삼각형 OAB의 넓이는

$\frac{1}{2}\times\overline{OA}\times\overline{OB}\times\sin\theta=\frac{1}{2}\times4\times3\times\frac{\sqrt{3}}{2}=3\sqrt{3}$

22 (1) $|\vec{a}-\vec{b}|^2=(\vec{a}-\vec{b})\cdot(\vec{a}-\vec{b})$

$=\vec{a}\cdot(\vec{a}-\vec{b})-\vec{b}\cdot(\vec{a}-\vec{b})$

$=\vec{a}\cdot\vec{a}-\vec{a}\cdot\vec{b}-\vec{b}\cdot\vec{a}+\vec{b}\cdot\vec{b}$

$=\vec{a}\cdot\vec{a}-\vec{a}\cdot\vec{b}-\vec{a}\cdot\vec{b}+\vec{b}\cdot\vec{b}$

$=|\vec{a}|^2-2\vec{a}\cdot\vec{b}+|\vec{b}|^2$

(2) $(\vec{a}+\vec{b})\cdot(\vec{a}-\vec{b})=\vec{a}\cdot(\vec{a}-\vec{b})+\vec{b}\cdot(\vec{a}-\vec{b})$

$=\vec{a}\cdot\vec{a}-\vec{a}\cdot\vec{b}+\vec{b}\cdot\vec{a}-\vec{b}\cdot\vec{b}$

$=\vec{a}\cdot\vec{a}-\vec{a}\cdot\vec{b}+\vec{a}\cdot\vec{b}-\vec{b}\cdot\vec{b}$

$=|\vec{a}|^2-|\vec{b}|^2$

23 $|\vec{a}-\vec{b}|=2\sqrt{2}$의 양변을 제곱하면

$|\vec{a}|^2-2\vec{a}\cdot\vec{b}+|\vec{b}|^2=8$

$1^2-2\vec{a}\cdot\vec{b}+3^2=8$

$\therefore\ \vec{a}\cdot\vec{b}=1$

이때

$|\vec{a}+3\vec{b}|^2=|\vec{a}|^2+6\vec{a}\cdot\vec{b}+9|\vec{b}|^2$

$=1^2+6\times1+9\times3^2=88$

이므로

$|\vec{a}+3\vec{b}|=\sqrt{88}=2\sqrt{22}$

24 점 P에서 정삼각형 ABC의 세 꼭짓점에 이르는 거리가 같으므로 점 P는 정삼각형 ABC의 외심이다.

정삼각형 ABC의 외심 P(2, 3)은 삼각형 ABC의 무게중심과 같으므로

$\frac{\vec{a}+\vec{b}+\vec{c}}{3}=(2, 3)$

따라서 $\vec{a}+\vec{b}+\vec{c}=(6, 9)$이므로

$|\vec{a}+\vec{b}+\vec{c}|=\sqrt{6^2+9^2}=3\sqrt{13}$

참고 삼각형의 무게중심의 위치벡터

무게중심 G는 삼각형 ABC의 중선을 꼭짓점으로부터 2 : 1로 내분하는 점이다. 세 점 A, B, C의 위치벡터를 각각 $\vec{a}, \vec{b}, \vec{c}$라 할 때, 삼각형 ABC의 무게중심 G의 위치벡터를 $\vec{g}$라 하면

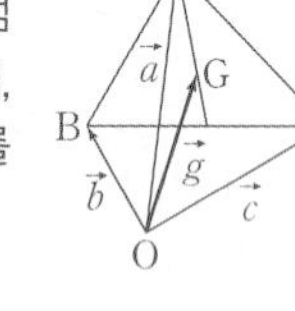

$\vec{g}=\frac{\vec{a}+\vec{b}+\vec{c}}{3}$

창의력 · 융합형 · 서술형 · 코딩

본문 62~63쪽

1 (1) $|\vec{a}|$ (2) $|\vec{a}|\cos\theta$ (3) ❶의 방법

2 풀이 참조

3 (1) $|\overrightarrow{OA}|\cos\theta$ (2) $W=\overrightarrow{OA}\cdot\overrightarrow{OB}$ (3) $20\sqrt{2}$

4 (1) $\vec{m}=\frac{\vec{a}+\vec{b}}{2}, \vec{n}=\frac{\vec{c}+\vec{d}}{2}$ (2) $\overrightarrow{AD}=\vec{d}-\vec{a}, \overrightarrow{BC}=\vec{c}-\vec{b}$

(3) 풀이 참조

1 (1) 썰매를 뒤에서 손으로 밀 때 썰매에 작용하는 아빠의 힘의 크기는 $|\vec{a}|$이다.

(2) 썰매에 줄을 달아 어깨에 둘러메고 끌 때 썰매에 작용하는 아빠의 힘의 크기는 $|\vec{a}|\cos\theta$이다.

(3) $0\le\cos\theta\le1$이므로 $|\vec{a}|\cos\theta\le|\vec{a}|$

즉 같은 시간 동안 ❶의 방법에서 썰매에 작용하는 아빠의 힘의 크기가 ❷의 방법보다 더 크다.

따라서 ❶의 방법이 썰매를 더 많이 움직이게 한다.

2 (1) $\vec{a}\cdot\vec{p}=0$에서 두 벡터 $\vec{a}, \vec{p}$는 서로 수직이므로 점 P는 ∠AOP=90°를 만족시키는 원 위의 점이고, 점 P의 위치를 나타내면 오른쪽 그림과 같다.

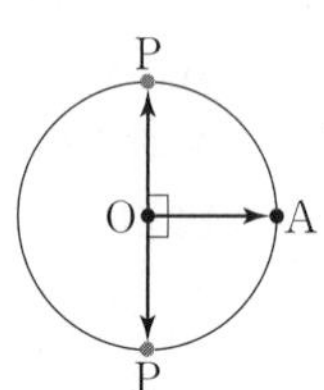

(2) $\vec{a}\cdot\vec{p}>0$이므로 두 벡터 $\vec{a}, \vec{p}$가 이루는 각의 크기를 θ라 하면 $0°\le\theta\le90°$이다.

즉 $\frac{1}{2}\le\vec{a}\cdot\vec{p}\le1$에서 $\frac{1}{2}\le|\vec{a}||\vec{p}|\cos\theta\le1$이고

$|\vec{a}|=|\vec{p}|=1$이므로 $\frac{1}{2}\le\cos\theta\le1$

이때 $\cos60°=\frac{1}{2}$, $\cos0°=1$이고 점 O가 원점이므로 점 A의 좌표는 (1, 0)이다. 따라서 점 P가 나타내는 도형은 오른쪽 그림과 같다.

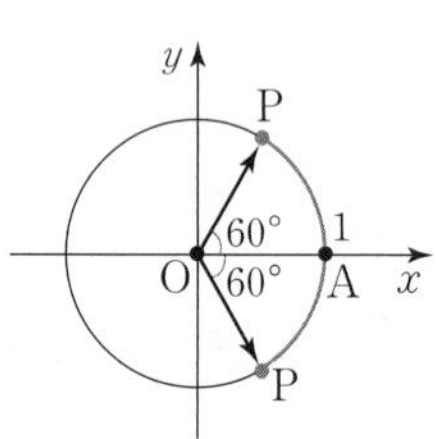

3 (1) 상자의 이동 방향으로 작용한 힘의 크기는 $\overline{OC}$이므로 $\overline{OC}=|\overrightarrow{OA}|\cos\theta$

(2) $W=\overline{OC}\times\overline{OB}$

$=|\overrightarrow{OA}|\cos\theta\times\overline{OB}$

$=|\overrightarrow{OA}||\overrightarrow{OB}|\cos\theta$

$=\overrightarrow{OA}\cdot\overrightarrow{OB}$

(3) $W=\overrightarrow{OA}\cdot\overrightarrow{OB}$

$=|\overrightarrow{OA}||\overrightarrow{OB}|\cos45°$

$=5\times8\times\frac{\sqrt{2}}{2}$

$=20\sqrt{2}$

4 (1) 두 점 M, N은 각각 변 AB, CD의 중점이므로 그 위치벡터는 $\vec{m}=\frac{\vec{a}+\vec{b}}{2}, \vec{n}=\frac{\vec{c}+\vec{d}}{2}$

(2) $\overrightarrow{AD}=\overrightarrow{OD}-\overrightarrow{OA}=\vec{d}-\vec{a}$

$\overrightarrow{BC}=\overrightarrow{OC}-\overrightarrow{OB}=\vec{c}-\vec{b}$

(3) $\overrightarrow{AD}+\overrightarrow{BC}=(\vec{d}-\vec{a})+(\vec{c}-\vec{b})$

$=(\vec{c}+\vec{d})-(\vec{a}+\vec{b})$

$=2\vec{n}-2\vec{m}$

$=2(\vec{n}-\vec{m})$

$=2\overrightarrow{MN}$

따라서 $\overrightarrow{AD}+\overrightarrow{BC}=2\overrightarrow{MN}$이다.

05 직선과 원의 방정식

STEP 1 교과서 개념 확인 테스트

본문 66~67쪽

1-1 $\frac{x-2}{2}=\frac{y-3}{-1}$ 1-2 $x=\frac{y}{5}$

2-1 $\frac{x-1}{-2}=y-2$

2-2 (1) $\frac{x-1}{2}=\frac{y-3}{2}$ (2) $\frac{x+1}{-2}=\frac{y-1}{-4}$

3-1 $-x+2y+9=0$ 3-2 $3x+y+2=0$

4-1 45° 4-2 90°

5-1 $\frac{1}{2}$ 5-2 4

6-1 $(x-2)^2+(y+3)^2=9$

6-2 $(x-1)^2+y^2=25$

1-1 점 $(2, 3)$을 지나고 방향벡터가 $\vec{u}=(2, -1)$인 직선의 방정식은

$\frac{x-2}{2}=\frac{y-3}{-1}$

1-2 방향벡터가 $\vec{u}=(1, 5)$이므로 점 $(0, 0)$을 지나고 방향벡터가 $\vec{u}=(1, 5)$인 직선의 방정식은

$\frac{x-0}{1}=\frac{y-0}{5}$ $\therefore x=\frac{y}{5}$

2-1 구하는 직선의 방향벡터는

$\overrightarrow{AB}=(-1, 3)-(1, 2)=(-2, 1)$

따라서 점 $A(1, 2)$를 지나고 방향벡터가 $\overrightarrow{AB}=(-2, 1)$인 직선의 방정식은

$\frac{x-1}{-2}=\frac{y-2}{1}$ $\therefore \frac{x-1}{-2}=y-2$

2-2 (1) 구하는 직선의 방향벡터는

$\overrightarrow{AB}=(3, 5)-(1, 3)=(2, 2)$

따라서 점 $A(1, 3)$을 지나고 방향벡터가 $\overrightarrow{AB}=(2, 2)$인 직선의 방정식은

$\frac{x-1}{2}=\frac{y-3}{2}$

(2) 구하는 직선의 방향벡터는

$\overrightarrow{AB}=(-3, -3)-(-1, 1)=(-2, -4)$

따라서 점 $A(-1, 1)$을 지나고 방향벡터가 $\overrightarrow{AB}=(-2, -4)$인 직선의 방정식은

$\frac{x-(-1)}{-2}=\frac{y-1}{-4}$ $\therefore \frac{x+1}{-2}=\frac{y-1}{-4}$

3-1 점 $(5, -2)$를 지나고 법선벡터가 $\vec{n}=(-1, 2)$인 직선의 방정식은

$(-1)\times(x-5)+2\times\{y-(-2)\}=0$

$\therefore -x+2y+9=0$

3-2 점 $(-2, 4)$를 지나고 법선벡터가 $\vec{n}=(3, 1)$인 직선의 방정식은

$3\times\{x-(-2)\}+1\times(y-4)=0$

$\therefore 3x+y+2=0$

4-1 두 직선의 방향벡터를 각각 $\vec{u_1}, \vec{u_2}$라 하면

$\vec{u_1}=(1, -3), \vec{u_2}=(1, 2)$

두 직선이 이루는 각의 크기가 θ이므로

$\cos\theta=\frac{|1\times1+(-3)\times2|}{\sqrt{1^2+(-3)^2}\sqrt{1^2+2^2}}=\frac{\sqrt{2}}{2}$

이때 $0^\circ\le\theta\le90^\circ$이므로 $\theta=45^\circ$

4-2 두 직선의 방향벡터를 각각 $\vec{u_1}, \vec{u_2}$라 하면

$\vec{u_1}=(5, 1), \vec{u_2}=(1, -5)$

두 직선이 이루는 각의 크기가 θ이므로

$\cos\theta=\frac{|5\times1+1\times(-5)|}{\sqrt{5^2+1^2}\sqrt{1^2+(-5)^2}}=0$

이때 $0^\circ\le\theta\le90^\circ$이므로 $\theta=90^\circ$

5-1 두 직선의 방향벡터를 각각 $\vec{u_1}, \vec{u_2}$라 하면

$\vec{u_1}=(-4, 2), \vec{u_2}=(a, 1)$

두 직선이 서로 수직이면 $\vec{u_1}\cdot\vec{u_2}=0$이므로

$(-4)\times a+2\times1=0$

$4a=2$ $\therefore a=\frac{1}{2}$

5-2 두 직선의 방향벡터를 각각 $\vec{u_1}, \vec{u_2}$라 하면

$\vec{u_1}=(a, 2), \vec{u_2}=(2, 1)$

두 직선이 서로 평행하면 $\vec{u_2}=k\vec{u_1}$ (k는 0이 아닌 실수)이므로

$(2, 1)=k(a, 2)$

$2=ka, 1=2k$

$\therefore k=\frac{1}{2}, a=4$

6-1 원 위의 임의의 점을 $P(x, y)$라 하고, 두 점 A, P의 위치벡터를 각각 $\vec{a}, \vec{p}$라 하면 반지름의 길이가 3이므로 $|\overrightarrow{AP}|=|\vec{p}-\vec{a}|=3$

이때 $\vec{p}-\vec{a}=(x-2, y+3)$이므로 $|\vec{p}-\vec{a}|^2=3^2$에서

$(x-2, y+3)\cdot(x-2, y+3)=3^2$

따라서 구하는 원의 방정식은

$(x-2)^2+(y+3)^2=9$

6-2 원 위의 임의의 점을 $P(x, y)$라 하고, 두 점 A, P의 위치벡터를 각각 $\vec{a}, \vec{p}$라 하면 반지름의 길이가 5이므로 $|\overrightarrow{AP}|=|\vec{p}-\vec{a}|=5$

이때 $\vec{p}-\vec{a}=(x-1, y)$이므로 $|\vec{p}-\vec{a}|^2=5^2$에서

$(x-1, y)\cdot(x-1, y)=5^2$

따라서 구하는 원의 방정식은

$(x-1)^2+y^2=25$

STEP 2 기출 기초 테스트

본문 68~69쪽

1-1	$\frac{x-4}{2}=\frac{y+3}{3}$	1-2	$\frac{x+3}{-3}=\frac{y-5}{2}$
2-1	$\frac{x-2}{4}=\frac{y-4}{8}$	2-2	$\frac{x-1}{-4}=y+5$
3-1	$2x-7y+8=0$	3-2	$-4x+y+13=0$
4-1	$\frac{\sqrt{5}}{5}$	4-2	$\frac{\sqrt{2}}{2}$
5-1	수직: $\frac{2}{3}$, 평행: $-\frac{3}{2}$	5-2	수직: 12, 평행: $-\frac{3}{4}$
6-1	$(x-4)^2+y^2=5$	6-2	$(x-3)^2+(y-2)^2=8$

1-1 직선 $\frac{x-1}{2}=\frac{y+5}{3}$의 방향벡터를 $\vec{u}$라 하면
$\vec{u}=(2, 3)$
따라서 점 $(4, -3)$을 지나고 방향벡터가 $\vec{u}=(2, 3)$인 직선의 방정식은
$\frac{x-4}{2}=\frac{y-(-3)}{3}$ $\quad\therefore \frac{x-4}{2}=\frac{y+3}{3}$

1-2 직선 $\frac{x+2}{-3}=\frac{y-1}{2}$의 방향벡터를 $\vec{u}$라 하면
$\vec{u}=(-3, 2)$
따라서 점 $(-3, 5)$를 지나고 방향벡터가 $\vec{u}=(-3, 2)$인 직선의 방정식은
$\frac{x-(-3)}{-3}=\frac{y-5}{2}$ $\quad\therefore \frac{x+3}{-3}=\frac{y-5}{2}$

2-1 구하는 직선의 방향벡터는
$\overrightarrow{AB}=(6, 12)-(2, 4)=(4, 8)$
따라서 점 $A(2, 4)$를 지나고 방향벡터가 $\overrightarrow{AB}=(4, 8)$인 직선의 방정식은
$\frac{x-2}{4}=\frac{y-4}{8}$

2-2 구하는 직선의 방향벡터는
$\overrightarrow{AB}=(-3, -4)-(1, -5)=(-4, 1)$
따라서 점 $A(1, -5)$를 지나고 방향벡터가 $\overrightarrow{AB}=(-4, 1)$인 직선의 방정식은
$\frac{x-1}{-4}=\frac{y-(-5)}{1}$ $\quad\therefore \frac{x-1}{-4}=y+5$

3-1 점 $(3, 2)$를 지나고 법선벡터가 $\vec{n}=(2, -7)$인 직선의 방정식은
$2\times(x-3)+(-7)\times(y-2)=0$
$\therefore 2x-7y+8=0$

3-2 법선벡터가 $\vec{n}=(-4, 1)$이므로 점 $(2, -5)$를 지나고 법선벡터가 $\vec{n}=(-4, 1)$인 직선의 방정식은
$(-4)\times(x-2)+1\times\{y-(-5)\}=0$
$\therefore -4x+y+13=0$

4-1 두 직선의 방향벡터를 각각 $\vec{u_1}$, $\vec{u_2}$라 하면
$\vec{u_1}=(-1, -2)$, $\vec{u_2}=(3, -4)$
두 직선이 이루는 각의 크기가 θ이므로
$$\cos\theta=\frac{|(-1)\times3+(-2)\times(-4)|}{\sqrt{(-1)^2+(-2)^2}\sqrt{3^2+(-4)^2}}=\frac{\sqrt{5}}{5}$$

4-2 두 직선의 방향벡터를 각각 $\vec{u_1}$, $\vec{u_2}$라 하면
$\vec{u_1}=(3, 4)$, $\vec{u_2}=(-1, 7)$
두 직선이 이루는 각의 크기가 θ이므로
$$\cos\theta=\frac{|3\times(-1)+4\times7|}{\sqrt{3^2+4^2}\sqrt{(-1)^2+7^2}}=\frac{\sqrt{2}}{2}$$
이때 $0°\le\theta\le90°$이므로 $\theta=45°$
$\therefore \sin\theta=\sin45°=\frac{\sqrt{2}}{2}$

5-1 두 직선의 방향벡터를 각각 $\vec{u_1}$, $\vec{u_2}$라 하면
$\vec{u_1}=(-3, 2)$, $\vec{u_2}=(a, 1)$
이때 두 직선이 서로 수직이면 $\vec{u_1}\cdot\vec{u_2}=0$이므로
$-3\times a+2\times1=0$
$3a=2$ $\quad\therefore a=\frac{2}{3}$
또 두 직선이 서로 평행하면 $\vec{u_2}=k\vec{u_1}$ (k는 0이 아닌 실수)이므로
$(a, 1)=k(-3, 2)$
$a=-3k$, $1=2k$
$\therefore k=\frac{1}{2}$, $a=-\frac{3}{2}$

5-2 두 직선의 방향벡터를 각각 $\vec{u_1}$, $\vec{u_2}$라 하면
$\vec{u_1}=(a, 3)$, $\vec{u_2}=(-1, 4)$
이때 두 직선이 서로 수직이면 $\vec{u_1}\cdot\vec{u_2}=0$이므로
$a\times(-1)+3\times4=0$ $\quad\therefore a=12$
또 두 직선이 서로 평행하면 $\vec{u_2}=k\vec{u_1}$ (k는 0이 아닌 실수)이므로
$(-1, 4)=k(a, 3)$
$-1=ak$, $4=3k$
$\therefore k=\frac{4}{3}$, $a=-\frac{3}{4}$

6-1 원 위의 임의의 점 $P(x, y)$의 위치벡터를 $\vec{p}$, 두 점 $A(2, 1)$, $B(6, -1)$의 위치벡터를 각각 $\vec{a}$, $\vec{b}$라 하자.
구하는 원의 중심을 C라 하고 점 C의 위치벡터를 $\vec{c}$라 하면 $\vec{c}=\frac{\vec{a}+\vec{b}}{2}=(4, 0)$
반지름의 길이는
$|\overrightarrow{CA}|=|\vec{a}-\vec{c}|=|(-2, 1)|=\sqrt{5}$
따라서 구하는 원의 방정식을 벡터로 나타내면 $|\vec{p}-\vec{c}|=\sqrt{5}$이므로 구하는 원의 방정식은
$(x-4)^2+y^2=5$

6-2 원 위의 임의의 점 $P(x, y)$의 위치벡터를 $\vec{p}$, 두 점 $A(1, 0)$, $B(5, 4)$의 위치벡터를 각각 $\vec{a}$, $\vec{b}$라 하자.
구하는 원의 중심을 C라 하고 점 C의 위치벡터를 $\vec{c}$라 하면 $\vec{c}=\frac{\vec{a}+\vec{b}}{2}=(3, 2)$
반지름의 길이는
$|\overrightarrow{CA}|=|\vec{a}-\vec{c}|=|(-2, -2)|=2\sqrt{2}$
따라서 구하는 원의 방정식을 벡터로 나타내면
$|\vec{p}-\vec{c}|=2\sqrt{2}$이므로 구하는 원의 방정식은
$(x-3)^2+(y-2)^2=8$

STEP 3 교과서 기본 테스트

본문 70~73쪽

01 ③	**02** $\frac{x-1}{2}=\frac{y-3}{-3}$	**03** ②	**04** $(3, -1)$
05 $x-y=0$	**06** ⑤	**07** ③	**08** ①
09 ④	**10** $\frac{6\sqrt{13}}{65}$	**11** ③	**12** ②
13 $\frac{119}{120}$	**14** -3	**15** ⑤	**16** -6
17 $2\sqrt{26}$	**18** $(x-3)^2+(y-2)^2=4$	**19** ③	**20** 5π
21 중심의 좌표가 $(1, -5)$이고 반지름의 길이가 3인 원			
22 $\frac{x+4}{2}=\frac{y-3}{-5}$	**23** $a=9, b=\frac{4}{3}$	**24** 4π	

01 점 $(2, 0)$을 지나고 방향벡터가 $\vec{u}=(3, -2)$인 직선의 방정식은
$\frac{x-2}{3}=\frac{y}{-2}$

02 직선 $\frac{x-3}{2}=\frac{1-y}{3}$의 방향벡터를 $\vec{u}$라 하면
$\vec{u}=(2, -3)$
따라서 점 $(1, 3)$을 지나고 방향벡터가 $\vec{u}=(2, -3)$인 직선의 방정식은
$\frac{x-1}{2}=\frac{y-3}{-3}$

03 구하는 직선의 방향벡터를 $\vec{u}$라 하면
$\vec{u}=(2, 3)-(4, 2)=(-2, 1)$
따라서 점 $(2, 3)$을 지나고 방향벡터가 $\vec{u}=(-2, 1)$인 직선의 방정식은
$\frac{x-2}{-2}=\frac{y-3}{1}$ $\quad\therefore \frac{x-2}{-2}=y-3$

04 $2(x-3)=k(y+1)$, 즉 $2(x-3)-k(y+1)=0$은 점 $(3, -1)$을 지나고 법선벡터가 $\vec{u}=(2, -k)$인 직선이다.
따라서 실수 k의 값에 관계없이 지나는 점의 좌표는 $(3, -1)$이다.

05 직선 $x=\frac{y-1}{-1}$의 방향벡터가 $(1, -1)$이므로 구하는 직선의 법선벡터를 $\vec{n}$이라 하면
$\vec{n}=(1, -1)$
따라서 점 $(7, 7)$을 지나고 법선벡터가 $\vec{n}=(1, -1)$인 직선의 방정식은
$1\times(x-7)+(-1)\times(y-7)=0$
$\therefore x-y=0$

06 직선 $3(x-2)=4(y-5)$, 즉 $\frac{x-2}{4}=\frac{y-5}{3}$의 방향벡터를 $\vec{u}$라 하면
$\vec{u}=(4, 3)$
점 $(2, 3)$을 지나고 방향벡터가 $\vec{u}=(4, 3)$인 직선 l의 방정식은
$\frac{x-2}{4}=\frac{y-3}{3}$
따라서 직선 l 위의 점은 $(6, 6)$이다.

07 점 $A(-1, 3)$을 지나고 방향벡터가 $\vec{u}=(2, -1)$인 직선의 방정식은
$\frac{x-(-1)}{2}=\frac{y-3}{-1}$
$\therefore y=-\frac{1}{2}x+\frac{5}{2}$ ...... ㉠
두 점 $B(2, 5)$, $C(1, 2)$를 지나는 직선의 방향벡터는
$\overrightarrow{BC}=(1, 2)-(2, 5)=(-1, -3)$
따라서 점 $B(2, 5)$를 지나고 방향벡터가 $\overrightarrow{BC}=(-1, -3)$인 직선의 방정식은
$\frac{x-2}{-1}=\frac{y-5}{-3}$
$\therefore y=3x-1$ ...... ㉡
㉠, ㉡을 연립하여 풀면 $x=1, y=2$
즉 두 직선은 점 $(1, 2)$에서 만나므로 $p=1, q=2$
$\therefore p+q=1+2=3$

08 직선 $x+1=2(y-4)$, 즉 $\frac{x+1}{2}=y-4$의 방향벡터를 $\vec{u}$라 하면
$\vec{u}=(2, 1)$
또 $\frac{x+1}{2}=y-4=t$ (t는 실수)라 하면 점 A에서 이 직선에 내린 수선의 발을 $H(2t-1, t+4)$로 나타낼 수 있으므로
$\overrightarrow{AH}=(2t-1, t+4)-(-1, -1)=(2t, t+5)$
이때 $\vec{u}\perp\overrightarrow{AH}$이므로 $\vec{u}\cdot\overrightarrow{AH}=0$에서
$2\times 2t+1\times(t+5)=0$
$5t=-5$ $\quad\therefore t=-1$
즉 수선의 발 H의 좌표는 $(-3, 3)$이므로
$a=-3, b=3$
$\therefore a-b=-3-3=-6$

09 직선 AB의 방향벡터는 $\overrightarrow{AB}$이므로
$\overrightarrow{AB}=(-1, 2)-(1, 1)=(-2, 1)$
직선 BC의 방향벡터는 $\overrightarrow{BC}$이므로
$\overrightarrow{BC}=(-6, k)-(-1, 2)=(-5, k-2)$
이때 세 점 A, B, C가 일직선 위의 점이므로 $\overrightarrow{AB}$와 $\overrightarrow{BC}$는 평행하다.
즉 $\overrightarrow{BC}=t\overrightarrow{AB}$ (t는 0이 아닌 실수)이므로
$(-5, k-2)=t(-2, 1)$
$-5=-2t, k-2=t$
$\therefore t=\frac{5}{2}, k=\frac{9}{2}$

10 두 직선의 방향벡터를 각각 $\overrightarrow{u_1}, \overrightarrow{u_2}$라 하면
$\overrightarrow{u_1}=(3, -2), \overrightarrow{u_2}=(4, 3)$
두 직선이 이루는 각의 크기가 θ이므로
$\cos\theta=\frac{|3\times4+(-2)\times3|}{\sqrt{3^2+(-2)^2}\sqrt{4^2+3^2}}=\frac{6\sqrt{13}}{65}$

11 두 직선의 방향벡터를 각각 $\overrightarrow{u_1}, \overrightarrow{u_2}$라 하면
$\overrightarrow{u_1}=(4, 3), \overrightarrow{u_2}=(7, -1)$
두 직선이 이루는 각의 크기가 θ이므로
$\cos\theta=\frac{|4\times7+3\times(-1)|}{\sqrt{4^2+3^2}\sqrt{7^2+(-1)^2}}=\frac{\sqrt{2}}{2}$
이때 $0^\circ\le\theta\le90^\circ$이므로 $\theta=45^\circ$

12 두 직선의 방향벡터를 각각 $\overrightarrow{u_1}, \overrightarrow{u_2}$라 하면
$\overrightarrow{u_1}=(1, a), \overrightarrow{u_2}=(-1, 3)$
두 직선이 이루는 각의 크기가 45°이므로
$\cos45^\circ=\frac{|-1+3a|}{\sqrt{1^2+a^2}\sqrt{(-1)^2+3^2}}$
$\frac{\sqrt{2}}{2}=\frac{|-1+3a|}{\sqrt{1+a^2}\sqrt{10}}$
$|-1+3a|=\sqrt{5a^2+5}$
위 식의 양변을 제곱하여 정리하면
$2a^2-3a-2=0, (2a+1)(a-2)=0$
$\therefore a=2$ ($\because a>0$)

13 두 직선의 방향벡터를 각각 $\overrightarrow{u_1}, \overrightarrow{u_2}$라 하면
$\overrightarrow{u_1}=(a, b), \overrightarrow{u_2}=(12, 5)$
두 직선이 이루는 각의 크기가 θ이므로
$\cos\theta=\frac{|12a+5b|}{\sqrt{a^2+b^2}\sqrt{12^2+5^2}}$
이때 $a>0, b>0$이므로 $\frac{12}{13}=\frac{12a+5b}{13\sqrt{a^2+b^2}}$
$12\sqrt{a^2+b^2}=12a+5b$
위 식의 양변을 제곱하여 정리하면
$119b^2-120ab=0, b(119b-120a)=0$
그런데 b는 자연수이므로
$119b-120a=0 \qquad \therefore \frac{a}{b}=\frac{119}{120}$

14 두 점 A, B를 지나는 직선의 방향벡터를 $\overrightarrow{u_1}$이라 하면
$\overrightarrow{u_1}=\overrightarrow{AB}=(a-2, 4-a)$
직선 $\frac{x+2}{7}=\frac{y-4}{5}$의 방향벡터를 $\overrightarrow{u_2}$라 하면
$\overrightarrow{u_2}=(7, 5)$
이때 두 직선이 서로 수직이면 $\overrightarrow{u_1}\cdot\overrightarrow{u_2}=0$이므로
$(a-2)\times7+(4-a)\times5=0$
$2a=-6 \qquad \therefore a=-3$

15 두 직선의 방향벡터를 각각 $\overrightarrow{u_1}, \overrightarrow{u_2}$라 하면
$\overrightarrow{u_1}=(-2, k), \overrightarrow{u_2}=(k+1, -3)$
두 직선이 서로 평행하면 $\overrightarrow{u_2}=t\overrightarrow{u_1}$ (t는 0이 아닌 실수)이므로
$(k+1, -3)=t(-2, k)$
$k+1=-2t$ …… ㉠
$-3=tk$ …… ㉡
㉡에서 $t=-\frac{3}{k}$을 ㉠에 대입하면 $k+1=\frac{6}{k}$
$k^2+k-6=0$
$(k+3)(k-2)=0$
$\therefore k=-3$ 또는 $k=2$
따라서 모든 실수 k의 값의 합은
$-3+2=-1$

16 직선 AB의 방향벡터는 $\overrightarrow{AB}$이므로
$\overrightarrow{AB}=(1, 0)-(2, 1)=(-1, -1)$
또 직선 CD의 방향벡터는 $\overrightarrow{CD}$이므로
$\overrightarrow{CD}=(1, k)-(4, -3)=(-3, k+3)$
두 직선이 서로 평행하면 $\overrightarrow{CD}=t\overrightarrow{AB}$ (t는 0이 아닌 실수)이므로
$(-3, k+3)=t(-1, -1)$
$-3=-t, k+3=-t$
$\therefore t=3, k=-6$

17 점 C의 좌표를 (x, y)라 하면
$\overrightarrow{CA}=(2-x, -2-y), \overrightarrow{CB}=(4-x, 8-y)$
$\overrightarrow{CA}\cdot\overrightarrow{CB}=(2-x)\times(4-x)+(-2-y)\times(8-y)$
$=x^2-6x+y^2-6y-8$
$\overrightarrow{CA}\cdot\overrightarrow{CB}=0$에서
$x^2-6x+y^2-6y-8=0$
$(x-3)^2+(y-3)^2=26$
즉 점 C는 중심의 좌표가 $(3, 3)$이고 반지름의 길이가 $\sqrt{26}$인 원 위의 점이다.
원점 O에서 원의 중심까지의 거리를 d라 하면 오른쪽 그림에서 벡터 $\overrightarrow{OC}$의 크기의 최댓값, 최솟값은 각각 $\sqrt{26}+d, \sqrt{26}-d$이므로 구하는 합은
$(\sqrt{26}+d)+(\sqrt{26}-d)=2\sqrt{26}$

18 선분 AB를 2 : 1로 내분하는 점을 C라 하면 그 위치벡터 $\vec{c}$는

$\vec{c}=\frac{2\times\vec{b}+1\times\vec{a}}{2+1}=\frac{1}{3}\vec{a}+\frac{2}{3}\vec{b}$

$=\frac{1}{3}(-3, 4)+\frac{2}{3}(6, 1)$

$=(3, 2)$

원 위의 임의의 점을 P(x, y)라 하고, 점 P의 위치벡터를 $\vec{p}$라 하면 반지름의 길이가 2이므로

$|\overrightarrow{CP}|=|\vec{p}-\vec{c}|=2$

이때 $\vec{p}-\vec{c}=(x-3, y-2)$이므로 $|\vec{p}-\vec{c}|^2=2^2$에서

$(x-3, y-2)\cdot(x-3, y-2)=4$

따라서 구하는 원의 방정식은

$(x-3)^2+(y-2)^2=4$

19 $|\overrightarrow{OP}-\overrightarrow{OA}|=|\overrightarrow{OB}-\overrightarrow{OA}|$이므로

$|\overrightarrow{AP}|=|\overrightarrow{AB}|$

즉 점 P가 나타내는 도형은 중심이 점 A이고 반지름의 길이가 $|\overrightarrow{AB}|$인 원이다.

$\overrightarrow{AB}=(-3, 1)-(2, 5)=(-5, -4)$이므로

$|\overrightarrow{AB}|=\sqrt{(-5)^2+(-4)^2}=\sqrt{41}$

따라서 점 P가 나타내는 도형의 넓이는

$\pi\times(\sqrt{41})^2=41\pi$

20 점 P(x, y)에 대하여

$\overrightarrow{PA}=\overrightarrow{OA}-\overrightarrow{OP}=(-2-x, 1-y)$,

$\overrightarrow{PB}=\overrightarrow{OB}-\overrightarrow{OP}=(1-x, -3-y)$

이므로

$\overrightarrow{PA}\cdot\overrightarrow{PB}=(-2-x, 1-y)\cdot(1-x, -3-y)$

$=(-2-x)\times(1-x)+(1-y)\times(-3-y)$

$=x^2+x+y^2+2y-5=0$

$\therefore \left(x+\frac{1}{2}\right)^2+(y+1)^2=\frac{25}{4}$

즉 점 P가 나타내는 도형은 중심의 좌표가 $\left(-\frac{1}{2}, -1\right)$이고 반지름의 길이가 $\frac{5}{2}$인 원이다.

따라서 점 P가 나타내는 도형의 길이는

$2\pi\times\frac{5}{2}=5\pi$

21 $|\vec{p}-\vec{c}|=|(x-1, y+5)|=3$이므로

$(x-1, y+5)\cdot(x-1, y+5)=3^2$

$\therefore (x-1)^2+(y+5)^2=9$

따라서 점 P가 나타내는 도형은 중심의 좌표가 $(1, -5)$이고 반지름의 길이가 3인 원이다.

22 직선 $2x-5y+5=0$의 법선벡터가 $(2, -5)$이므로 구하는 직선의 방향벡터를 $\vec{u}$라 하면

$\vec{u}=(2, -5)$

따라서 점 $(-4, 3)$을 지나고 방향벡터가 $\vec{u}=(2, -5)$인 직선의 방정식은

$\frac{x-(-4)}{2}=\frac{y-3}{-5}$ $\therefore \frac{x+4}{2}=\frac{y-3}{-5}$

23 세 직선 l, m, n의 방향벡터를 각각 $\overrightarrow{u_1}, \overrightarrow{u_2}, \overrightarrow{u_3}$이라 하면

$\overrightarrow{u_1}=(2, -3), \overrightarrow{u_2}=(6, -a), \overrightarrow{u_3}=(2, b)$

이때 두 직선 l, m이 서로 평행하므로 $\overrightarrow{u_2}=k\overrightarrow{u_1}$ (k는 0이 아닌 실수)에서

$(6, -a)=k(2, -3)$

$6=2k, -a=-3k$

$\therefore k=3, a=9$

또 두 직선 l, n이 서로 수직이므로 $\overrightarrow{u_1}\cdot\overrightarrow{u_3}=0$에서

$(2, -3)\cdot(2, b)=0$

$2\times2+(-3)\times b=0$

$\therefore b=\frac{4}{3}$

24 점 P(x, y)에 대하여

$\overrightarrow{PA}=\overrightarrow{OA}-\overrightarrow{OP}=(-x, -3-y)$,

$\overrightarrow{PB}=\overrightarrow{OB}-\overrightarrow{OP}=(4-x, 1-y)$

이므로

$\overrightarrow{PA}+\overrightarrow{PB}=(-x, -3-y)+(4-x, 1-y)$

$=(4-2x, -2-2y)$

$|\overrightarrow{PA}+\overrightarrow{PB}|=4$에서

$\sqrt{(4-2x)^2+(-2-2y)^2}=4$

위 식의 양변을 제곱하여 정리하면

$(x-2)^2+(y+1)^2=4$

즉 점 P가 나타내는 도형은 중심의 좌표가 $(2, -1)$이고 반지름의 길이가 2인 원이다.

따라서 점 P가 나타내는 도형의 길이는

$2\pi\times2=4\pi$

창의력 · 융합형 · 서술형 · 코딩 본문 74~75쪽

1 (1) 형욱이의 풀이: (가) 3, (나) -2, (다) $\frac{x+1}{3}=\frac{y-4}{-2}$

소민이의 풀이: (가) 2, (나) 3, (다) $2x+3y-10=0$

(2) 풀이 참조

2 (1) $2x+3y-7=0$ (2) $(2, 1)$ (3) $\sqrt{13}$

3 (1) $\frac{x-6}{-2}=\frac{y-2}{2}$ (2) $\frac{x-4}{-2}=\frac{y-4}{-2}$ (3) $90°$

4 (1) 중심의 좌표가 $(2, 0)$이고 반지름의 길이가 1인 원

(2) $(2, -1)$

1 (1) 형욱이의 풀이

① 직선 l의 방정식이 $x=3t-2$, $y=-2t-5$ (t는 실수)일 때

② t를 소거하면 $\frac{x+2}{\boxed{3}}=\frac{y+5}{\boxed{-2}}$

③ 이때 직선 l의 방향벡터는 ($\boxed{3}$, $\boxed{-2}$)

④ 따라서 직선 m의 방정식은

$\frac{x-(-1)}{3}=\frac{y-4}{-2}$

$\boxed{\frac{x+1}{3}=\frac{y-4}{-2}}$

$\therefore$ (가) 3, (나) -2, (다) $\frac{x+1}{3}=\frac{y-4}{-2}$

소민이의 풀이

① 직선 l의 방정식이 $4(x+y+5)=2x+y+1$일 때

② 위 식을 정리하면 $\boxed{2}x+\boxed{3}y+19=0$

③ 이때 직선 l의 법선벡터는 ($\boxed{2}$, $\boxed{3}$)

④ 따라서 직선 m의 방정식은

$2\{x-(-1)\}+3(y-4)=0$

$\boxed{2x+3y-10=0}$

$\therefore$ (가) 2, (나) 3, (다) $2x+3y-10=0$

(2) $\frac{x+1}{3}=\frac{y-4}{-2}$의 양변에 6을 곱하여 정리하면

$2x+3y-10=0$

따라서 형욱이가 구한 방정식과 소민이가 구한 방정식은 같다.

2 (1) 직선 $\frac{x-2}{2}=\frac{y-1}{3}$의 방향벡터는 $(2, 3)$이므로 구하는 직선의 법선벡터를 $\vec{n}$이라 하면

$\vec{n}=(2, 3)$

따라서 점 $A(-1, 3)$을 지나고 법선벡터가 $\vec{n}=(2, 3)$인 직선의 방정식은

$2\{x-(-1)\}+3(y-3)=0$

$\therefore 2x+3y-7=0$

(2) 직선 $\frac{x-2}{2}=\frac{y-1}{3}$의 방향벡터를 $\vec{u}$라 하면

$\vec{u}=(2, 3)$

또 $\frac{x-2}{2}=\frac{y-1}{3}=t$ (t는 실수)라 하면 점 A에서 이 직선에 내린 수선의 발을 $H(2t+2, 3t+1)$로 나타낼 수 있으므로

$\overrightarrow{AH}=(2t+2, 3t+1)-(-1, 3)$

$=(2t+3, 3t-2)$

이때 $\vec{u}\perp\overrightarrow{AH}$이므로 $\vec{u}\cdot\overrightarrow{AH}=0$에서

$2\times(2t+3)+3\times(3t-2)=0$

$13t=0 \qquad \therefore t=0$

따라서 수선의 발 H의 좌표는 $(2, 1)$이다.

(3) $\overrightarrow{AH}=(2, 1)-(-1, 3)=(3, -2)$이므로

$|\overrightarrow{AH}|=\sqrt{3^2+(-2)^2}=\sqrt{13}$

3 (1) 노란색 당구공이 좌표평면에 대응하는 점을 A, 당구대와 만나는 점을 B라 하면 $A(6, 2)$, $B(4, 4)$이므로 구하는 직선의 방향벡터는

$\overrightarrow{AB}=(4, 4)-(6, 2)=(-2, 2)$

따라서 점 $A(6, 2)$를 지나고 방향벡터가 $(-2, 2)$인 직선의 방정식은

$\frac{x-6}{-2}=\frac{y-2}{2}$

(2) 노란색 당구공이 당구대와 만나는 점은 $B(4, 4)$이고, 당구대에 맞은 후 이동 경로 위에 있는 한 점을 C라 하면 $C(2, 2)$이므로 구하는 직선의 방향벡터는

$\overrightarrow{BC}=(2, 2)-(4, 4)=(-2, -2)$

따라서 점 $B(4, 4)$를 지나고 방향벡터가 $(-2, -2)$인 직선의 방정식은

$\frac{x-4}{-2}=\frac{y-4}{-2}$

(3) (1)에서 구한 직선의 방향벡터는 $\overrightarrow{AB}=(-2, 2)$, (2)에서 구한 직선의 방향벡터는 $\overrightarrow{BC}=(-2, -2)$이고

$\overrightarrow{AB}\cdot\overrightarrow{BC}=(-2)\times(-2)+2\times(-2)=0$이므로 두 직선은 서로 수직이다.

따라서 두 직선이 이루는 각의 크기는 $90°$이다.

4 (1) $\vec{p}-\vec{a}=(x, y)-(1, 0)=(x-1, y)$,

$\vec{p}-\vec{b}=(x, y)-(3, 0)=(x-3, y)$

이므로

$(\vec{p}-\vec{a})\cdot(\vec{p}-\vec{b})=(x-1, y)\cdot(x-3, y)$

$=(x-1)\times(x-3)+y^2$

$=x^2-4x+3+y^2$

$=0$

$\therefore (x-2)^2+y^2=1$

따라서 점 P가 나타내는 도형은 중심의 좌표가 $(2, 0)$이고 반지름의 길이가 1인 원이다.

(2) $|\vec{p}|$가 최대일 때는 오른쪽 그림에서 점 P가 점 B의 위치에 놓일 때이므로 $C(3, 0)$이다.

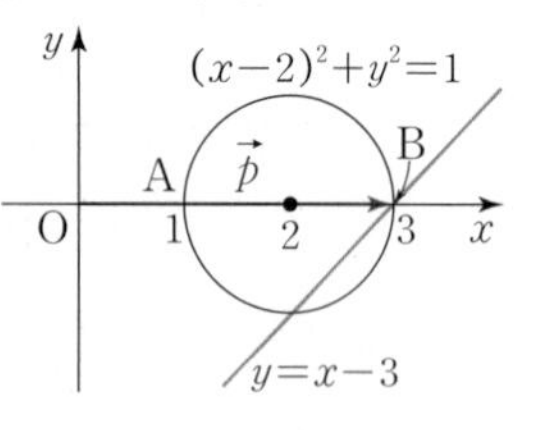

이때 점 $(3, 0)$을 지나면서 기울기가 1인 직선의 방정식은 $y=x-3$이고 이 직선과 원이 만나는 점의 x좌표는

$(x-2)^2+(x-3)^2=1$에서

$x^2-5x+6=0$, $(x-2)(x-3)=0$

$\therefore x=2$ 또는 $x=3$

따라서 점 C가 아닌 점의 x좌표가 2이므로 구하는 위치벡터를 성분으로 나타내면 $(2, -1)$이다.

Ⅲ 공간도형과 공간좌표

06 공간도형

STEP 1 교과서 개념 확인 테스트 | 본문 80～81쪽

1-1 ㄱ, ㄴ, ㄹ **1-2** 4
2-1 모서리 AD, 모서리 AE
2-2 (1) 직선 CG, 직선 DH, 직선 EH, 직선 FG
(2) 평면 BFGC, 평면 EFGH
(3) 평면 BFGC
3-1 45° **3-2** (1) 90° (2) 90°
4-1 풀이 참조 **4-2** 풀이 참조
5-1 45° **5-2** $\frac{\sqrt{3}}{3}$
6-1 (1) 선분 BC (2) 선분 HE (3) 삼각형 CDH
6-2 (1) 점 F (2) 선분 AB (3) 삼각형 DEF

1-1 ㄱ. 세 점 A, C, E는 한 직선 위에 있지 않은 세 점이므로 한 평면을 결정한다.
ㄴ. 직선 AD와 이 직선 위에 있지 않은 한 점 E는 한 평면을 결정한다.
ㄷ. 두 직선 AC와 DE는 꼬인 위치에 있으므로 두 직선 AC와 DE를 포함하는 평면은 존재하지 않는다.
ㄹ. 두 직선 BC와 DE는 평행하므로 두 직선 BC와 DE는 한 평면을 결정한다.
따라서 한 평면을 결정하는 것은 ㄱ, ㄴ, ㄹ이다.

1-2 점 D와 윗면의 두 점으로 만들 수 있는 평면의 개수는
$_3C_2=3$
윗면의 세 점으로 만들 수 있는 평면의 개수는 1
따라서 구하는 평면의 개수는
$3+1=4$

3-1 $\overline{AD}\,/\!/\,\overline{EH}$이므로 두 직선 AD와 HF가 이루는 각의 크기는 두 직선 EH와 HF가 이루는 각의 크기와 같다.
□EFGH는 정사각형이므로 $\angle EHF=45°$
따라서 구하는 각의 크기는 45°이다.

3-2 (1) $\overline{DH}\,/\!/\,\overline{AE}$이고 $\overline{AB}\perp\overline{AE}$이므로 $\overline{AB}\perp\overline{DH}$이다. 따라서 두 직선 AB와 DH가 이루는 각의 크기는 90°이다.
(2) $\overline{FG}\,/\!/\,\overline{BC}$이고 □BCHE는 직사각형이므로 $\overline{BE}\perp\overline{BC}$이다. 따라서 $\overline{BE}\perp\overline{FG}$이므로 두 직선 BE와 FG가 이루는 각의 크기는 90°이다.

4-1 $\overline{PO}\perp\alpha$이고 직선 l이 평면 α 위에 있으므로 $\overline{PO}\perp l$
또 $\overline{PH}\perp l$이므로
(평면 PHO)$\perp l$
이때 $\overline{OH}$는 평면 PHO 위에 있으므로 $\overline{OH}\perp l$
따라서 $\overline{PO}\perp\alpha$, $\overline{PH}\perp l$이면 $\overline{OH}\perp l$

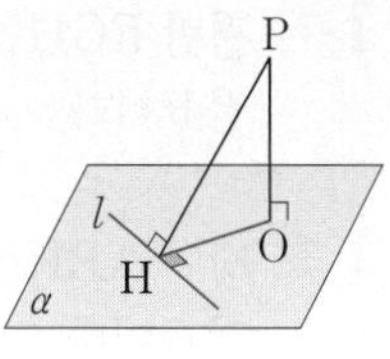

4-2 $\overline{PH}\perp l$, $\overline{OH}\perp l$이므로
(평면 PHO)$\perp l$
$\overline{PO}$는 평면 PHO 위에 있으므로 $\overline{PO}\perp l$
또 $\overline{PO}\perp\overline{OH}$이고 직선 l과 $\overline{OH}$는 평면 α 위에 있으므로 $\overline{PO}\perp\alpha$
따라서 $\overline{PH}\perp l$, $\overline{OH}\perp l$, $\overline{PO}\perp\overline{OH}$이면 $\overline{PO}\perp\alpha$

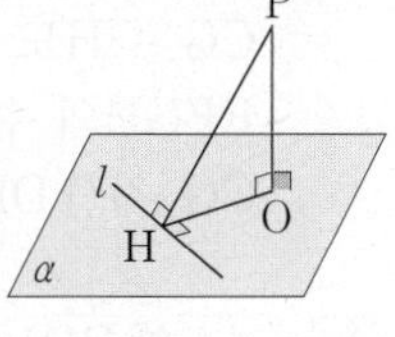

5-1 두 평면 ABCD와 AFGD에 대하여
$\overline{AB}\perp\overline{AD}$, $\overline{AF}\perp\overline{AD}$
즉 두 평면 ABCD와 AFGD가 이루는 각의 크기는 두 직선 AB와 AF가 이루는 각의 크기와 같다.
□AEFB는 정사각형이므로 $\angle BAF=45°$
따라서 구하는 각의 크기는 45°이다.

5-2 오른쪽 그림과 같이 선분 HF의 중점을 M이라 하면
$\overline{CM}\perp\overline{HF}$, $\overline{GM}\perp\overline{HF}$
두 평면 CHF와 FGH가 이루는 각의 크기 θ는 두 직선 CM과 GM이 이루는 각의 크기와 같다.

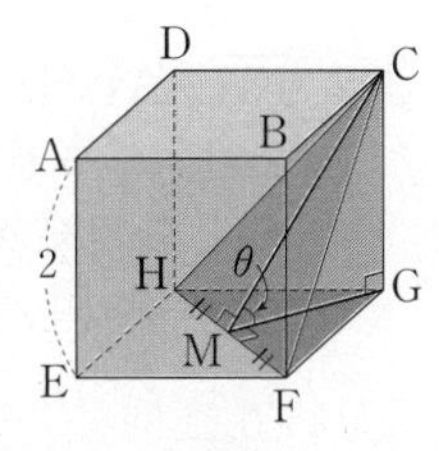

삼각형 CHF는 한 변의 길이가 $2\sqrt{2}$인 정삼각형이므로
$\overline{CM}=\sqrt{(2\sqrt{2})^2-(\sqrt{2})^2}=\sqrt{6}$
따라서 삼각형 CMG에서
$\cos\theta=\frac{\overline{GM}}{\overline{CM}}=\frac{\sqrt{2}}{\sqrt{6}}=\frac{\sqrt{3}}{3}$

STEP 2 기출 기초 테스트 | 본문 82～83쪽

1-1 점 F **1-2** 점 G
2-1 직선 AE, 직선 BF, 직선 CG, 직선 DH
2-2 풀이 참조
3-1 60° **3-2** 40°
4-1 (1) $\sqrt{2}$ (2) $\sqrt{6}$ **4-2** $\overline{AB}=8$, $\overline{AC}=4\sqrt{5}$
5-1 $\frac{1}{3}$ **5-2** $\frac{2}{3}$
6-1 30° **6-2** $8\sqrt{2}$

1-1 평면 EGH는 평면 EFGH와 같으므로 구하는 점은 점 F이다.

1-2 평면 ABH는 평면 ABGH와 같으므로 구하는 점은 점 G이다.

2-1 평면 EFGH와 수직인 평면은 평면 AEFB, 평면 BFGC, 평면 DHGC, 평면 AEHD이므로 이 네 평면 중 두 평면이 만나서 생기는 네 교선 AE, BF, CG, DH도 평면 EFGH와 수직이다. 따라서 평면 EFGH와 수직인 직선은 직선 AE, 직선 BF, 직선 CG, 직선 DH이다.

2-2 $\overline{AC}$와 $\overline{BD}$는 정사각형 ABCD의 대각선이므로
$\overline{AC}\perp\overline{BD}$ …… ㉠
또 $\overline{CG}$는 평면 ABCD와 수직이고 $\overline{BD}$는 평면 ABCD 위에 있으므로
$\overline{CG}\perp\overline{BD}$ …… ㉡
㉠, ㉡에 의하여 $\overline{BD}\perp$(평면 AGC)

3-1 $\overline{BE}/\!/\overline{CD}$이므로 두 직선 AC와 BE가 이루는 각의 크기는 두 직선 AC와 CD가 이루는 각의 크기와 같다.
삼각형 ACD는 정삼각형이므로 $\angle ACD=60°$
따라서 구하는 각의 크기는 $60°$이다.

3-2 $\overline{EH}/\!/\overline{AD}$이므로 두 직선 AB와 EH가 이루는 각의 크기는 두 직선 AB와 AD가 이루는 각의 크기와 같다.
이때 두 직선 AB와 AD가 이루는 각의 크기가 $40°$이므로 구하는 각의 크기는 $40°$이다.

4-1 (1) $\overline{OC}\perp$(평면 OAB), $\overline{CH}\perp\overline{AB}$이므로 삼수선의 정리에 의하여 $\overline{OH}\perp\overline{AB}$
따라서 직각삼각형 OAB의 넓이는
$\frac{1}{2}\times\overline{OA}\times\overline{OB}=\frac{1}{2}\times\overline{AB}\times\overline{OH}$
$\frac{1}{2}\times2\times2=\frac{1}{2}\times2\sqrt{2}\times\overline{OH}$
$\therefore \overline{OH}=\sqrt{2}$
(2) $\overline{OC}\perp$(평면 OAB)이고, $\overline{OH}$는 평면 OAB 위에 있으므로
$\overline{OC}\perp\overline{OH}$
따라서 직각삼각형 OHC에서
$\overline{CH}=\sqrt{2^2+(\sqrt{2})^2}=\sqrt{6}$

4-2 $\overline{AD}\perp\overline{DH}$, $\overline{DH}\perp\overline{BC}$, $\overline{BC}\perp\overline{AH}$이므로 삼수선의 정리에 의하여
$\overline{AD}\perp$(평면 BCD)
따라서 $\overline{AD}\perp\overline{BD}$이므로 직각삼각형 ABD에서
$\overline{AB}=\sqrt{4^2+(4\sqrt{3})^2}=8$
또 $\overline{AD}\perp\overline{CD}$이므로 직각삼각형 ADC에서
$\overline{AC}=\sqrt{4^2+8^2}=4\sqrt{5}$

5-1 오른쪽 그림과 같이 $\overline{BC}$의 중점을 H라 하면
$\overline{AH}\perp\overline{BC}$, $\overline{HD}\perp\overline{BC}$
따라서 두 평면 ABC와 BCD가 이루는 각의 크기 θ는 두 직선 AH와 DH가 이루는 각의 크기와 같다.
두 삼각형 ABC와 BCD는 모두 정삼각형이므로
$\overline{AH}=\overline{DH}=\sqrt{2^2-1^2}=\sqrt{3}$
따라서 삼각형 AHD에서 코사인법칙에 의하여
$\cos\theta=\frac{(\sqrt{3})^2+(\sqrt{3})^2-2^2}{2\times\sqrt{3}\times\sqrt{3}}=\frac{1}{3}$

5-2 오른쪽 그림과 같이 점 D에서 선분 EG에 내린 수선의 발을 P라 하면
$\overline{DH}\perp$(평면 EFGH), $\overline{DP}\perp\overline{EG}$이므로 삼수선의 정리에 의하여
$\overline{HP}\perp\overline{EG}$
따라서 두 평면 EFGH와 DEG가 이루는 각의 크기 θ는 두 직선 HP와 DP가 이루는 각의 크기와 같다.
직각삼각형 HEG에서
$\overline{EG}=\sqrt{2^2+4^2}=2\sqrt{5}$
이고, 넓이는
$\frac{1}{2}\times\overline{EH}\times\overline{HG}=\frac{1}{2}\times\overline{EG}\times\overline{HP}$
$\frac{1}{2}\times2\times4=\frac{1}{2}\times2\sqrt{5}\times\overline{HP}$
$\therefore \overline{HP}=\frac{4\sqrt{5}}{5}$
또 직각삼각형 DHP에서
$\overline{DP}=\sqrt{2^2+\left(\frac{4\sqrt{5}}{5}\right)^2}=\frac{6\sqrt{5}}{5}$
$\therefore \cos\theta=\frac{\overline{HP}}{\overline{DP}}=\frac{2}{3}$

6-1 직선 AB와 평면 α가 이루는 각의 크기를 θ라 하면
$\overline{A'B'}=\overline{AB}\cos\theta$에서
$3\sqrt{3}=6\cos\theta$
$\cos\theta=\frac{\sqrt{3}}{2}$
$\therefore \theta=30°$

6-2 직선 AB와 평면 α가 이루는 각의 크기를 θ라 하면
$\overline{A'B'}=\overline{AB}\cos\theta$에서
$8=\overline{AB}\cos45°$
$8=\overline{AB}\times\frac{\sqrt{2}}{2}$
$\therefore \overline{AB}=8\sqrt{2}$

STEP 3 교과서 기본 테스트

본문 84~87쪽

01 ④ 02 ④ 03 ③ 04 6 05 ①

06 ③ 07 $\frac{\sqrt{2}}{2}$ 08 $2\sqrt{3}$ 09 ⑤

10 (1) $\frac{3\sqrt{10}}{10}$ (2) $\frac{7\sqrt{10}}{10}$ 11 $\sqrt{2}$ 12 $\frac{\sqrt{3}+\sqrt{6}}{3}$

13 ① 14 (1) 선분 DG (2) 삼각형 HEN 15 2

16 30° 17 ② 18 ① 19 $\frac{1}{2}$ 20 $2\sqrt{6}$

21 $\frac{12\sqrt{5}}{5}$ 22 $\frac{\sqrt{3}}{3}$

01 꼬인 위치에 있는 두 직선을 포함하는 평면은 존재하지 않는다.

02 한 직선 위에 있지 않은 세 점은 한 평면을 결정하므로 구하는 평면의 개수는
$_4C_3={}_4C_1=4$

03 모서리 CD와 꼬인 위치에 있는 모서리는 모서리 AE, 모서리 BF, 모서리 EH, 모서리 FG이다.
따라서 모서리 CD와 꼬인 위치에 있지 않은 모서리는 모서리 EF이다.

04 직선 AD와 수직인 면은 면 AEFB, 면 DHGC이므로 $a=2$
직선 AD와 꼬인 위치에 있는 직선은 직선 BF, 직선 CG, 직선 EF, 직선 HG이므로 $b=4$
$\therefore a+b=6$

05 ㄴ. 직선 l과 평면 α는 서로 평행하므로 직선 l은 평면 α 위의 직선 m과 만나지 않는다. 그런데 두 직선 l, m은 모두 평면 β 위에 있으므로 $l /\!/ m$이다.
ㄷ. 오른쪽 그림과 같이 $l \perp m$, $l \perp n$이지만 두 직선 m, n이 꼬인 위치에 있을 수도 있다.

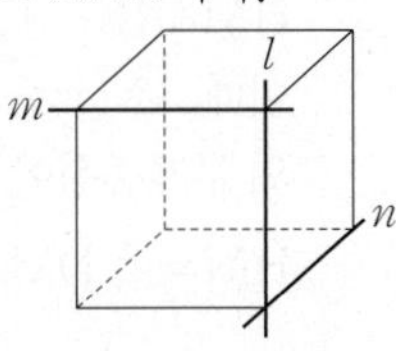

ㄹ. 오른쪽 그림과 같이 $l /\!/ \alpha$, $m /\!/ \alpha$이지만 두 직선 l, m이 한 점에서 만날 수도 있다.

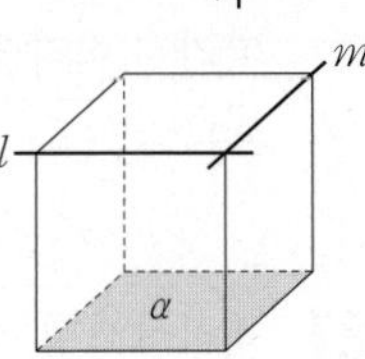

따라서 옳은 것은 ㄱ, ㄴ이다.

06 $\overline{BG} /\!/ \overline{AH}$이므로 두 직선 AC와 BG가 이루는 각의 크기는 두 직선 AC와 AH가 이루는 각의 크기와 같다.
삼각형 AHC는 정삼각형이므로 $\angle CAH=60°$
따라서 구하는 각의 크기는 60°이다.

07 $\overline{CF} /\!/ \overline{DE}$이므로 두 직선 DM과 CF가 이루는 각의 크기 θ는 두 직선 DM과 DE가 이루는 각의 크기와 같다.
한편 직각삼각형 AED에서
$\overline{ED}=\sqrt{2^2+2^2}=2\sqrt{2}$
직각삼각형 EFM에서
$\overline{EM}=\sqrt{2^2+1^2}=\sqrt{5}$
또 $\overline{BM}\perp$(평면 ABCD)이고 $\overline{DB}$가 평면 ABCD 위에 있으므로
$\overline{BM}\perp\overline{DB}$
즉 직각삼각형 DMB에서
$\overline{DM}=\sqrt{(2\sqrt{2})^2+1^2}=3$
따라서 삼각형 DEM에서 코사인법칙에 의하여
$\cos\theta=\frac{(2\sqrt{2})^2+3^2-(\sqrt{5})^2}{2\times2\sqrt{2}\times3}=\frac{\sqrt{2}}{2}$

08 직각삼각형 PQO에서
$\overline{PQ}=\sqrt{2^2+3^2}=\sqrt{13}$
$\overline{PO}\perp\alpha$, $\overline{OQ}\perp\overline{AB}$이므로 삼수선의 정리에 의하여
$\overline{PQ}\perp\overline{AB}$
따라서 직각삼각형 PAQ에서
$\overline{AQ}=\sqrt{5^2-(\sqrt{13})^2}=2\sqrt{3}$

09 직각삼각형 PQO에서
$\overline{OQ}=\sqrt{5^2-4^2}=3$
$\overline{PO}\perp\alpha$, $\overline{PQ}\perp\overline{AB}$이므로 삼수선의 정리에 의하여
$\overline{OQ}\perp\overline{AB}$
따라서 직각삼각형 OQB에서
$\overline{OB}=\sqrt{3^2+2^2}=\sqrt{13}$

10 (1) $\overline{DH}\perp$(평면 EFGH), $\overline{DI}\perp\overline{EG}$이므로 삼수선의 정리에 의하여
$\overline{HI}\perp\overline{EG}$
직각삼각형 EGH에서
$\overline{EG}=\sqrt{1^2+3^2}=\sqrt{10}$
이고, 넓이는
$\frac{1}{2}\times\overline{EH}\times\overline{GH}=\frac{1}{2}\times\overline{EG}\times\overline{HI}$
$\frac{1}{2}\times1\times3=\frac{1}{2}\times\sqrt{10}\times\overline{HI}$
$\therefore \overline{HI}=\frac{3\sqrt{10}}{10}$
(2) 직각삼각형 DHI에서
$\overline{DI}=\sqrt{2^2+\left(\frac{3\sqrt{10}}{10}\right)^2}=\frac{7\sqrt{10}}{10}$

11 $\overline{PO}\perp\alpha$, $\overline{OH}\perp\overline{AB}$이므로 삼수선의 정리에 의하여
$\overline{PH}\perp\overline{AB}$
직각삼각형 PHO에서
$\overline{PO}=\overline{OH}\tan 60^\circ=\sqrt{3}$
이므로
$\overline{PH}=\sqrt{1^2+(\sqrt{3})^2}=2$
또 직각삼각형 PAO에서
$\overline{AO}=\overline{PO}=\sqrt{3}$
직각삼각형 OAH에서
$\overline{AH}=\sqrt{(\sqrt{3})^2-1^2}=\sqrt{2}$
따라서 직각삼각형 PAH의 넓이는
$\frac{1}{2}\times\overline{AH}\times\overline{PH}=\frac{1}{2}\times\sqrt{2}\times 2=\sqrt{2}$

12 꼭짓점 D에서 평면 EFGH에 내린 수선의 발이 H이므로 $\angle DFH=\theta$
정육면체의 한 모서리의 길이를 a라 하면
$$\sin\theta+\cos\theta=\frac{\overline{DH}}{\overline{DF}}+\frac{\overline{FH}}{\overline{DF}}=\frac{a}{\sqrt{3}a}+\frac{\sqrt{2}a}{\sqrt{3}a}=\frac{\sqrt{3}+\sqrt{6}}{3}$$

13 정삼각형 ACD에서 중선 AM은 선분 CD를 수직이등분하므로
$\overline{AM}\perp\overline{CD}$ …… ㉠
또 정삼각형 BCD에서 중선 BM은 선분 CD를 수직이등분하므로
$\overline{BM}\perp\overline{CD}$ …… ㉡
㉠, ㉡에 의하여 $\overline{CD}\perp$(평면 ABM)
따라서 $\theta=90^\circ$이므로
$\cos\theta=\cos 90^\circ=0$

15 꼭짓점 A의 평면 BCD 위로의 정사영을 A′이라 하면 점 A′은 삼각형 BCD의 무게중심이다.
따라서 $\triangle A'BC=\frac{1}{3}\triangle BCD=\frac{1}{3}\triangle ABC$이므로 평면 ABC와 평면 BCD가 이루는 각의 크기를 θ라 하면
$\cos\theta=\frac{1}{3}$
따라서 구하는 정사영의 넓이는
$6\cos\theta=6\times\frac{1}{3}=2$

참고 오른쪽 그림과 같이 점 A에서 평면 BCD에 내린 수선의 발을 H라 하면 $\triangle ABH$, $\triangle ACH$, $\triangle ADH$는 모두 합동이므로

$\overline{BH}=\overline{CH}=\overline{DH}$
즉 점 H는 $\triangle BCD$의 외심이고, 정삼각형의 외심과 무게중심은 서로 일치하므로 점 H는 $\triangle BCD$의 무게중심이다.

16 한 변의 길이가 4인 정삼각형의 넓이는
$\frac{\sqrt{3}}{4}\times 4^2=4\sqrt{3}$
두 평면 α, β가 이루는 각의 크기를 θ라 하면 평면 α 위로의 정사영의 넓이가 6이므로
$4\sqrt{3}\cos\theta=6$, $\cos\theta=\frac{\sqrt{3}}{2}$
$\therefore\ \theta=30^\circ$

17 단면의 밑면 위로의 정사영은 사각기둥의 밑면인 정사각형이다.
단면의 넓이를 S, 사각기둥의 밑면의 넓이를 S'이라 하면 $S'=S\cos 45^\circ$이므로
$3^2=S\times\frac{\sqrt{2}}{2}$
$\therefore\ S=9\sqrt{2}$

18 한 변의 길이가 1인 정삼각형 ABC의 넓이는
$\frac{\sqrt{3}}{4}\times 1^2=\frac{\sqrt{3}}{4}$
따라서 구하는 정사영의 넓이는
$\frac{\sqrt{3}}{4}\cos 60^\circ=\frac{\sqrt{3}}{4}\times\frac{1}{2}=\frac{\sqrt{3}}{8}$

19 단면의 밑면 위로의 정사영은 원기둥의 밑면인 원이다.
반지름의 길이가 4인 밑면의 넓이는
$\pi\times 4^2=16\pi$
따라서 $32\pi\cos\theta=16\pi$이므로
$\cos\theta=\frac{1}{2}$

20 점 A에서 모서리 BC에 내린 수선의 발을 M이라 하면
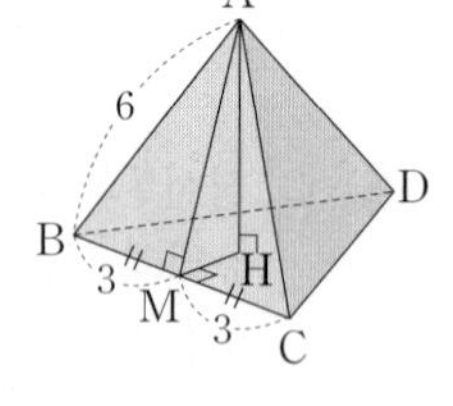

$\overline{AM}\perp\overline{BC}$
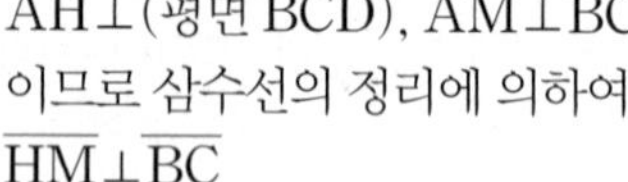
$\overline{AH}\perp$(평면 BCD), $\overline{AM}\perp\overline{BC}$
이므로 삼수선의 정리에 의하여
$\overline{HM}\perp\overline{BC}$
이때 $\overline{AM}=\sqrt{6^2-3^2}=3\sqrt{3}$이고, 점 H는 삼각형 BCD의 무게중심이므로
$\overline{HM}=\frac{1}{3}\overline{DM}=\frac{1}{3}\overline{AM}=\sqrt{3}$
따라서 직각삼각형 AMH에서
$\overline{AH}=\sqrt{(3\sqrt{3})^2-(\sqrt{3})^2}=2\sqrt{6}$

21 직각삼각형 EFM에서
$\overline{EM}=\sqrt{4^2+2^2}=2\sqrt{5}$
$\overline{DH}\perp$(평면 EFGH), $\overline{DI}\perp\overline{EM}$이므로 삼수선의 정리에 의하여
$\overline{HI}\perp\overline{EM}$

삼각형 EMH의 넓이는

$\frac{1}{2}\times\overline{EH}\times\overline{EF}=\frac{1}{2}\times\overline{EM}\times\overline{HI}$

$\frac{1}{2}\times4\times4=\frac{1}{2}\times2\sqrt{5}\times\overline{HI}$

$\therefore \overline{HI}=\frac{8\sqrt{5}}{5}$

따라서 직각삼각형 DHI에서

$\overline{DI}=\sqrt{4^2+\left(\frac{8\sqrt{5}}{5}\right)^2}=\frac{12\sqrt{5}}{5}$

22 두 평면 HBC와 ABC가 이루는 각의 크기를 θ라 하면 삼각형 ABC의 평면 BCDE 위로의 정사영은 삼각형 HBC이므로

$\cos\theta=\frac{\triangle HBC}{\triangle ABC}$ …… ㉠

이때

$\triangle HBC=\frac{1}{4}\square BCDE=\frac{1}{4}\times2\times2=1$

$\triangle ABC=\frac{\sqrt{3}}{4}\times2^2=\sqrt{3}$

이므로 ㉠에서

$\cos\theta=\frac{1}{\sqrt{3}}=\frac{\sqrt{3}}{3}$

따라서 구하는 정사영의 넓이는

$\triangle HBC\times\cos\theta=1\times\frac{\sqrt{3}}{3}=\frac{\sqrt{3}}{3}$

창의력 · 융합형 · 서술형 · 코딩 본문 88~89쪽

1 (1) 평행하다. (2) 수직이다. (3) 60°
2 (1) $\frac{3}{5}$ (2) 15π
3 (1) $\overline{PQ}=\sqrt{\overline{OP}^2+\overline{OQ}^2}$ (2) 풀이 참조
4 (1) 풀이 참조 (2) 520 m (3) 480 m

1 (1) 야구 방망이의 그림자의 길이가 최대인 경우는 야구 방망이와 운동장 바닥이 평행할 때이다.
(2) 야구 방망이의 양 끝 점의 그림자가 겹치는 경우는 야구 방망이와 운동장 바닥이 수직일 때이다.
(3) 야구 방망이와 운동장 바닥이 이루는 각의 크기를 θ, 야구 방망이의 길이를 S, 야구 방망이의 그림자의 길이를 S'이라 하면

$S'=S\cos\theta$

이때 $S'=\frac{1}{2}S$이므로 $\frac{1}{2}S=S\cos\theta$

$\cos\theta=\frac{1}{2}$ $\therefore \theta=60°$

따라서 야구 방망이와 운동장 바닥이 이루는 각의 크기는 60°이다.

2 (1) 그릇을 기울이면 한쪽 수면이 올라온 만큼 반대쪽 수면은 내려가므로 오른쪽 그림과 같이 그릇을 기울이기 전의 수면의 지름을 $\overline{AB}$, 물이 흘러내리기 직전까지 기울였을 때의 수면의 장축을 $\overline{CD}$라 하면

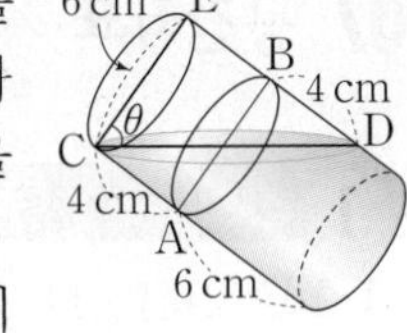

$\overline{AC}=\overline{BD}=4$, $\overline{DE}=8$

이때 직각삼각형 CDE에서

$\overline{CD}=\sqrt{6^2+8^2}=10$

지면과 그릇의 밑면이 이루는 각의 크기가 θ이므로 두 직선 CD와 CE가 이루는 각의 크기도 θ이다.

$\therefore \cos\theta=\frac{\overline{CE}}{\overline{CD}}=\frac{3}{5}$

(2) 그릇의 밑면의 넓이는 9π이므로 구하는 수면의 넓이를 S라 하면

$S\cos\theta=9\pi$

$\therefore S=\frac{9\pi}{\cos\theta}=\frac{9\pi}{\frac{3}{5}}=15\pi$

3 (1) 직선 OP는 지면과 수직이므로 $\overline{OP}\perp\overline{OQ}$
따라서 직각삼각형 PQO에서

$\overline{PQ}=\sqrt{\overline{OP}^2+\overline{OQ}^2}$

(2) 선분 OP의 길이는 일정하므로 선분 OQ의 길이가 최소일 때 선분 PQ의 길이가 최소가 된다.
따라서 구하는 점 Q의 위치는 점 O에서 직선 l에 내린 수선의 발이다.

4 (1) $\overline{CD}$는 지면과 수직이고 $\overline{AB}\perp\overline{BC}$이므로 삼수선의 정리에 의하여
$\overline{BD}\perp\overline{AB}$
따라서 삼각형 ABD는 $\angle ABD=90°$인 직각삼각형이다.
(2) 직각삼각형 ABD에서

$\tan(\angle DAB)=\frac{\overline{BD}}{\overline{AB}}$

$\frac{4}{3}=\frac{\overline{BD}}{390}$ $\therefore \overline{BD}=520\,(\text{m})$

(3) 직각삼각형 BCD에서

$\overline{CD}=\sqrt{\overline{BD}^2-\overline{BC}^2}$
$=\sqrt{520^2-200^2}$
$=480\,(\text{m})$

07 공간좌표

STEP 1 교과서 개념 확인 테스트 | 본문 92~93쪽

1-1 $P(2, 0, 0)$, $Q(2, 3, 1)$, $R(0, 3, 1)$
1-2 $P(2, -2, 3)$, $Q(2, -2, 0)$, $R(0, 0, 3)$
2-1 (1) $(2, 3, 0)$ (2) $(0, 0, -1)$
2-2 (1) $(1, 0, 2)$ (2) $(0, -3, 0)$
3-1 (1) 3 (2) $5\sqrt{2}$ **3-2** (1) 5 (2) $\sqrt{10}$
4-1 (1) $P(2, -1, 2)$ (2) $Q(6, -5, 2)$
4-2 (1) $P(-1, -2, 4)$ (2) $Q(-13, -26, -8)$
5-1 (1) $(x-3)^2+(y+2)^2+(z+4)^2=16$
(2) $(x-2)^2+(y+1)^2+(z-2)^2=9$
5-2 (1) $(x+2)^2+(y-3)^2+z^2=1$
(2) $(x+1)^2+(y-2)^2+(z+3)^2=24$
6-1 중심의 좌표: $(-3, 1, 2)$, 반지름의 길이: 2
6-2 중심의 좌표: $(1, 3, 0)$, 반지름의 길이: 1

2-1 (1) 점 P에서 xy평면에 내린 수선의 발은 z좌표가 0이므로 구하는 점의 좌표는
$(2, 3, 0)$
(2) 점 P에서 z축에 내린 수선의 발은 x좌표와 y좌표가 모두 0이므로 구하는 점의 좌표는
$(0, 0, -1)$

참고 수선의 발의 좌표
- 좌표공간의 점 $A(a, b, c)$에서
  (1) x축, y축, z축에 내린 수선의 발을 각각 P, Q, R라 하면
  $P(a, 0, 0)$, $Q(0, b, 0)$, $R(0, 0, c)$
  (2) xy평면, yz평면, zx평면에 내린 수선의 발을 각각 P, Q, R라 하면
  $P(a, b, 0)$, $Q(0, b, c)$, $R(a, 0, c)$
- 점 A에서 평면 α에 내린 수선의 발은 점 A의 평면 α 위로의 정사영이므로 수선의 발의 좌표는 정사영의 좌표와 같다.

2-2 (1) 점 P에서 zx평면에 내린 수선의 발은 y좌표가 0이므로 구하는 점의 좌표는
$(1, 0, 2)$
(2) 점 P에서 y축에 내린 수선의 발은 x좌표와 z좌표가 모두 0이므로 구하는 점의 좌표는
$(0, -3, 0)$

3-1 (1) $\overline{AB}=\sqrt{(-1-1)^2+(3-1)^2+\{-3-(-4)\}^2}$
$=3$
(2) $\overline{OA}=\sqrt{3^2+5^2+(-4)^2}$
$=5\sqrt{2}$

3-2 (1) $\overline{AB}=\sqrt{(-1-3)^2+(-2-1)^2+\{-4-(-4)\}^2}$
$=5$
(2) $\overline{AB}=\sqrt{(-1-2)^2+(2-2)^2+(0-1)^2}$
$=\sqrt{10}$

4-1 (1) 선분 AB를 $2:1$로 내분하는 점 P의 좌표는
$$\left(\frac{2\times3+1\times0}{2+1}, \frac{2\times(-2)+1\times1}{2+1}, \frac{2\times2+1\times2}{2+1}\right)$$
$\therefore P(2, -1, 2)$
(2) 선분 AB를 $2:1$로 외분하는 점 Q의 좌표는
$$\left(\frac{2\times3-1\times0}{2-1}, \frac{2\times(-2)-1\times1}{2-1}, \frac{2\times2-1\times2}{2-1}\right)$$
$\therefore Q(6, -5, 2)$

4-2 (1) 선분 AB를 $3:2$로 내분하는 점 P의 좌표는
$$\left(\frac{3\times(-3)+2\times2}{3+2}, \frac{3\times(-6)+2\times4}{3+2}, \frac{3\times2+2\times7}{3+2}\right)$$
$\therefore P(-1, -2, 4)$
(2) 선분 AB를 $3:2$로 외분하는 점 Q의 좌표는
$$\left(\frac{3\times(-3)-2\times2}{3-2}, \frac{3\times(-6)-2\times4}{3-2}, \frac{3\times2-2\times7}{3-2}\right)$$
$\therefore Q(-13, -26, -8)$

5-1 (1) $(x-3)^2+(y+2)^2+(z+4)^2=16$
(2) 구의 반지름의 길이는
$\sqrt{2^2+(-1)^2+2^2}=3$
따라서 구하는 구의 방정식은
$(x-2)^2+(y+1)^2+(z-2)^2=9$

5-2 (1) $(x+2)^2+(y-3)^2+z^2=1$
(2) 구의 반지름의 길이는
$\sqrt{(-1-1)^2+(2-0)^2+(-3-1)^2}=2\sqrt{6}$
따라서 구하는 구의 방정식은
$(x+1)^2+(y-2)^2+(z+3)^2=24$

6-1 $x^2+y^2+z^2+6x-2y-4z+10=0$에서
$(x+3)^2+(y-1)^2+(z-2)^2=4$
따라서 구하는 구의 중심의 좌표는 $(-3, 1, 2)$, 반지름의 길이는 2이다.

6-2 $x^2+y^2+z^2-2x-6y+9=0$에서
$(x-1)^2+(y-3)^2+z^2=1$
따라서 구하는 구의 중심의 좌표는 $(1, 3, 0)$, 반지름의 길이는 1이다.

STEP 2 기출 기초 테스트

본문 94~97쪽

1-1 (1) $(0, 3, -5)$ (2) $(-1, -3, 5)$
1-2 (1) $(-1, 0, 0)$ (2) $(-1, 2, -3)$
2-1 (1) $\sqrt{3}$ (2) 5
2-2 (1) $2\sqrt{3}$ (2) $\sqrt{2}$
3-1 1, 5
3-2 -10
4-1 $(1, 0, 0)$, $(5, 0, 0)$
4-2 $(0, -1, 0)$, $(0, 3, 0)$
5-1 $P(4, 0, 0)$
5-2 $P(0, 3, 0)$
6-1 $2\sqrt{14}$
6-2 6
7-1 $(-2, 3, -2)$
7-2 $\left(-\frac{7}{2}, -\frac{1}{2}, 3\right)$
8-1 9
8-2 $\sqrt{35}$
9-1 3
9-2 2
10-1 중심의 좌표: $(3, -1, 3)$, 반지름의 길이: 7
10-2 $(x-2)^2+y^2+(z-2)^2=6$
11-1 $3\sqrt{6}$
11-2 9
12-1 $x^2+y^2+z^2-4x+2z=0$
12-2 $x^2+y^2+z^2+2x-4y+4z=0$

1-1 (1) 점 P에서 yz평면에 내린 수선의 발은 x좌표가 0이므로 구하는 점의 좌표는
$(0, 3, -5)$
(2) 점 P를 x축에 대하여 대칭이동한 점은 y좌표와 z좌표의 부호만 바뀌므로 구하는 점의 좌표는
$(-1, -3, 5)$

참고 점의 대칭이동
좌표공간의 점 $A(a, b, c)$를
(1) x축, y축, z축에 대하여 대칭이동한 점을 각각 P, Q, R라 하면
$P(a, -b, -c)$, $Q(-a, b, -c)$, $R(-a, -b, c)$
(2) xy평면, yz평면, zx평면에 대하여 대칭이동한 점을 각각 P, Q, R라 하면
$P(a, b, -c)$, $Q(-a, b, c)$, $R(a, -b, c)$
(3) 원점에 대하여 대칭이동한 점을 P라 하면
$P(-a, -b, -c)$

1-2 (1) 점 P에서 x축에 내린 수선의 발은 y좌표와 z좌표가 모두 0이므로 구하는 점의 좌표는
$(-1, 0, 0)$
(2) 점 P를 xy평면에 대하여 대칭이동한 점은 z좌표의 부호만 바뀌므로 구하는 점의 좌표는
$(-1, 2, -3)$

2-1 (1) $\overline{AB}=\sqrt{(2-1)^2+(1-2)^2+(3-4)^2}$
$=\sqrt{3}$
(2) $\overline{AB}=\sqrt{(-4+1)^2+(-2-2)^2+(3-3)^2}$
$=5$

2-2 (1) $\overline{AB}=\sqrt{(2-0)^2+(0-2)^2+(2-4)^2}$
$=2\sqrt{3}$
(2) $\overline{AB}=\sqrt{(-4+5)^2+(-2+1)^2+(5-5)^2}$
$=\sqrt{2}$

3-1 $\overline{AB}=\sqrt{(5-1)^2+(-2-2)^2+(a-3)^2}$
$=\sqrt{a^2-6a+41}$
즉 $\sqrt{a^2-6a+41}=6$이므로
$a^2-6a+41=36$, $a^2-6a+5=0$
$(a-1)(a-5)=0$
$\therefore a=1$ 또는 $a=5$

3-2 $\overline{AB}=\sqrt{(3+1)^2+(-1-2)^2+(a+5)^2}$
$=\sqrt{a^2+10a+50}$
즉 $\sqrt{a^2+10a+50}=5\sqrt{2}$이므로
$a^2+10a+50=50$, $a^2+10a=0$
$a(a+10)=0$
$\therefore a=-10\ (\because a<0)$

4-1 x축 위의 점의 좌표를 $(a, 0, 0)$이라 하면
$\sqrt{(a-3)^2+(-1)^2+2^2}=3$
$a^2-6a+14=9$, $a^2-6a+5=0$
$(a-1)(a-5)=0$
$\therefore a=1$ 또는 $a=5$
따라서 구하는 점의 좌표는
$(1, 0, 0)$, $(5, 0, 0)$

4-2 y축 위의 점의 좌표를 $(0, a, 0)$이라 하면
$\sqrt{2^2+(a-1)^2+(-4)^2}=2\sqrt{6}$
$a^2-2a+21=24$, $a^2-2a-3=0$
$(a+1)(a-3)=0$
$\therefore a=-1$ 또는 $a=3$
따라서 구하는 점의 좌표는
$(0, -1, 0)$, $(0, 3, 0)$

5-1 점 P의 좌표를 $(a, 0, 0)$이라 하면
$\overline{AP}^2=(a-2)^2+4^2+(-3)^2$
$=a^2-4a+29$
$\overline{BP}^2=(a+1)^2+(-2)^2$
$=a^2+2a+5$
이때 $\overline{AP}=\overline{BP}$에서 $\overline{AP}^2=\overline{BP}^2$이므로
$a^2-4a+29=a^2+2a+5$
$6a=24 \quad \therefore a=4$
따라서 구하는 점 P의 좌표는
$(4, 0, 0)$

5-2 점 P의 좌표를 $(0, a, 0)$이라 하면

$\overline{AP}^2=(-3)^2+(a+1)^2+(-2)^2$
$=a^2+2a+14$

$\overline{BP}^2=(-2)^2+(a-3)^2+(-5)^2$
$=a^2-6a+38$

이때 $\overline{AP}=\overline{BP}$에서 $\overline{AP}^2=\overline{BP}^2$이므로

$a^2+2a+14=a^2-6a+38$

$8a=24 \quad \therefore a=3$

따라서 구하는 점 P의 좌표는

$(0, 3, 0)$

6-1 $Q(1, 2, -3)$, $R(-1, -2, 3)$이므로

$\overline{QR}=\sqrt{(-1-1)^2+(-2-2)^2+(3+3)^2}$
$=2\sqrt{14}$

6-2 $Q(-2, -2, -1)$, $R(2, 2, 1)$이므로

$\overline{QR}=\sqrt{(2+2)^2+(2+2)^2+(1+1)^2}$
$=6$

7-1 선분 AB를 2 : 1로 내분하는 점 P의 좌표는

$$\left(\frac{2\times(-1)+1\times2}{2+1}, \frac{2\times3+1\times3}{2+1}, \frac{2\times(-3)+1\times(-6)}{2+1}\right)$$

$\therefore P(0, 3, -4)$

선분 AB를 2 : 1로 외분하는 점 Q의 좌표는

$$\left(\frac{2\times(-1)-1\times2}{2-1}, \frac{2\times3-1\times3}{2-1}, \frac{2\times(-3)-1\times(-6)}{2-1}\right)$$

$\therefore Q(-4, 3, 0)$

따라서 선분 PQ의 중점의 좌표는

$\left(\frac{0-4}{2}, \frac{3+3}{2}, \frac{-4+0}{2}\right) \quad \therefore (-2, 3, -2)$

7-2 선분 AB를 1 : 2로 내분하는 점 P의 좌표는

$$\left(\frac{1\times(-4)+2\times2}{1+2}, \frac{1\times(-1)+2\times5}{1+2}, \frac{1\times3+2\times3}{1+2}\right)$$

$\therefore P(0, 3, 3)$

선분 AB를 3 : 1로 외분하는 점 Q의 좌표는

$$\left(\frac{3\times(-4)-1\times2}{3-1}, \frac{3\times(-1)-1\times5}{3-1}, \frac{3\times3-1\times3}{3-1}\right)$$

$\therefore Q(-7, -4, 3)$

따라서 선분 PQ의 중점의 좌표는

$\left(\frac{0-7}{2}, \frac{3-4}{2}, \frac{3+3}{2}\right) \quad \therefore \left(-\frac{7}{2}, -\frac{1}{2}, 3\right)$

8-1 선분 AC의 중점의 좌표는

$\left(\frac{4-3}{2}, \frac{3+5}{2}, \frac{-3+8}{2}\right) \quad \therefore \left(\frac{1}{2}, 4, \frac{5}{2}\right)$

선분 BD의 중점의 좌표는

$\left(\frac{-1+a}{2}, \frac{2+b}{2}, \frac{4+c}{2}\right)$

평행사변형 ABCD에서 선분 AC의 중점과 선분 BD의 중점이 일치하므로

$\frac{-1+a}{2}=\frac{1}{2}, \frac{2+b}{2}=4, \frac{4+c}{2}=\frac{5}{2}$

따라서 $a=2, b=6, c=1$이므로

$a+b+c=9$

8-2 점 D의 좌표를 (a, b, c)라 하면 선분 BD의 중점의 좌표는

$\left(\frac{2+a}{2}, \frac{5+b}{2}, \frac{-1+c}{2}\right)$

선분 BD의 중점과 두 대각선의 교점 $(1, 3, -2)$가 일치하므로

$\frac{2+a}{2}=1, \frac{5+b}{2}=3, \frac{-1+c}{2}=-2$

$\therefore a=0, b=1, c=-3$

따라서 $A(1, 4, 2)$, $D(0, 1, -3)$이므로

$\overline{AD}=\sqrt{(0-1)^2+(1-4)^2+(-3-2)^2}$
$=\sqrt{35}$

9-1 삼각형 ABC의 무게중심 G의 좌표는

$\left(\frac{-1+1+3}{3}, \frac{0+1-1}{3}, \frac{2+0+4}{3}\right)$

$\therefore G(1, 0, 2)$

따라서 $a=1, b=0, c=2$이므로

$a+b+c=3$

참고 **삼각형의 무게중심**
좌표공간에서 세 점 $A(x_1, y_1, z_1)$, $B(x_2, y_2, z_2)$, $C(x_3, y_3, z_3)$을 꼭짓점으로 하는 삼각형 ABC의 무게중심 G의 좌표는

$\left(\frac{x_1+x_2+x_3}{3}, \frac{y_1+y_2+y_3}{3}, \frac{z_1+z_2+z_3}{3}\right)$

9-2 삼각형 ABC의 무게중심의 좌표는

$\left(\frac{2+0+a}{3}, \frac{5-1+b}{3}, \frac{3+5+c}{3}\right)$

$\therefore \left(\frac{2+a}{3}, \frac{4+b}{3}, \frac{8+c}{3}\right)$

이 점이 점 G(1, 2, 3)과 일치하므로

$\frac{2+a}{3}=1, \frac{4+b}{3}=2, \frac{8+c}{3}=3$

따라서 $a=1, b=2, c=1$이므로

$abc=2$

10-1 선분 AB의 중점의 좌표는

$\left(\frac{1+5}{2}, \frac{-4+2}{2}, \frac{9-3}{2}\right)$ $\therefore (3, -1, 3)$

따라서 구하는 구의 중심의 좌표는 (3, −1, 3)이고, 반지름의 길이는

$\sqrt{(3-1)^2+(-1+4)^2+(3-9)^2}=7$

10-2 선분 AB의 중점의 좌표는

$\left(\frac{1+3}{2}, \frac{1-1}{2}, \frac{0+4}{2}\right)$ $\therefore (2, 0, 2)$

따라서 구의 중심의 좌표는 (2, 0, 2)이고, 반지름의 길이는

$\sqrt{(2-1)^2+(0-1)^2+(2-0)^2}=\sqrt{6}$

이므로 구하는 구의 방정식은

$(x-2)^2+y^2+(z-2)^2=6$

11-1 $x^2+y^2+z^2+2x+4y-14z+10=0$에서

$(x+1)^2+(y+2)^2+(z-7)^2=44$

따라서 구의 중심의 좌표는 (−1, −2, 7)이므로 구의 중심과 원점 사이의 거리는

$\sqrt{(-1)^2+(-2)^2+7^2}=3\sqrt{6}$

11-2 $x^2+y^2+z^2-4x-8y+6z+k=0$에서

$(x-2)^2+(y-4)^2+(z+3)^2=29-k$

이므로 구의 중심의 좌표는 (2, 4, −3)이고, 반지름의 길이는 $\sqrt{29-k}$이다.

구의 중심에서 z축에 내린 수선의 발의 좌표는

(0, 0, −3)

이때 반지름의 길이는 구의 중심과 수선의 발 사이의 거리와 같으므로 반지름의 길이는

$\sqrt{2^2+4^2+(-3+3)^2}=2\sqrt{5}$

따라서 $\sqrt{29-k}=2\sqrt{5}$이므로 $29-k=20$

$\therefore k=9$

12-1 구의 방정식을

$x^2+y^2+z^2+Ax+By+Cz+D=0$이라 하고 주어진 네 점의 좌표를 각각 대입하면

$D=0$

$4-2C+D=0$ ······ ㉠

$1+1+B-C+D=0$ ······ ㉡

$4+1+1+2A+B+C+D=0$ ······ ㉢

㉠, ㉡, ㉢에 $D=0$을 대입하면

$C=2, B-C=-2, 2A+B+C=-6$

$\therefore A=-4, B=0, C=2$

따라서 구하는 구의 방정식은

$x^2+y^2+z^2-4x+2z=0$

12-2 구의 방정식을

$x^2+y^2+z^2+Ax+By+Cz+D=0$이라 하고 주어진 네 점의 좌표를 각각 대입하면

$D=0$

$1+1+A-C+D=0$ ······ ㉠

$1+4+1-A+2B+C+D=0$ ······ ㉡

$1+9+A+3B+D=0$ ······ ㉢

㉠, ㉡, ㉢에 $D=0$을 대입하면

$A-C=-2, A-2B-C=6, A+3B=-10$

$\therefore A=2, B=-4, C=4$

따라서 구하는 구의 방정식은

$x^2+y^2+z^2+2x-4y+4z=0$

STEP 3 교과서 기본 테스트 | 본문 98～101쪽

01 ⑤	02 (−3, 2, −3)		03 12	04 3
05 ①	06 ④	07 ④	08 ③	09 $3\sqrt{2}$
10 ⑤	11 ④	12 9	13 ②	14 ⑤
15 $\left(\frac{2}{3}, 2, \frac{8}{3}\right)$		16 ③	17 ④	18 ②
19 ①	20 4	21 ③	22 C(−5, 0, 0)	
23 2	24 $2\sqrt{2}$			

01 점 P를 xy평면에 대하여 대칭이동한 점은 z좌표의 부호만 바뀌므로 구하는 점의 좌표는

(3, 5, 4)

02 P(−2, 3, −4), Q(−4, 1, −2)이므로 선분 PQ의 중점의 좌표는

$\left(\frac{-2-4}{2}, \frac{3+1}{2}, \frac{-4-2}{2}\right)$ $\therefore (-3, 2, -3)$

03 점 A는 선분 PQ의 중점이다.

선분 PQ의 중점의 좌표는

$\left(\frac{-1+a}{2}, \frac{2+b}{2}, \frac{3+c}{2}\right)$

이 점이 점 A$(3, 1, 4)$와 일치하므로

$\frac{-1+a}{2}=3$, $\frac{2+b}{2}=1$, $\frac{3+c}{2}=4$

따라서 $a=7$, $b=0$, $c=5$이므로

$a+b+c=12$

04 P$'(2, 0, 1)$에서 $a=2$, $b=0$, $c=1$이므로

$a+b+c=3$

05 M$(3, -2, 0)$, N$(0, -2, 1)$이므로

$\overline{\mathrm{MN}}=\sqrt{(0-3)^2+(-2+2)^2+(1-0)^2}$

$=\sqrt{10}$

06 점 P의 좌표를 $(0, 0, a)$라 하면

$\overline{\mathrm{AP}}^2=(-1)^2+1^2+(a+1)^2$

$=a^2+2a+3$

$\overline{\mathrm{BP}}^2=1^2+(-2)^2+(a-2)^2$

$=a^2-4a+9$

$\overline{\mathrm{AP}}=\overline{\mathrm{BP}}$에서 $\overline{\mathrm{AP}}^2=\overline{\mathrm{BP}}^2$이므로

$a^2+2a+3=a^2-4a+9$

$6a=6 \quad \therefore a=1$

따라서 구하는 점 P의 좌표는

$(0, 0, 1)$

07 $\overline{\mathrm{AB}}=\sqrt{(-3)^2+4^2}=5$

$\overline{\mathrm{BC}}=\sqrt{(-4)^2+4^2}=4\sqrt{2}$

$\overline{\mathrm{CA}}=\sqrt{3^2+(-4)^2}=5$

오른쪽 그림과 같이 이등변삼각형 ABC의 점 A에서 선분 BC에 내린 수선의 발 H에 대하여

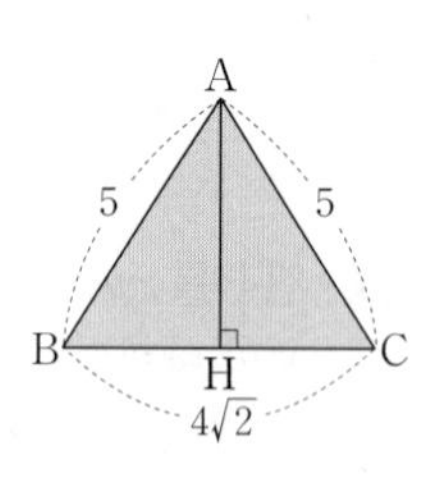

$\overline{\mathrm{BH}}=2\sqrt{2}$

직각삼각형 ABH에서

$\overline{\mathrm{AH}}=\sqrt{5^2-(2\sqrt{2})^2}=\sqrt{17}$

$\therefore \triangle\mathrm{ABC}=\frac{1}{2}\times 4\sqrt{2}\times\sqrt{17}$

$=2\sqrt{34}$

08 점 P의 좌표를 $(0, b, c)$라 하면

$\overline{\mathrm{OP}}^2=b^2+c^2$

$\overline{\mathrm{AP}}^2=(0-1)^2+(b-2)^2+(c-1)^2$

$=b^2+c^2-4b-2c+6$

$\overline{\mathrm{BP}}^2=(0+1)^2+(b-0)^2+(c-1)^2$

$=b^2+c^2-2c+2$

이때 $\overline{\mathrm{OP}}^2=\overline{\mathrm{AP}}^2$이므로

$b^2+c^2=b^2+c^2-4b-2c+6$

$2b+c-3=0 \quad \cdots\cdots$ ㉠

또 $\overline{\mathrm{OP}}^2=\overline{\mathrm{BP}}^2$이므로

$b^2+c^2=b^2+c^2-2c+2$

$c-1=0 \quad \therefore c=1$

$c=1$을 ㉠에 대입하면 $b=1$

따라서 구하는 점 P의 좌표는

$(0, 1, 1)$

09 점 A와 x축에 대하여 대칭인 점을 A$'$이라 하면

A$'(1, 0, -1)$

이때 $\overline{\mathrm{AP}}=\overline{\mathrm{A'P}}$이므로

$\overline{\mathrm{AP}}+\overline{\mathrm{PB}}=\overline{\mathrm{A'P}}+\overline{\mathrm{PB}}$

$\geq\overline{\mathrm{A'B}}$

$=\sqrt{(-2-1)^2+(2+1)^2}$

$=3\sqrt{2}$

따라서 구하는 최솟값은 $3\sqrt{2}$

10 선분 AB를 $2:1$로 내분하는 점 P의 좌표는

$\left(\frac{2\times2+1\times5}{2+1}, \frac{2\times(-2)+1\times1}{2+1}, \frac{2\times1+1\times4}{2+1}\right)$

$\therefore$ P$(3, -1, 2)$

선분 AB를 $4:3$으로 외분하는 점 Q의 좌표는

$\left(\frac{4\times2-3\times5}{4-3}, \frac{4\times(-2)-3\times1}{4-3}, \frac{4\times1-3\times4}{4-3}\right)$

$\therefore$ Q$(-7, -11, -8)$

$\therefore \overline{\mathrm{PQ}}=\sqrt{(-7-3)^2+(-11+1)^2+(-8-2)^2}$

$=10\sqrt{3}$

11 선분 AB를 $1:2$로 내분하는 점 P의 좌표는

$\left(\frac{1\times(-2)+2\times1}{1+2}, \frac{1\times4+2\times4}{1+2}, \frac{1\times3+2\times(-3)}{1+2}\right)$

$\therefore$ P$(0, 4, -1)$

선분 AB를 $2:1$로 외분하는 점 Q의 좌표는

$\left(\frac{2\times(-2)-1\times1}{2-1}, \frac{2\times4-1\times4}{2-1}, \frac{2\times3-1\times(-3)}{2-1}\right)$

$\therefore$ Q$(-5, 4, 9)$

즉 선분 PQ의 중점의 좌표는

$\left(\frac{0-5}{2}, \frac{4+4}{2}, \frac{-1+9}{2}\right) \qquad \therefore \left(-\frac{5}{2}, 4, 4\right)$

따라서 $a=-\frac{5}{2}$, $b=4$, $c=4$이므로

$a+b+c=\frac{11}{2}$

12 선분 AC의 중점의 좌표는

$\left(\frac{2-4}{2}, \frac{-1+5}{2}, \frac{1+6}{2}\right) \qquad \therefore \left(-1, 2, \frac{7}{2}\right)$

선분 BD의 중점의 좌표는

$\left(\frac{-3+a}{2}, \frac{2+b}{2}, \frac{1+c}{2}\right)$

평행사변형 ABCD에서 선분 AC의 중점과 선분 BD의 중점이 일치하므로

$\frac{-3+a}{2}=-1$, $\frac{2+b}{2}=2$, $\frac{1+c}{2}=\frac{7}{2}$

따라서 $a=1$, $b=2$, $c=6$이므로

$a+b+c=9$

13 선분 OB의 중점의 좌표는

$\left(1, \frac{3}{2}, \frac{a}{2}\right)$

선분 AC의 중점의 좌표는

$\left(\frac{-1+b}{2}, \frac{-2+c}{2}, \frac{1-3}{2}\right)$

$\therefore \left(\frac{-1+b}{2}, \frac{-2+c}{2}, -1\right)$

평행사변형 OABC에서 선분 OB의 중점과 선분 AC의 중점이 일치하므로

$\frac{-1+b}{2}=1$, $\frac{-2+c}{2}=\frac{3}{2}$, $-1=\frac{a}{2}$

따라서 $a=-2$, $b=3$, $c=5$이므로

$a+b+c=6$

14 삼각형 ABC의 무게중심의 좌표는

$\left(\frac{a+5+1}{3}, \frac{0+b-2}{3}, \frac{2+3+c}{3}\right)$

$\therefore \left(\frac{a+6}{3}, \frac{b-2}{3}, \frac{c+5}{3}\right)$

이 점이 점 G$(1, -2, 2)$와 일치하므로

$\frac{a+6}{3}=1$, $\frac{b-2}{3}=-2$, $\frac{c+5}{3}=2$

따라서 $a=-3$, $b=-4$, $c=1$이므로

$abc=12$

15 삼각형 ABC의 무게중심의 좌표는

$\left(\frac{2+0+1}{3}, \frac{5-1+5}{3}, \frac{3+5+4}{3}\right)$

$\therefore (1, 3, 4)$

점 $(1, 3, 4)$에서 xy평면, yz평면, zx평면에 각각 내린 수선의 발 P, Q, R의 좌표는

P$(1, 3, 0)$, Q$(0, 3, 4)$, R$(1, 0, 4)$

따라서 구하는 삼각형 PQR의 무게중심의 좌표는

$\left(\frac{1+0+1}{3}, \frac{3+3+0}{3}, \frac{0+4+4}{3}\right)$

$\therefore \left(\frac{2}{3}, 2, \frac{8}{3}\right)$

16 yz평면에 접하는 구의 반지름의 길이는 중심의 x좌표의 절댓값과 같으므로 반지름의 길이는 4이다.

따라서 구하는 구의 방정식은

$(x+4)^2+(y-1)^2+(z+3)^2=16$

$\therefore x^2+y^2+z^2+8x-2y+6z+10=0$

17 구 $(x-3)^2+y^2+(z+4)^2=4$의 중심의 좌표는 $(3, 0, -4)$이고 반지름의 길이는 2이다.

두 구의 중심 사이의 거리는

$\sqrt{(3-1)^2+(0-4)^2+(-4-0)^2}=6$

따라서 구하는 반지름의 길이를 r라 하면 오른쪽 그림과 같이 두 구가 외접하므로

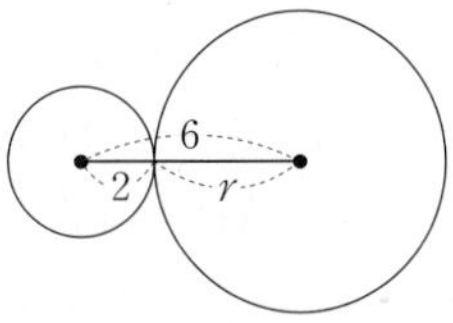

$2+r=6 \qquad \therefore r=4$

18 yz평면 위의 점은 x좌표가 0이므로 주어진 방정식에 $x=0$을 대입하면

$y^2+z^2+2y-8=0$

$\therefore (y+1)^2+z^2=9$

따라서 주어진 구와 yz평면이 만나서 생기는 도형은 중심의 좌표가 $(0, -1, 0)$이고 반지름의 길이가 3인 원이므로 구하는 길이는

$2\pi\times3=6\pi$

19 xy평면, yz평면, zx평면에 동시에 접하는 구의 반지름의 길이를 r라 하면 구의 방정식은

$(x-r)^2+(y-r)^2+(z-r)^2=r^2$

이 구가 점 $(2, 4, 2)$를 지나므로

$(2-r)^2+(4-r)^2+(2-r)^2=r^2$

$r^2-8r+12=0$, $(r-2)(r-6)=0$

$\therefore r=2$ 또는 $r=6$

따라서 구하는 반지름의 길이는 2

20 $x^2+y^2+z^2-2x+6y-4z=0$에서

$(x-1)^2+(y+3)^2+(z-2)^2=14$

이므로 주어진 구의 반지름의 길이는 $\sqrt{14}$

또 주어진 구의 중심을 C라 하면 C$(1, -3, 2)$이므로
$\overline{AC}=\sqrt{(1-3)^2+(-3-2)^2+(2-1)^2}=\sqrt{30}$
오른쪽 그림과 같이 점 A$(3, 2, 1)$에서 구에 그은 접선의 접점을 P라 하면 △APC는 직각삼각형이므로 구하는 접선의 길이는

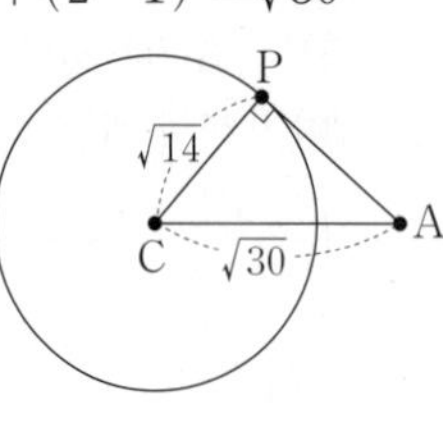

$\overline{AP}=\sqrt{(\sqrt{30})^2-(\sqrt{14})^2}=4$

21 $x^2+y^2+z^2-2x+2y-47=0$에서
$(x-1)^2+(y+1)^2+z^2=49$ ······ ㉠
$x^2+y^2+z^2-14x-10y-6z+58=0$에서
$(x-7)^2+(y-5)^2+(z-3)^2=25$ ······ ㉡

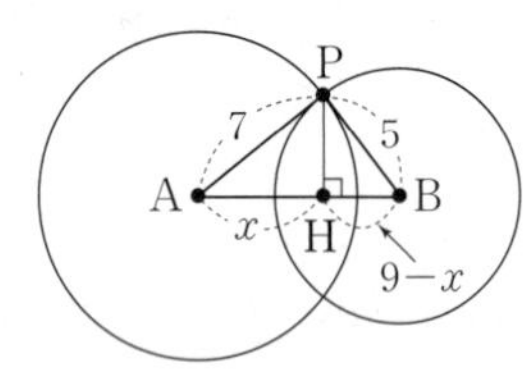

위의 그림과 같이 구 ㉠의 중심을 A, 구 ㉡의 중심을 B, 두 구가 만나서 생기는 원 위의 한 점을 P, 점 P에서 선분 AB에 내린 수선의 발을 H라 하면
A$(1, -1, 0)$, B$(7, 5, 3)$
$\therefore \overline{AB}=\sqrt{(7-1)^2+(5+1)^2+(3-0)^2}$
$=9$
$\overline{AH}=x$라 하면 $\overline{HB}=9-x$이므로
$\overline{PH}=\sqrt{7^2-x^2}=\sqrt{5^2-(9-x)^2}$
$49-x^2=-x^2+18x-56$
$18x=105 \qquad \therefore x=\frac{35}{6}$
따라서 구하는 원의 반지름의 길이는 선분 PH의 길이와 같으므로
$\sqrt{7^2-x^2}=\sqrt{7^2-\left(\frac{35}{6}\right)^2}=\frac{7\sqrt{11}}{6}$

22 점 C의 좌표를 $(a, 0, 0)$이라 하면
$\overline{AB}^2=(2-1)^2+(1-4)^2+(-5+3)^2=14$
$\overline{BC}^2=(a-2)^2+(-1)^2+5^2=a^2-4a+30$
$\overline{CA}^2=(1-a)^2+4^2+(-3)^2=a^2-2a+26$
직각삼각형 ABC에서 $\overline{AB}^2+\overline{CA}^2=\overline{BC}^2$이므로
$14+(a^2-2a+26)=a^2-4a+30$
$2a=-10 \qquad \therefore a=-5$
따라서 구하는 점 C의 좌표는
$(-5, 0, 0)$

23 선분 AB를 $m:n$으로 내분하는 점은 xy평면 위의 점이므로 z좌표가 0이다. 이때 내분점의 z좌표가
$\frac{m\times(-4)+n\times2}{m+n}$이므로
$\frac{-4m+2n}{m+n}=0, \ -4m+2n=0$
$\therefore \frac{n}{m}=2$

24 xy평면 위의 점은 z좌표가 0이므로 주어진 구의 방정식에 $z=0$을 대입하면
$(x-2)^2+(y+1)^2=9$
즉 주어진 구와 xy평면의 교선은 중심의 좌표가 $(2, -1, 0)$이고 반지름의 길이가 3인 원이다.
오른쪽 그림과 같이 원의 중심을 C라 하고, 점 A$(-1, 3, 2)$에서 xy평면에 내린 수선의 발을 H라 하면 H$(-1, 3, 0)$이므로

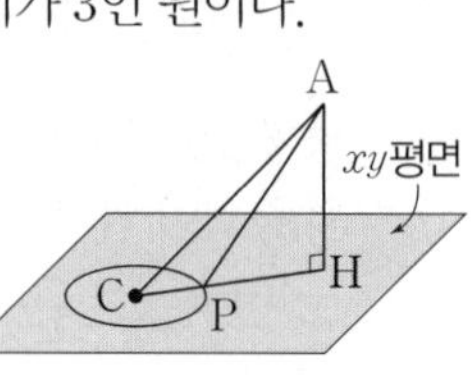

$\overline{AP}=\sqrt{\overline{PH}^2+\overline{AH}^2}$
$=\sqrt{\overline{PH}^2+4}$
이때 $\overline{PH}\ge\overline{CH}-3=5-3=2$이므로
$\overline{AP}\ge\sqrt{4+4}=2\sqrt{2}$
따라서 구하는 최솟값은 $2\sqrt{2}$이다.

창의력 · 융합형 · 서술형 · 코딩
본문 102～103쪽

1 (1) 풀이 참조 (2) $\sqrt{11}$
2 (1) M$(200, 200, 0)$
(2) A$(200, 200, 100\sqrt{17})$
(3) P$\left(200, 200, \frac{100\sqrt{17}}{3}\right)$
3 (1) 3
(2) $(\sqrt{3}, 0, 2\sqrt{6})$
(3) $(x-\sqrt{3})^2+y^2+(z-2\sqrt{6})^2=9$
4 (1) 1 (2) $2\sqrt{3}$ (3) 3π

1 (1) 좌표축을 오른쪽 그림과 같이 설정하면
A$(2, -1, 1)$,
B$(-1, 0, 2)$

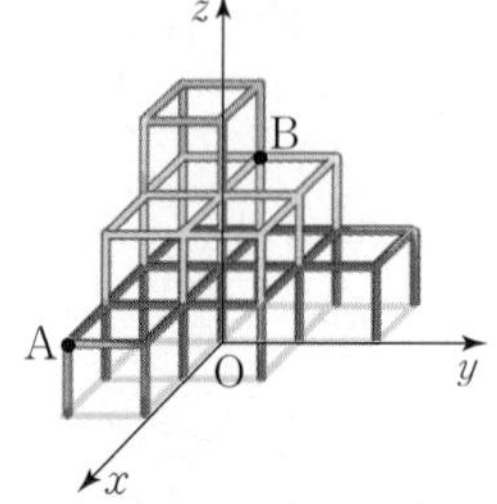

(2) $\overline{AB}=\sqrt{(-1-2)^2+(0+1)^2+(2-1)^2}$
$=\sqrt{11}$

참고 (1)에서 좌표축을 다르게 설정하여도 두 지점 A, B 사이의 거리는 같다.

2 (1) 점 M은 밑면인 정사각형의 대각선의 중점이다. 즉 두 점 $(0, 0, 0)$, $(400, 400, 0)$의 중점과 일치하므로 구하는 점 M의 좌표는

$\left(\frac{400}{2}, \frac{400}{2}, 0\right)$

$\therefore$ M$(200, 200, 0)$

(2) $\overline{OM}=\sqrt{200^2+200^2}=200\sqrt{2}$

이므로 직각삼각형 OMA에서

$\overline{AM}=\sqrt{500^2-(200\sqrt{2})^2}=100\sqrt{17}$

따라서 구하는 점 A의 좌표는

$(200, 200, 100\sqrt{17})$

(3) 점 P는 선분 AM을 $2:1$로 내분하는 점이므로 점 P의 좌표는

$\left(\frac{2\times200+1\times200}{2+1}, \frac{2\times200+1\times200}{2+1}, \frac{2\times0+1\times100\sqrt{17}}{2+1}\right)$

$\therefore$ P$\left(200, 200, \frac{100\sqrt{17}}{3}\right)$

3 (1) 구의 지름의 길이는 두 점 $(0, -3, 0)$, $(0, 3, 0)$ 사이의 거리와 같으므로 구하는 반지름의 길이는

$\frac{1}{2}\sqrt{(3+3)^2}=3$

(2) 두 번째 층에 놓인 구의 중심의 좌표를 (a, b, c)라 하면 점 (a, b, c)와 세 점 $(0, -3, 0)$, $(3\sqrt{3}, 0, 0)$, $(0, 3, 0)$ 사이의 거리가 모두 6이므로

$\sqrt{a^2+(b+3)^2+c^2}=6$ …… ㉠

$\sqrt{(a-3\sqrt{3})^2+b^2+c^2}=6$ …… ㉡

$\sqrt{a^2+(b-3)^2+c^2}=6$ …… ㉢

㉠, ㉢을 연립하여 풀면 $b=0$

$b=0$을 ㉠, ㉡에 대입하여 정리하면

$a^2+c^2=27$, $a^2-6\sqrt{3}a+c^2=9$

위의 두 식을 연립하여 풀면

$a=\sqrt{3}$, $c=2\sqrt{6}$ ($\because c>0$)

따라서 구하는 구의 중심의 좌표는

$(\sqrt{3}, 0, 2\sqrt{6})$

(3) 두 번째 층에 놓인 구의 중심의 좌표는 $(\sqrt{3}, 0, 2\sqrt{6})$이고 반지름의 길이가 3이므로 구하는 구의 방정식은

$(x-\sqrt{3})^2+y^2+(z-2\sqrt{6})^2=9$

4 (1) $x^2+y^2+z^2-2z=0$에서

$x^2+y^2+(z-1)^2=1$

따라서 구하는 구의 반지름의 길이는 1

(2) 오른쪽 그림과 같이 구의 중심을 C, 구와 빛을 나타내는 직선의 접점을 T라 하면

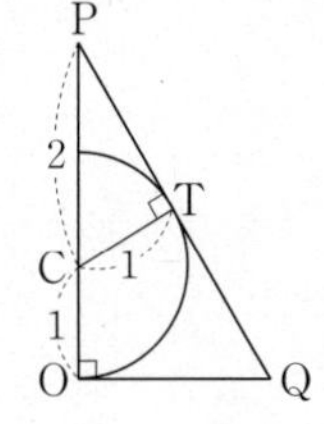

$\overline{PT}=\sqrt{\overline{CP}^2-\overline{TC}^2}$

$=\sqrt{2^2-1^2}=\sqrt{3}$

이때 $\angle PTC=\angle POQ=90°$이고 $\angle P$는 공통이므로 $\triangle PTC$와 $\triangle POQ$는 닮은 도형이다. 따라서

$\overline{PT}:\overline{PC}=\overline{PO}:\overline{PQ}$

$\sqrt{3}:2=3:\overline{PQ}$

$\therefore \overline{PQ}=2\sqrt{3}$

(3) 직각삼각형 POQ에서

$\overline{OQ}=\sqrt{\overline{PQ}^2-\overline{PO}^2}$

$=\sqrt{(2\sqrt{3})^2-3^2}=\sqrt{3}$

따라서 그림자는 반지름의 길이가 $\sqrt{3}$인 원이므로 구하는 그림자의 넓이는

$\pi\times(\sqrt{3})^2=3\pi$

Memo.

배움으로 행복한 내일을 꿈꾸는

천재교육 커뮤니티 안내

교재 안내부터 구매까지 한 번에!

천재교육 홈페이지

자사가 발행하는 참고서, 교과서에 대한 소개는 물론
도서 구매도 할 수 있습니다. 회원에게 지급되는 별을 모아
다양한 상품 응모에도 도전해 보세요!

다양한 교육 꿀팁에 깜짝 이벤트는 덤!

천재교육 인스타그램

천재교육의 새롭고 중요한 소식을 가장 먼저 접하고 싶다면?
천재교육 인스타그램 팔로우가 필수!
깜짝 이벤트도 수시로 진행되니 놓치지 마세요!

수업이 편리해지는

천재교육 ACA 사이트

오직 선생님만을 위한, 천재교육 모든 교재에 대한 정보가 담긴
아카 사이트에서는 다양한 수업자료 및 부가 자료는 물론
시험 출제에 필요한 문제도 다운로드하실 수 있습니다.

천재교육을 사랑하는 샘들의 모임

천사샘

학원 강사, 공부방 선생님이시라면 누구나 가입할 수 있는 천사샘!
교재 개발 및 평가를 통해 교재 검토진으로 참여할 수 있는 기회는 물론
다양한 교사용 교재 증정 이벤트가 선생님을 기다립니다.

아이와 함께 성장하는 학부모들의 모임공간

튠맘 학습연구소

튠맘 학습연구소는 초·중등 학부모를 대상으로 다양한 이벤트와 함께
교재 리뷰 및 학습 정보를 제공하는 네이버 카페입니다.
초등학생, 중학생 자녀를 둔 학부모님이라면 튠맘 학습연구소로 오세요!

교과서

다품

정답과 해설

기하

단기간 고득점을 위한 2주

전략 질주

고등 전략

내신전략 시리즈

국어/영어/수학/사회/과학

필수 개념을 꽉~ 잡아 주는 초단기 내신 전략서!

수능전략 시리즈

국어/영어/수학/사회/과학

빈출 유형을 철저히 분석하여 반영한 고효율·고득점 전략서!